STORMIE OMARTIAN

DESDE
las
TINIEBLAS

MI HISTORIA EN LA BÚSQUEDA
DE LA LUZ Y LA
LIBERACIÓN VERDADERAS

Unilit

Sepa

Publicado por
Unilit
Medley, FL 33166

© 2016 Editorial Unilit (Spanish translation)
Primera edición 2016

© 2015 por *Stormie Omartian*
Originalmente publicado en ingles con el titulo: *Out of Darkness*
Publicado por *Harvest House Publishers*
Eugene, Oregon 97402
www.harvesthousepublishers.com

Traducción: *Andrés Carrodeguas*
Diseño de la cubierta e interior: *Left Coast Design, Portland, Oregon*
Fotografía de la cubierta: © *Michael Gómez*

A menos que se indique lo contrario, el texto bíblico ha sido tomado de la Versión Reina-Valera © 1960 Sociedades Bíblicas en América Latina; © renovado 1988 Sociedades Bíblicas Unidas. Utilizado con permiso. Reina-Valera 1960® es una marca registrada de la American Bible Society, y puede ser usada solamente bajo licencia.
Las citas bíblicas señaladas con NVI® se tomaron de la Santa Biblia, *Nueva Versión Internacional.* © 1999 por la Sociedad Bíblica Internacional.
Las citas bíblicas señaladas con LBLA se tomaron de la Santa Biblia, *La Biblia de Las Américas.* © 1986 por The Lockman Foundation.

Producto: 495879
ISBN: 0-7899-2337-8 / 978-0-7899-2337-0

Categoría: Inspiración / Motivación / Biografías y autobiografías
Category: Inspiration / Motivation / Biography & Autobiography

Impreso en Colombia
Printed in Colombia

Con especial gratitud

A Michael Omartian, mi esposo, por su fidelidad a Dios y a mí.

A Suzy, Susan y Roz, mis compañeras de oración durante más de treinta años, por toda su dedicación a orar por mí y por mi familia. Pediría que las bendiciones que me han dado a través de sus oraciones continuas se acumulen y multipliquen a ciento por uno sobre ustedes, ¡pero por otra parte no quiero limitar a Dios!

A mi hijo, Christopher, y a mi nuera, Paige, y a mi hija, Amanda, y a mi yerno, Dallas, por su amor y su apoyo. Y a mi nieta, Scarlett Grace, por traernos un gozo permanente a mi familia y a mí. Los amo a todos mucho más de lo que podría expresar con mis palabras.

A Bob Hawkins, LaRae Weikert, Kim Moore, Terry Glaspey y al personal de Harvest House Publishers por su apoyo constante. Gracias en especial a L.Rae, T.Glass y B.Hawk por todos esos momentos excelentes que pasamos juntos hablando acerca del futuro y de la mejor manera de servir a Dios. Nuestra relación de más de treinta años ha sido una fuente de gran felicidad y aliento para mí.

Contenido

Estimado lector:

Durante los primeros treinta años de mi vida, creía que nadie tenía más cicatrices emocionales que yo. Ahora sé que no estaba sola. Después que comencé a escribir libros e hice pública mi historia personal, fue saliendo gente desde los escondrijos de su alma con sus historias, similares a la mía, para relatármelas. Todas eran desgarradoras. Algunas eran incluso horripilantes. Es más, muchas historias eran tan estremecedoras que se hacía difícil hasta pensar en ellas. No tenía idea de que existieran siquiera esas personas que sufrían, mucho menos de lo numerosas que eran. Me equivoqué al pensar que yo debía ser la única.

Tal vez te preguntes cómo es posible que no supiera que hay una cantidad innumerable de personas que han sufrido quebrantos emocionales debido a cosas que *les* sucedieron o a errores que cometieron. Eso se debe a que, en esa época, no se hablaba de esas clases de experiencias negativas. Se mantenían en secreto por la infortunada tradición de sentir de que quizá la gente no te creyera o que *te* culpara en su lugar por tus circunstancias, o que *te* juzgara por *tu* presunta parte en la situación. En cuanto al sufrimiento emocional, en aquel entonces nos hallábamos en tiempos de oscuridad. Y aunque aún no nos encontramos en una era de iluminación con respecto a esto, las cosas son ahora mucho mejores de lo que eran en ese entonces.

No todo el daño emocional sucede en la infancia. Las personas pueden experimentar un tiempo maravilloso durante su crecimiento y, aun así, sufrir heridas más tarde en la vida causadas por gente abusiva que infligen su propia forma de crueldad, o por haber tomado ellas mismas unas malas decisiones, o por sus propias decisiones malas o a través de tragedias de una u otra clase. Cualquiera que sea la razón, se debe sacar a la gente de las tinieblas de su vida.

Esta es la historia de mi lucha para superar el daño emocional del abuso en mi niñez y el quebranto de ser una abusadora en potencia de los niños. Sin embargo, no tienes que experimentar ninguna de esas cosas para identificarte con la milagrosa restauración que se produjo en mí. Cualquiera que sea el sufrimiento, la desilusión o la situación que te ha llevado a un lugar tenebroso en tu vida, siempre hay una forma de salir a la luz de la sanidad y la restauración.

Nunca he tenido la intención de culpar a nadie por lo que sucedió en mi pasado. Es demasiado fácil señalar las culpas de las demás personas, porque todos las tenemos. Y puesto que no hay padres ni madres perfectos, es cruel e injusto hacerlos responsables para siempre de los errores cometidos. Nos tenemos que desprender de esas cosas y asumir la responsabilidad por nuestra vida presente. Tenemos que seguir adelante. Mi meta es señalarte a ti, el lector, dónde se halla la fuente de toda restauración y de toda integridad.

Esta es una historia real, pero algunos de los nombres se cambiaron a fin de proteger la privacidad de las personas. Cuando se hace esto, después de la primera vez que se menciona ese nombre, a este le seguirá un asterisco (*).

Escribí sobre algunas de las cosas que sucedieron durante los primeros treinta y cinco años de mi vida en un libro llamado *Stormie* que se publicó en 1986. Comencé la historia en el instante clave de mi vida en el que empecé a salir de las tinieblas. Decidí comenzar de nuevo en el punto más profundo de las tinieblas en el que vivía, con el fin de explicar en detalle lo que me llevó al momento de reconocer mi situación y buscar ayuda. Los hechos son lo que son, y no los puedo echar a un lado porque tienen una importancia crucial para el resto de la historia. Los hechos de los siguientes treinta y siete años después de ese momento hasta el día de hoy son todos nuevos, y con anterioridad no he hablado en público de muchos de ellos. Sin embargo, me parece que se debe relatar toda la historia con el fin de demostrar que, una vez que reconoces las tinieblas tal como son en realidad, es posible salir de ellas y entrar a la luz por el resto de tu vida.

Este libro habla sobre mi vida, pero no se trata tanto de mí misma como del proceso de vivir en las tinieblas y encontrar la verdadera luz. Todos hemos estado en una situación similar de una forma u otra. Debido al abrumador número de seres humanos que experimentaron unas heridas emocionales parecidas, o incluso peores que las mías, y porque son tantos los que han perdido la esperanza de llegar a ser sanados jamás, relato mi historia para que también puedan encontrar una forma de salir de las tinieblas de su pasado y entrar en el camino de sanidad y plenitud que les espera. Yo necesitaba una restauración con toda urgencia y la encontré. Y no solo eso, sino que también encontré una transformación que nunca había soñado que fuera posible. Si yo la pude encontrar, todo el que la quiera la puede encontrar también.

He orado mucho para que este libro produzca en todos los que lo lean la sanidad, la liberación, la restauración, la transformación y la sensación de que Dios tiene un elevado propósito para cada uno de nosotros. A todos los que desean recibir cada una de estas cosas, que Dios los bendiga.

Con mucho amor,

Stormie Omartian

Esa luz verdadera, la que alumbra
a todo ser humano, venía a este mundo.

JUAN 1:9, NVI®

1

Paralizada por la maldad

Nunca soñé que tendría una vida tan larga. Pensaba que moriría a los treinta y tantos años. Y, por supuesto, nunca imaginé que escribiría este libro. Me encantó escribir desde el primer día en que pude sostener un lápiz. Escribía obritas de teatro, historias, ensayos, letras de canciones y poemas. Había algo en mí que me hacía imposible no escribir.

Para mí, escribir es como respirar. Es más, me siento asfixiada si no tengo tiempo para escribir algo todos los días. Escribir siempre ha traído libertad a mi corazón y mi alma, y paz a mi torturada mente... aunque solo fuera de manera temporal. Escribía en agendas y diarios acerca de las cosas que me sucedían y de las emociones negativas que luchaba por superar. Escribir me liberaba y me mantenía con vida.

Me esforzaba lo más que podía por vencer mi situación y salir de ella. Me preguntaba: *¿Por qué no puedo ser como otras personas que nunca han tenido que batallar como yo?* Recuerdo con claridad un día, alrededor de mis veinticinco años, que se convirtió en un momento de cambio de dirección para mi vida. Comenzó con una terrible tragedia sucedida a otras personas que me afectó mucho.

Ese día me desperté tarde. Eran las diez de la mañana y la luz del sol resplandecía a través de las rendijas de las persianas de mi ventana.

Cuando abrí los ojos, me estallaba la cabeza. El aire sofocante indicaba que el día ya estaba caluroso. Llevábamos bastante tiempo metidos en esa ola de calor tropical que es típica de California en agosto, y mi pequeño apartamento de dos cuartos nunca llegaba a enfriarse gran cosa. No había aire acondicionado, y era demasiado peligroso dejar abiertas las ventanas, ni siquiera un poco. Me senté en mi sofá cama de tamaño personal y me volví a dejar caer sobre mi almohada. Exhausta después de un sueño inquieto durante toda la noche, estaba demasiado atolondrada como para levantarme.

Cuando llegué a casa alrededor de la medianoche, encontré otra rosa en la manilla de mi puerta del frente. Era la décima rosa consecutiva que alguien ponía allí cada tarde después que anochecía. Esto me empezaba a molestar. Lo que antes parecía un gesto galante de un admirador secreto, ahora se volvía perturbador. Solo alguien con la mente enferma continuaría aquel extraño rito día tras día sin identificarse. Debido a que hacía mucho tiempo tenía un problema de insomnio, eso no ayudaba nada.

Trabajaba hasta altas horas de la noche antes de filmar en la televisión otro segmento de *The Glen Campbell Goodtime Hour*, uno de los mejores programas del momento. En un principio, me contrataron para que fuera una de las cuatro cantantes del programa que también bailábamos, pero ahora había comenzado a actuar también en *sketches*. Trabajar con diferentes estrellas invitadas cada semana era siempre un reto, en especial cuando siempre parecía no haber tiempo suficiente para ensayar, y yo sufría de dudas crónicas con respecto a mis habilidades. El día de grabación en vivo con el público presente comenzaba antes del amanecer y duraba hasta entrada la noche. Al principio, me emocionaba mucho, pero últimamente todo lo que sentía era temor y agotamiento. No se trataba de la producción. Glen y todos los que estaban con él eran personas excelentes. Se trataba de mí misma.

Me volví a sentar, esta vez con mayor lentitud, y me incliné atravesada en la cama para encender el televisor. No me interesaba demasiado ver televisión, porque temía que me dejara la mente irreversiblemente aletargada. Sin embargo, esa mañana, lo encendí con el fin de apartar mis pensamientos del problema de las rosas.

En la pantalla apareció con todo detalle un informe de un noticiero sobre la horripilante muerte de la actriz Sharon Tate y cuatro personas más que acuchillaron en Benedict Canyon durante la noche. ¡Ese lugar no estaba lejos de mi apartamento! Conducía mi auto por ese cañón y pasaba por su calle con frecuencia. El terror me atrapaba a medida que presentaban los detalles de lo sucedido. No conocía en persona a Sharon Tate ni a sus amigos, pero sabía quiénes eran. La matanza habría horrorizado a cualquiera, pero lo que yo comencé a sentir iba más allá del horror. El temor crecía dentro de mí hacia un terror paralizante.

Fueron los cuchillos. ¡A Sharon Tate la acuchillaron! Siempre les tuve temor irracional a los cuchillos. Desde que tengo memoria, sufría de unas pesadillas que aparecían una y otra vez en las que me acuchillaban repetidamente. Solo el hecho de *pensar* en los cuchillos me daba un temor mortal... mucho más de lo que se consideraría normal.

Sonó el teléfono, rompiendo por un instante el control del miedo que me hacía quedarme pegada a la pantalla del televisor. «¿Oíste lo que les sucedió a Sharon Tate y a los demás?», me preguntó una amiga desde el otro lado de la línea. A esa llamada la siguieron muchas parecidas. Nadie podía creer lo sucedido, ni siquiera podía comenzar a entender el porqué. No parecía haber motivación alguna para esos asesinatos, lo cual los hacía incluso más aterradores.

Esa noche salí con unas amigas a un restaurante, y los asesinatos fueron nuestro único tema de conversación. Todas estuvimos de acuerdo en que la ola de calor volvía loca a la gente, y que el floreciente escenario de las drogas psicodélicas de los años sesenta trajo consigo una especie de locura malévola que lo invadía todo. Esto fue el 10 de agosto de 1969.

A eso de las once de la noche, cuando regresé a mi apartamento, allí estaba... otra rosa alrededor de la manilla de *mi puerta del frente*. Me estremecí de temor al comprender de repente que esa locura obedecía a un patrón de conducta. Al principio, las rosas eran solo pequeños capullos. Poco a poco, eran más grandes cada noche. Y ahora comenzaban a abrirse. Me pregunté: *¿Qué sucederá cuando las rosas florezcan por completo?* Me apresuré a entrar al apartamento, le puse el seguro a la puerta, y me fui a la cama llena de terror.

A la mañana siguiente, encendí el televisor en cuanto me desperté para ver si había más noticias acerca del caso de Sharon Tate. Desesperada por comprender lo sucedido y el porqué, mi mente estaba repleta de preguntas sin respuesta. Mi horror aumentó cuando supe que durante la noche acuchillaron a dos personas más. Asesinaron a unos esposos apellidados LaBianca. Los detalles coincidían con los de los asesinatos de Sharon Tate y sus amigos, y la policía sospechaba que los asesinos fueron los mismos.

El terror se propagó como un incendio por toda la ciudad. Los ricos levantaron cercas de seguridad, instalaron alarmas contra ladrones y compraron perros guardianes. El resto de nosotros aseguramos nuestras puertas y ventanas, y no se las abríamos a nadie. No podía soportar el hecho de estar sola, y mi novio, Rick*, no estaba en la ciudad. Mi apartamento era demasiado pequeño para tener allí otras personas, así que salí con mis amigas de nuevo esa noche como si me sintiera desesperada por estar con alguien.

Cuando regresé a mi apartamento eran casi las dos de la mañana, y allí había otra rosa en la manilla de la puerta. Esta comenzaba a abrirse. Con toda rapidez, la tiré entre los arbustos, corrí hacia dentro y le puse el seguro a la puerta.

Mientras me preparaba para acostarme, repasaba en la mente los macabros detalles del asesinato de Sharon Tate. Se trataba de una joven hermosa y rica, con nueve meses de embarazo, que vivía en una casa grande con alarmas contra ladrones y una cerca electrizada. Estaba protegida por completo, y con todo, resultó muy vulnerable. Sabía que ella, y los demás asesinados con ella, no eran del tipo de personas que participaba en prácticas ocultistas, como insinuaron algunos informes. Tampoco eran del tipo de personas que a una se le podría ocurrir jamás que terminarían asesinadas. Si se pudo invadir la santidad del hogar de Sharon Tate de esa manera, ¿cuál era la protección que tenía yo? Y los cuchillos... ni siquiera me podía atrever a pensar en los cuchillos.

No obstante, algo más me molestaba. Algo acerca del *espíritu* de lo sucedido allí era demasiado conocido. Era como encontrarse con alguien que una sabe que conoció antes, pero que no acaba de saber dónde ni cuándo.

Durante años, había estado muy involucrada en el ocultismo. Todo comenzó con tableros de Ouija y horóscopos, y después me sumergí de cabeza en la proyección astral y en las sesiones espiritistas para invocar a los muertos. La numerología me fascinaba tanto que comencé a pensar en cambiarme de nombre cuando supe que si la suma de las letras de mi nombre daba cierto número, podría llegar al éxito y sentirme realizada. Sin embargo, me enteré que una prometedora actriz joven le pagó a un numerólogo para que le buscara un nombre nuevo. Se cambió legalmente de nombre, se mudó a la ciudad de Nueva York para comenzar una vida llena de éxitos y nunca se volvió a saber de ella. No tenía en mente que un numerólogo me enviara a las tinieblas, así que decidí seguir adelante con otras cosas.

Tomé clases de hipnotismo, algo muy popular en la industria del espectáculo. Con frecuencia entraba en estado de trance y me decía las cosas que quería oír. «Stormie», me decía, «eres una persona hermosa, exitosa y maravillosa. Sabes hablar, cantar y actuar, y no tienes miedo». En cambio, como sucedía con todas las demás cosas que intentaba, la ayuda que recibía a veces solo era fugaz, y después me sentía peor que antes.

Lo próximo fue lanzarme de lleno a una religión hecha por hombres, también muy popular en esa ciudad, que creía que en el mundo no había más maldad que la que existía en la mente de una persona. Y si una podía controlar su mente, podía controlar la cantidad de experiencias negativas que tendría. Compré cada libro disponible que hablaba del tema y los leí de principio a fin. Me asocié con otros defensores de esa religión que pensaban de manera parecida, lo cual no fue difícil de lograr porque eran muchos los involucrados entre la gente del espectáculo en Hollywood, las actrices en especial. Esto no me dio resultado, porque por mucho que tratara de tener buenos pensamientos, podía seguir viendo la maldad por todas partes, de manera que empeoraron el temor, la depresión, la ansiedad y el pánico que llevaba dentro de mí.

Me dediqué a participar en todo lo que me dijeran que valía la pena y que podría llevar una vida sin dolor en mi futuro. A menudo visitaba a los médiums, esperando que me pudieran dar buenas noticias. Cuando no lo hacían, me desesperaba. Estaba en una verdadera montaña rusa emocional, y en mi vida no había equilibrio de ningún tipo.

Al entregarme a las religiones orientales, comencé a meditar todos los días. Sin embargo, el Dios que yo buscaba con tanta diligencia estaba distante y frío, y la paz me evadía. En una ocasión, mientras estaba en medio de una meditación, abrí los ojos para descubrir que veía mi propio cuerpo tirado sobre el sofá que estaba al otro extremo de la habitación. Esta era la experiencia fuera del cuerpo sobre la que leí y quería, pero no me trajo la «unión con el universo» que tendría lugar según me dijeron. Al contrario, lo que trajo fue un terror mayor. Mientras más me involucraba, más veía cosas extrañas, como formas y seres raros flotando delante de mis ojos. No comprendía lo que sucedía ni por qué.

A pesar de los aterradores aspectos del ocultismo, me sentía irresistiblemente atraída hacia todo eso. Sabía que había un verdadero mundo espiritual porque lo había visto. Y los libros prometían que si seguía esos métodos, encontraría a Dios y también la paz eterna. ¿Por qué parecía tener el efecto opuesto en mí? No obstante, como estaba tan desesperada por hallar algo que tal vez llenara mi vacío interior, aliviara la intensa angustia emocional que sentía a cada momento y apaciguara el temor irracional que amenazaba con controlarme la mente, continuaba en mi búsqueda. Tenía que existir una respuesta para mí, y yo la iba a encontrar.

Algo en mis prácticas ocultistas me recordaba los asesinatos de Sharon Tate y los demás. Sentía que fui parte de lo sucedido, aun cuando sabía que no era así. Recordando el viejo adagio de «uno siempre reconoce lo suyo», encontré demasiado conocidos los sucesos. De algún modo, participé. Lo podía sentir. Temía que si seguía por el camino que llevaba, me podría suceder lo mismo que a Sharon Tate. No obstante, me sentía impotente para detenerlo.

No puedo seguir pensando en eso, pensaba mientras me deslizaba en una fina bata de noche y me dirigía al baño para lavarme la cara. Encendí la luz y me sorprendió ver centenares de cucarachas grandes que se trataban de esconder por todas partes en el piso de baldosas. Hacía más de un año que vivía allí y nunca antes había visto una sola. En cambio, tampoco nunca antes entré al baño tan tarde en la noche.

Corrí a la cocina en busca de una lata de insecticida y rocié sin piedad el baño hasta que maté al último de los insectos. La idea de tener que dormir allí, aunque fuera con una sola cucaracha viva, me dio fuerzas para hacerlo. Por fin me detuve cuando ya no quedaban señales de vida. Ya para entonces, el olor del veneno era mortalmente fuerte. Sabía que en mi pequeño apartamento no me debía quedar entre esos vapores por mucho tiempo, pero eran las dos de la mañana, demasiado tarde para ir a algún otro lugar. Abrí la ventana del baño tanto como pude, para airear el cuarto y todo el apartamento.

Entonces, fui a mi clóset justo fuera del baño y comencé a colgar en él la ropa que tiré allí. Mientras ponía en su lugar la última pieza de ropa, oí un susurro de hojas a través de la ventana abierta. El edificio de mi apartamento estaba situado en Hollywood Hills y rodeado de árboles y arbustos. Era frecuente que oyera animalitos pequeños que correteaban por fuera.

Me quedé muy quieta, a la escucha de otros ruidos. El susurro de las hojas se fue acercando y empezó a sonar más como los pasos de una persona que como animales pequeños. Los pasos se detuvieron directamente debajo de la ventana y oí que algo se deslizaba con lentitud hacia la parte superior de la pared. Cuando vi que algo que me parecía una mano se agarraba a la parte superior de la repisa de la ventana, me aterré. Como no tenía dónde esconderme, grité con todas las fuerzas que pude sacar de mi cuerpo y corrí hacia la puerta del frente. Por la mente me corrían a toda velocidad los recuerdos de Sharon Tate, los esposos LaBianca y los cuchillos manchados de sangre.

Los apartamentos de un solo piso que formaban el complejo en el que vivía estaban situados en la ladera de una colina, y todos estaban aislados unos de otros como si formaran un tablero de ajedrez con arbustos y árboles entre sí. Correr hacia el apartamento de otra persona sería arriesgado para mí, en especial si no había nadie en ese apartamento. Una vez fuera, dejé de gritar y me fui a esconder en los espesos arbustos.

Contuve a duras penas la respiración. El corazón se me quería salir del pecho. Así me mantuve por un tiempo que debe haber sido cerca de un minuto. Entonces escuché movimiento de nuevo, esta vez en el techo del apartamento más cercano al lugar donde estaba yo. Ese apartamento estaba situado encima del mío y metido en la ladera de la colina de tal forma que una persona podía saltar con facilidad hasta el techo desde la calle que tenía encima. Traté de mirar a través de los arbustos, y vi la forma de un hombre que se acercaba con cautela sobre el techo. Tenía en la mano una linterna y la dirigía a uno y otro lado en el terreno que yo tenía delante. Detrás de él vi que venía otra persona. El resplandor de la linterna hacía difícil ver con claridad, pero daba la impresión de que eran dos hombres vestidos de negro. Uno de los hombres gritó hacia donde estaba yo.

—¿Hay alguien allí abajo?

Yo no dije nada.

Él gritó de nuevo con más firmeza. Yo contuve la respiración. La tercera vez que gritó, se volvió de tal forma que pude ver que llevaba una pistola en su funda y que tenía puesto algo que parecía una gorra de policía. Desde los arbustos respondí:

—Sí. ¡Yo estoy aquí abajo! ¿Quién es usted?

—Somos de la policía. Salga donde la podamos ver.

—¡Gracias a Dios! —grité mientras salía con cautela de mi escondite—. Alguien trató de entrar en mi baño por la ventana. Grité, salí corriendo apartamento y me escondí aquí entre los arbustos.

—Nosotros oímos los gritos desde nuestro auto patrulla mientras vigilábamos el vecindario. Quédese donde está. Nosotros vamos a explorar por allí para ver si encontramos algo.

Me sentí llena de alivio porque llegaron de manera providencial en el momento exacto, pero no quería que me dejaran sola. Me escondí de nuevo en los arbustos mientras ellos exploraban. Solo pasaron uno o dos minutos antes que llegaran a mi puerta y me dijeran:

—Cualquiera que fuera, ya no está allí. Es probable que sus gritos lo espantaran y huyera.

Me acompañaron hasta dentro del apartamento y lo registraron para cerciorarse de que no había nadie allí. El apartamento era tan pequeño que solo les tomó medio minuto buscar en la cocina, debajo de la cama individual del cuarto principal, en el clóset y en la ducha. No había ningún otro lugar donde mirar. Lo habrían podido considerar como si solo fuera algún ladronzuelo, pero yo me di cuenta de que a causa de los asesinatos de Tate y los LaBianca se estaban tomando en serio lo sucedido. Quería desesperadamente que se quedaran porque todavía estaba asustada. Sin embargo, en lugar de pedírselo, les di las más profusas gracias, les deseé buenas noches y cerré la puerta y la ventana del baño. Después que se fueron, no pude creer que en mi terror se me olvidara hablarles de las rosas.

Me acosté dando vueltas en la cama toda la noche. Cada vez que oía un ruido se me paralizaba el cuerpo y el corazón se me quería salir. Apenas podía respirar a causa del calor, y el sueño no me vencía.

Al día siguiente, me llamó Rick. Estaba de vuelta en la ciudad después de un largo recorrido con su orquesta. Cantamos juntos en el mismo grupo durante un par de años y después nos hicimos novios. Le hablé de lo sucedido la noche antes, así como de las rosas, y como era de esperar, hablamos de los asesinatos de Sharon Tate y de los LaBianca.

Salimos esa noche, y cuando regresábamos a casa, pasamos en el auto por Benedict Canyon, cerca de la casa de Sharon Tate porque era la ruta directa desde Beverly Hills hasta mi apartamento. El camino estaba desierto y se mostraba extrañamente oscuro. El terror se deslizó por la espalda, me entraba en el pecho y me subía hasta la garganta hasta quedarme casi paralizada de temor. El miedo era tan fuerte que si alguien me hubiera tocado en ese momento, estoy segura de que se me habría parado el corazón. Intenté desesperadamente mantener mi compostura para que Rick no notara lo que me pasaba por dentro. Mantener un buen aspecto era siempre una prioridad. Me tenía que asegurar de que nadie descubriera jamás que yo solo era un perfecto desastre emocional.

Él subió conmigo por todas las largas y serpenteantes escaleras hasta mi puerta, y allí, puesta sobre la manilla, había otra rosa. La recogió. Sus hermosos pétalos de color rojo terciopelo se estaban abriendo.

—¡Stormie!

La voz de una joven rompió nuestro intenso silencio. Era mi amiga Holly*, quien vivía a unos pocos apartamentos de distancia del mío, colina abajo. En ese momento llegaba también con su novio. Yo tomé la rosa y bajé las escaleras corriendo.

—¡Holly, mira! ¡Otra rosa! Cada vez son más grandes, y me temo que quienquiera que sea la persona que las esté poniendo allí, esté planeando hacer algo terrible.

Ella también estaba preocupada. En apariencia, comenzó como una broma, y nos reímos justo hasta la semana anterior. Ahora, en cambio, ya no era divertido.

—Tengo una idea —me dijo—. Mañana por la noche, esperemos allí afuera en los arbustos para ver si podemos descubrir quién es.

—¿Lo dices en serio? —mi voz traicionaba el temor que sentía.

—No te preocupes. Él nunca nos verá. Calculamos que viene cada noche alrededor de las diez, ¿no es eso? Vamos a reunirnos aquí a las nueve.

Rick y el novio de Holly estuvieron de acuerdo en vigilar con nosotras.

Cuando llegó el momento, nos situamos en cuatro lugares estratégicos, escondidos entre los arbustos que hay afuera de mi apartamento.

A fin de llegar hasta la puerta del frente, el hombre de las rosas tendría que pasar junto a uno, o todos, de nosotros.

Esperamos.

No llegó nadie.

Guardamos silencio, con excepción de una breve conversación a eso de las once, sobre si debíamos dejar de vigilar a la medianoche o seguir vigilando. Seguimos. Llegó la medianoche y pasó, y todavía no se había presentado nadie. Al final, cansados y doloridos por estar agachados tanto tiempo, decidimos darlo por terminado.

Holly y su novio se fueron a su casa. Rick me acompañó hasta mi apartamento, entró para tomar algo y después se marchó a eso de las doce y media. Yo me preparé para acostarme, y después fui a la puerta del frente para asegurarme de que estaba bien cerrada. Cuando abrí la puerta para cerrarla bien, me cayó junto a los pies una rosa hermosa y resplandeciente, abierta casi por completo.

Yo di un grito ahogado y el corazón me comenzó a latir con fuerza. Con toda rapidez, cerré la puerta y le puse llave. La mente me comenzó a dar vueltas. Antes, las rosas llegaban alrededor de las diez y nunca después de la medianoche. La única respuesta era que el hombre de las rosas sabía que lo esperábamos entre los arbustos. Supo que Rick estaba en mi apartamento. Supo cuándo se marchó Rick.

Me estuvo vigilando.

En seguida llamé a Rick, quien acababa de llegar a su casa. Sin darle la oportunidad de hablar, le conté lo sucedido. «Es obvio que nos vigilaba», me dijo. «Tal vez sea alguien del mismo complejo de apartamentos».

Llamé a Holly, y ella me sugirió que fuéramos las dos de puerta en puerta por la mañana, hablándoles a nuestros vecinos de las rosas y del intento de entrar en mi apartamento, y haciéndoles preguntas. Tal vez alguien hubiera visto u oído algo.

A la mañana siguiente, comenzamos a tocar puertas. *Nadie* escuchó los gritos de dos noches antes, aunque dos policías que pasaban por allí los escucharon desde dentro de su auto. Nadie vio a alguien que le pareciera sospechoso. No obstante, sí, nos lo dirían si veían algo.

El último apartamento al que fuimos le pertenecía a un hombre grande, de cabello negro y bigote, llamado Leo*. Tenía unos veinticinco años y trataba de convertirse en actor como casi todos los demás hombres de la ciudad. En varias ocasiones, tuvimos breves conversaciones, y siempre me pidió que saliera con él. Yo siempre le aseguraba que ya tenía novio y él siempre cedía. Yo trataba de mantener una relación amistosa pero distante con él, porque tenía algo extraño. Cuando le preguntamos a Leo, nos dijo que escuchó los gritos. Eso parecía extraño, pues las otras personas que estaban en sus apartamentos la noche del intento por entrar al mío, y cuyos apartamentos estaban más cercanos a él, *no* los escucharon. Me asombró que me oyera gritar con tanta desesperación para pedir ayuda, pero que no acudiera para ver lo que sucedía. Yo le hablé de las rosas, y me dijo que no había visto a nadie sospechoso.

«Me siento preocupada», le dije. «Alguien que deje una rosa en la manilla de mi puerta durante catorce días seguidos sin identificarse, tiene que ser una persona muy extraña y con la mente enferma».

En el momento en que dije «muy extraña y con la mente enferma», vi que Leo parpadeó y que su expresión se ensombreció. Fue algo muy sutil y solo duró un instante, pero su aspecto era justo el que alguien esperaría si hubiera dicho algo acerca de *él*. En ese mismo instante, supe que *era* él. Lo herí con lo que le dije, y ahora tenía más miedo aún. Le di las gracias de modo cortés y nos fuimos en seguida.

Sabía que me tenía que marchar de mi apartamento lo más rápido posible, así que esa misma tarde encontré otro apartamento por Laurel Canyon y en el valle, lejos de Hollywood Hills. Me mudé de manera silenciosa y secreta en la mañana siguiente mientras todavía estaba oscuro. Puesto que tenía pocas pertenencias, la mudada fue fácil. Me fui sin dejar la nueva dirección.

Temerosa de que el hombre de las rosas averiguara dónde yo vivía y me siguiera, mis primeras noches a solas en el nuevo apartamento estuvieron llenas de temores. Los asesinos de Sharon Tate y de los LaBianca andaban sueltos todavía y, en lo que a mí concernía, también él andaba suelto.

Sin embargo, no sucedió nada. Se acabaron las rosas. Solo quedó el temor.

2

La gran huida

Caminé con rapidez junto al guarda que se hallaba a la entrada del gigantesco edificio de la CBS. Puesto que me había visto durante años casi a diario, se limitó a saludarme e indicarme que siguiera adelante. Después de tomar el elevador y recorrer el vestíbulo hasta el enorme escenario de sonidos donde se filmaba *The Glen Campbell Goodtime Hour*, enfrente mismo del amplio estudio donde también se filmaba *The Carol Burnett Show*, prácticamente choqué con el director.

—Jack, perdona que llegue atrasada —me disculpé, como hice incontables veces antes.

—Stormie, estás trabajando demasiado —me reprendió con su voz firme, pero bondadosa. Sabía que yo estaba filmando otro programa local de televisión en los tres días en que no tenía que filmar *The Glen Campbell Goodtime Hour*, lo cual quería decir que no me quedaba ningún tiempo libre. La mirada que le vi en el rostro ponía en duda mi cordura. Él siempre se comportaba conmigo con una bondad paternal que yo le agradecía mucho.

Incapaz de confesarle que me sentía demasiado insegura para rechazar ningún trabajo, le dije en broma:

—Es que me están persiguiendo, Jack. Las rubias tontas están muy de moda este año, ¿sabes?

—Vete pronto a maquillar —me dijo abrazándome—. Cher está enferma y no puede hacer la representación con Glen. Tú la vas a hacer.

—¿Qué? —exclamé sorprendida, con el corazón aterrado de repente.

—Tú eres exactamente de la misma talla, así que su vestido te va a servir —me aseguró—. Aprendes rápido y no vas a tener problema alguno con lo que debes decir. Además, los has visto ensayar, así que recordarás las posiciones de los actores.

A mí siempre me asombraba la fe que Jack tenía en mí.

—¿Y qué pasará con lo que iba a representar yo con Glen?

—Vas a poder hacer las dos cosas. La encargada de los vestidos de Cher te ayudará con los cambios rápidos de vestuario. Yo voy a enviar alguien que revise contigo lo que tienes que decir en cuanto estés maquillada.

Me fui corriendo al cuarto de maquillaje y me desplomé en una silla frente al que lo dirigía. «Ben, necesito un milagro. Hoy me van a convertir en una estrella y tú me tienes que volver hermosa», le dije riéndome.

Ben Nye y su padre eran expertos en maquillaje, y muy conocidos en la industria, así que no me tenía que preocupar por lo que fuera a hacer. Cerré los ojos y traté de respirar con calma para serenarme. Solo eran las ocho de la mañana y ya estaba agotada. En los meses que siguieron a los asesinatos de Sharon Tate y los demás, llené mi vida de trabajo. No solo tenía dos series de televisión a la semana, sino que también cubrí todas las horas que disponía con sesiones de grabación y anuncios. Estaba obsesionada con el trabajo. Me ayudaba a reducir al mínimo mi profunda sensación de incapacidad y mi temor de quedarme con hambre y sin techo, y me capacitaba para mantener más controladas la depresión y el temor que siempre amenazaban con controlarme la vida.

La depresión era algo con lo que lidiaba a diario. Durante la mayor parte de mi vida, al menos desde que tenía trece años, me despertaba todas las mañanas pensando: *¿Me debería matar ahora o soy capaz de vivir un día más?* Esa mañana, cuando sonó el despertador, me quedé inmóvil sobre la cama tratando de decidir lo que haría. Me dije: *Tienes un importante trabajo que realizar hoy. Vas a hacer una excelente representación con Glen Campbell. Los ensayos han salido bien. No, no me puedo matar hoy*, decidí por fin. *Si este papel que voy a representar hoy sale muy bien, tal vez me reconozcan como un talento importante. Entonces, todo el mundo me va a amar y ya no voy a sufrir más*. Esa mañana solo me tomó unos minutos levantarme de la cama; algunos días me tomaba horas. Lo lamentable es que creía que solo era tan buena como lo fue mi última actuación, así que cuando se terminaba un trabajo, también se terminaban mis buenos sentimientos acerca de mí misma y de mi vida.

«¡Estás bellísima!», me dijo Ben mientras me daba los toques finales en el maquillaje con mis pestañas postizas.

«Ben, eres un genio». Le di las gracias sonriendo mientras salía corriendo rumbo al camerino de Cher. Era el cuarto más elegante, con la gran estrella en la puerta. Los empleados quitaron su nombre y pusieron el mío escrito a mano por ellos mismos. Eso me hizo reír y agradecí su apoyo constante. Yo admiraba a Cher, que también tenía poco más de veinte años en esa época, y pensaba que era una de las estrellas más hermosas que había conocido. Lamentaba que estuviera enferma, pero también me sentía emocionada porque iba a sustituirla.

—Hola, Maggie —dije saludando a la encargada del vestuario.

—Stormie, estamos atrasadas.

Se estaba preocupando tanto por ella misma como por mí. El horario de Jack era muy estricto, y la gente del vestuario era la responsable de tener a la estrella vestida y en el lugar debido en el momento adecuado. Un ayudante vino con lo que yo tendría que decir, y Maggie me ayudó a vestirme mientras yo lo estudiaba todo con rapidez.

—Todo el reparto de la primera escena vaya de inmediato para el escenario —dijo con fuerza el ayudante del director por el altavoz en el mismo momento en que Maggie me cerraba la cremallera de la parte posterior del vestido.

—Te queda perfecto —me dijo sonriente.

Yo me apresuré a ocupar mi lugar frente a la cámara en la marca indicada por un pequeño pedazo de cinta azul que había en el suelo.

Glen Campbell entró y me dio un fuerte abrazo.

—¿Qué tal le va esta mañana a la dama? —me preguntó sonriente.

—¡Estupendo! —mentí—. ¿Me parezco lo suficiente a Cher?

Con nerviosismo, me pasé las manos por mi largo cabello rubio y parpadeé con mis ojos azules. Comparada con la belleza de ojos negros y cabello oscuro que era Cher, me sentía terriblemente incompetente.

—¡Te ves sensacional! —comenzó a decir Glen con su acostumbrada manera dulce y alentadora de hablar. Era un jefe maravilloso y, además de admirar su talento, lo adoraba a él mismo como persona.

—¡Las cámaras están rodando! Cinco, cuatro, tres, dos, uno... ¡acción!

Yo recordaba todas las posiciones en el escenario, y con la ayuda de unas tarjetas donde estaba lo que tenía que decir, lo fui diciendo todo sin un solo error.

—¡Estupendo! —resonó la voz de Jack en el sistema de megafonía—. Lo vamos a hacer una vez más, y creo que lo habremos logrado. Buen trabajo, Stormie. ¡Yo sabía que tú lo podrías lograr!

Me sentí encantada al escuchar las palabras de aliento, y me pregunté por qué yo misma nunca me podía sentir tan bien acerca de ninguna cosa que hacía.

Cuando iba de regreso al camerino después de filmada la escena, una de las otras cantantes me dijo:

—Stormie, el vestido te queda muy bien. Lástima que no tienes la voz de Cher.

—Sí, ni tampoco su dinero —le contesté riendo, para ocultar mi dolor.

Aunque es posible que hiciera el comentario con inocencia, despertó en mí un recuerdo de un pasado muy lejano. Un temor irracional se apoderó de mi pecho y una angustia insoportable que venía desde lo más profundo de mi ser, de mis entrañas, me subió hasta la garganta y me dificultó el habla. Comencé a respirar con dificultad, y sentía como si me estuviera asfixiando. Tenía que entrar en un baño, un camerino o una sala de ensayos que estuviera vacía lo más pronto posible.

—Vuelvo en seguida, Maggie —dije jadeante mientras pasaba junto a ella corriendo para entrar al baño de damas del elenco—. Solo dame un instante.

Una vez dentro, aseguré la puerta del cubículo y me apoyé contra la pared. Hice un gran esfuerzo por ahogar los sollozos convulsivos que tenía a punto de estallar. El dolor que sentía en mis entrañas era tan intenso, que me quería morir. Cuando me dominé lo suficiente para volver a mi trabajo, actué como si nada me hubiera pasado. Para mí, mantener una buena presencia delante de los demás era un requisito constante.

—¿Te sientes bien, cariño?

—Claro, Maggie. Solo fue una emergencia de poca importancia —le dije, tratando de reír para disimularlo.

Di un tembloroso suspiro de alivio. Una vez más, nadie sospechó nada con respecto a mis ataques de ansiedad. A causa de ellos, no permitía que mis relaciones fueran demasiado estrechas. ¿Cómo iba a poder explicarle mis acciones a otra persona cuando yo misma no las entendía? Daba por sentado que tenía esos ataques porque era una persona extraña, una inadaptada. Si dejaba que alguien se me acercara, era posible que se diera cuenta, y no podía soportar la idea de que me rechazaran. Además, ante mis ojos, todos los demás eran perfectos, y me sentía inferior en comparación. Mientras más me acercaba a otras personas, más intensa se volvía la comparación, y más consciente era de todas mis limitaciones. Lo mejor era mantener una distancia.

Después de un ensayo más con la ropa que usaríamos, salimos para filmar en vivo con una audiencia en el estudio a eso de las tres de la tarde. El día de filmación terminó siendo un éxito y yo me sentí aliviada.

—Hiciste un gran trabajo, Stormie —me dijo Jack con una gran sonrisa mientras salía de la cabina de sonido para irse a su casa—. Nos vemos en un par de semanas.

—¿Un par de semanas?

Entonces, antes que me pudiera responder, dije:

—¡Ah, claro! Las dos semanas de receso mientras Glen está fuera de la ciudad. Seguro, nos veremos entonces.

Se me hundió el corazón. Como mi otro programa de televisión acababa de terminar su temporada de trece semanas, eso significaba que no tendría trabajo alguno en dos semanas. Solo pensarlo me hacía sentir aterrada. Cuando no trabajaba, vivía con la agonía de una depresión constante. Había descubierto que las drogas me ayudaban, y como estábamos a fines de los años sesenta, se encontraban en todas partes. Es más, casi era difícil evadirlas. También se usaban a menudo las drogas psicodélicas, pero la gente se volvía loca a causa de ellas todo el tiempo, y había quienes terminaban en un hospital para enfermos mentales. Yo no tenía pensado usar alucinógenos. Ya estaba demasiado cerca de ir a parar a un hospital para enfermos mentales por como me sentía. Tampoco usaría cocaína. Tenía mis normas. Solo me bastaría con usar mariguana.

Descubrí que, mientras estuviera trabajando o drogada, podría sobrevivir, pero tenía sumo cuidado en no combinar ambas cosas. Era demasiado profesional para hacer algo tan poco inteligente como tomar bebidas alcohólicas o fumar mariguana. El trabajo significaba demasiado para mí, para que lo fuera a poner en peligro de alguna manera.

Esa noche tomé unas píldoras para que me ayudaran a dormir y me fui a la cama temiéndole al día siguiente. Tal como esperaba, me desperté a medianoche pensando: *No sirves para nada. ¿Por qué no te matas?*

Te fue bien ayer, pero ayer ya pasó y no volverás a hacer nada bueno jamás.

Nunca vas a valer nada.

¿A quién tratas de engañar? Todo el mundo sabe que no tienes lo que te hace falta.

Tú no eres nadie.

De una manera lenta y continua a la vez, la depresión me fue hundiendo como si fuera una manta gruesa y pesada. Cuando ya no pude combatir contra esa fuerza por más tiempo, supe que entraba en uno de mis «bloqueos» típicos.

Durante las dos semanas siguientes, apenas pude funcionar. Me tiraba en la cama incapaz de leer ni de ver siquiera la televisión, levantándome solo para cumplir con las exigencias mínimas de la vida. Lo único que habría podido levantar aquel «bloqueo» era que me llamaran a trabajar. Sin embargo, nadie me llamaba.

Cuando volvió a comenzar *The Glen Campbell Goodtime Hour*, regresé a la CBS con las emociones confusas de siempre. Estaba ansiosa por trabajar, pero siempre con el temor de que alguien descubriera mi falta de capacidad y mis intensos temores. Saludé con la mano al guarda que estaba en la verja.

—¿Tuviste unas buenas vacaciones, Stormie? —me gritó.

—¡Estupendas! —le respondí—. Aunque no fueron lo bastante largas.

—Sé lo que quieres decir —me dijo riéndose. Me reí con él y enmascaré a la perfección la persona que era yo.

Aunque siempre me parecía que me ayudaba mucho, reconocí que la mariguana se estaba convirtiendo en un problema para mí. Una noche, antes de un viaje a Las Vegas para trabajar con Glen en la sala principal de espectáculos del Grand Hotel MGM, estuve despierta hasta tarde, drogándome con unos amigos. Dormí unas pocas horas y después me marché a las seis de la mañana hacia el aeropuerto sin darme cuenta de que aún estaba bajo la influencia de las drogas de la noche anterior. Mientras iba por el bulevar principal para entrar en la autopista, no oí que una ambulancia se dirigía a toda velocidad en la dirección contraria a la mía, hasta que salió de la parte superior de una colina. Estuvimos a centímetros de tener un choque frontal. Yo di un rápido giro hacia la derecha, mientras la ambulancia giró hacia la izquierda. Estuvimos tan cerca mientras el conductor de la ambulancia iba a toda velocidad que el aire que había entre los dos vehículos sacudió con violencia el mío. Frené para recuperar el aliento, y entonces me di cuenta de que todos los demás que estaban en aquel camino se habían movido ya a un lado. Ellos escucharon la sirena; yo no escuché nada. Entonces me di cuenta de que me mataría si no dejaba de beber y usar drogas.

Unas semanas más tarde en la casa de Rick, horneé unos bizcochos de chocolate con una fuerte cantidad de mariguana que él puso en la mezcla. Rick se comió unos cuantos, y yo estuve a punto de terminar con el resto. Tenía un hábito casi incontrolable de comer chocolate y, una vez que lo comenzaba a comer, no podía parar hasta que se acababa.

Hace falta más tiempo para que la mariguana haga efecto cuando se *come* que cuando se fuma, pero una vez que hace el efecto, no desaparece en largo rato. Yo no le presté atención a la cantidad que comí. Al principio, me puse atolondrada y ridícula, pero después me puse mareada y adormecida. De repente, me di cuenta de que comí una cantidad excesiva porque sentía una pesadez aplastante en el cuerpo y me parecía que me iba a desmayar.

«Me tengo que acostar», le dije jadeante a Rick mientras me dejaba caer boca abajo en el sofá. Me agarré con fuerza al cojín cuando la habitación comenzó a dar vueltas tan rápido que pensaba que me iba a desintegrar. Muy pronto, no me podía mover. Estaba paralizada. Sentía el cuerpo como muerto, pero en mi interior seguía estando muy viva, atrapada e incapaz de escapar.

¿Dónde está Rick? ¿Por qué no me está ayudando? Lo llamé por su nombre. O al menos pensé que lo hice. En cambio, no obtuve respuesta. Por fin, seis horas más tarde, me las arreglé para levantar la cabeza. Pude ver que Rick dormía en su cuarto. Me hicieron falta dos horas más para obligar a mi cuerpo a ir rumbo a la cocina, donde me lavé la cara con agua fría y tomé algo.

¡Qué movida tan estúpida! Una vez más estuve a punto de matarme a causa de las drogas. Sabía que necesitaba actuar para corregir mi estilo de vida o, de lo contrario, me iba a destruir a mí misma, pero no sentía las fuerzas necesarias para hacerlo. Dentro de mí había algo que me llevaba a seguir tomando malas decisiones, escogiendo la muerte una y otra vez. Todos los días pensaba en suicidarme, pero en realidad no se trataba de que quisiera morir. Solo era que no veía ninguna otra manera de salir de aquel sufrimiento insoportable.

En los meses que siguieron a los asesinatos de Sharon Tate y de los LaBianca, se comenzó a conocer el misterio que los rodeaba. Un grupo fuertemente involucrado en el ocultismo y las drogas era el responsable. *Yo* había estado metida en el ocultismo y las drogas también. ¿Así era como iba a terminar, con la mente tan destrozada que ni siquiera supiera distinguir entre lo bueno y lo malo o entre la vida y la muerte? El temor me envolvió entonces más que nunca antes... temor a la muerte, temor al rechazo, temor al fracaso. Deseaba con toda desesperación no tener que seguir viviendo sola.

Una mañana a eso de las cuatro y media, mientras dormía en mi apartamento, mi cama se comenzó a sacudir con violencia, y un ruido sordo, fuerte y abrumador salido de las entrañas de la tierra me convenció de que estaba en medio de un terremoto muy fuerte. Las sacudidas eran más violentas que nunca antes. Pensaba que las paredes y el techo se desplomarían bajo el peso del apartamento que tenía encima, y que tendría una muerte dolorosa... aplastada, mutilada y sola por completo. El terremoto era lo bastante violento como para aterrar a cualquiera y, como mi estado normal era de temor, esto me puso histérica.

Corrí hacia la puerta de mi dormitorio, pero la fuerza de las sacudidas me lanzaba hacia detrás y después hacia delante contra las paredes del estrecho pasillo que me llevaba a la sala, donde me di un duro golpe contra la mesa de centro.

Tomé el teléfono y volví al marco de la puerta del vestíbulo, que yo sabía que era el lugar más seguro. Mientras me caía al suelo, traté de marcar un número, pero los temblores eran tan violentos que mis dedos no podían tocar siquiera los números. Lo intenté tres o cuatro veces antes de darme cuenta de que el teléfono estaba muerto. En mi apartamento tampoco había electricidad. Afuera tampoco se veían luces en la calle. En medio de una oscuridad total, dejé caer el teléfono, me aferré al quicio del marco de la puerta para que las sacudidas no me tiraran contra las paredes. «¡Dios mío, ayúdame!», rogué. «¡Dios mío, por favor, ayúdame!». Nunca me había sentido tan aterrada.

A mi alrededor podía escuchar cómo mi vajilla se rompía al caer de la alacena, los cuadros se caían de las paredes y las lámparas se hacían añicos contra el suelo. El enorme rugido de la tierra era tan fuerte que apenas podía escuchar mis propios gritos.

Lo que duró solo unos instantes me pareció una eternidad. Por fin, cesaron los sonidos y los temblores. El sol acababa de salir, pero yo me seguía aferrando al marco de la puerta hasta que pude ver lo suficiente como para llegar al dormitorio, ponerme unos vaqueros y una camiseta, tomar mi bolso y salir. No me puse a revisar los daños. Eso era lo que menos me importaba. Un terremoto tan violento como aquel tendría réplicas que podrían desplomar el techo. Me aterraba la idea de morir sola.

Una vez que estuve fuera, corrí hacia mi auto y me fui con toda velocidad como pude hasta la casa de Rick. Había vidrios rotos, escombros y árboles caídos por todas partes. Mientras conducía, se produjo la primera réplica, y me tuve que detener lejos de los cables de la electricidad a esperar que pasara. La carretera se enrollaba y ondeaba como si hubiera estado hecha de goma suave. Se formaron grietas en el camino, y yo tuve visiones de que la tierra se abría y me tragaba, de manera que nunca más se volvería a saber de mí. Cuando todo terminó, conduje con mayor cautela.

De camino a la casa de Rick, decidí que no quería seguir viviendo sola por más tiempo. No era lo bastante valiente como para vivir de manera abierta con un hombre, y no podía vivir con una amiga porque necesitaba con desesperación el afecto de un hombre. Mi corriente continua de amigos varones habría irritado hasta a la más paciente de las mujeres.

El matrimonio era la respuesta, y Rick era el candidato más adecuado. Lo había conocido por más tiempo que a todos los demás hombres con los que había salido. Éramos bastante compatibles. Más allá de comer juntos y tener relaciones sexuales, ¿qué otra cosa había en cualquier relación? Además, era uno de los pocos hombres con los que salía que no estuviera casado. Siempre terminaba con algún hombre que se acababa de separar de su esposa, o que tenía la intención de hacerlo, como descubriría después. No eran unos buenos candidatos para la seguridad que necesitaba tener en el matrimonio. Aunque Rick no fuera el candidato más maravilloso para mí, decidí que prefería tener un matrimonio de dos años con un buen divorcio amigable, que seguir viviendo sola.

Durante las semanas siguientes, me dediqué a manipular a Rick para que me pidiera que me casara con él. Lo trataba de persuadir, le suplicaba, lo amenazaba y me enojaba. Le decía que no quería vivir sola, y que teníamos que hacer planes para casarnos o, de lo contrario, se acabaría nuestra relación. Por último, una noche me dijo: «Muy bien. Me voy a casar contigo. Pero en cuanto a lo financiero, tenemos que ir al cincuenta por ciento cada uno. Yo hago el pago inicial para una casa, si tú pagas la hipoteca y el resto de las cuentas».

Le dije que estaba de acuerdo. De todas formas, en esa época ganaba más dinero que él. Además, en la situación que estaba, habría aceptado cualquier cosa.

Después que él hizo el pago inicial de la casa que escogimos para vivir, hicimos planes para casarnos en seguida. Su familia era católica y, aunque yo nunca había oído que él mencionara a Dios en todos los años que lo conocía, insistió en una boda católica. ¿Qué me importaba? Me habría servido hasta una boda budista. Todo lo que quería era un compañero.

Unas pocas semanas antes de la boda, Terry, una joven cantante amiga mía, me llamó para pedirme que cantara en una sesión cristiana de grabación. Ella era la contratista, por lo menos de la mitad de las sesiones de estudio en las que trabajaba yo, y también trabajé con ella en muchos programas de televisión en los años anteriores. Eran tres días de trabajo, y yo estaba ansiosa por hacerlo.

Desde el principio, la sesión de grabación fue pacífica y agradable, en un contraste directo con el estrés y las presiones del negocio de grabación de Hollywood. Terry era la única persona que conocía en el estudio, quien me informó que todas las personas que estaban allí eran cristianas. Nunca mencionó el hecho de que yo no lo era. Ella me hablaba con frecuencia acerca de Dios y de su iglesia. Y yo pensaba que estaba muy bien... para *ella*.

Fui observando en detalle a cada persona. Para mí, los cristianos siempre caían en dos categorías. O bien eran personas insensibles y repulsivas que trataban de golpearle a una la cabeza con sus Biblias, o bien eran personas insulsas, aburridas, nada interesantes y sin personalidad alguna que se supiera.

Los cristianos en esta grabación eran diferentes. En cierto sentido, *eran* aburridos porque ninguno bebía, fumaba, usaba drogas o se iba de fiesta. Yo me preguntaba qué harían para sentir emoción. No obstante, tenían una cualidad muy atractiva. Eran personas que se interesaban genuinamente por los demás, y cuando yo estaba entre ellos, me sentía consolada y llena de paz. Me trataban como alguien especial, y no como la persona extraña que yo sabía que era.

En nuestro primer descanso del primer día, Terry me presentó a un joven de quien me estuvo hablando durante semanas. Me pareció entender que pensaba que seríamos perfectos el uno para el otro, así que al mismo tiempo que actuaba con cautela, me sentía curiosa. No obstante, desde el momento en que lo vi, se disiparon todas mis dudas. Era el hombre más guapo que yo viera jamás. Tenía el cabello grueso, oscuro y rizado, una hermosa piel de color aceitunado y unos largos y expresivos ojos castaños que confirmaban su herencia armenia. Su personalidad era intensa y tenía un sentido sobre su razón de ser que lo hacía muy atractivo para mí. Me enamoré de él desde el primer minuto.

«Stormie, quiero que conozcas a Michael Omartian», me dijo Terry, y después nos dejó solos. Michael era afectuoso y amistoso, y yo disfrutaba su compañía en gran medida. Cuando hablábamos, me sentía transportada a otro mundo en el que no existía nadie más que nosotros dos.

Durante los días siguientes, estuvimos juntos todos los minutos que no trabajábamos, y nunca se nos acababan los temas sobre los cuales conversar. Durante un receso, todo el mundo salió del estudio para ir a buscar café, menos Michael y yo. Él se sentó al piano para tocar, mientras yo me apoyaba en un lado del piano para observar sus manos y escucharlo con toda atención.

Cuando terminó la canción, le dije en mi asombro:

—Michael, eres uno de los mejores pianistas que he escuchado.

Él sonrió, miró al teclado y sacudió la cabeza.

—Te agradezco que me lo digas, pero no ha sido fácil encontrar trabajo —en su voz pude escuchar al músico frustrado.

—En tu caso, solo es cuestión de tiempo. Tienes un gran talento, y dentro de muy poco, otras personas te van a reconocer.

Yo había estado en Hollywood el tiempo suficiente para estar segura de que lo que le decía era cierto y no un simple cumplido.

—Solo depende de lo que quiera el Señor.

—¿El Señor? ¿Qué tiene que ver el Señor con todo esto?

—Stormie, ¿sabes algo acerca de Jesús?

—Claro. Mis libros sobre la Ciencia Mental me enseñan que fue un buen hombre. Toca otra de tus canciones —le dije, deseando cambiar el tema.

Me complació, y yo estudié la intensidad que ponía al tocar. Me sentí atraída hacia él de una manera profunda. Tenía una seguridad y una energía que me parecían irresistibles. A medida que aumentaba mi atracción hacia él, también aumentaba mi confusión. *¿Qué estoy haciendo?*, me preguntaba. No tenía respuesta.

Al final del tercer día, invité a Michael a mi apartamento para que tomara una bebida saludable. Él había estado enfermo durante semanas, según me dijo, y no había podido quitarse de encima la congestión que tenía en la cabeza. Yo había estado aprendiendo sobre alimentos saludables durante algún tiempo, y tenía una combinación de cosas que sabía que le ayudarían.

«Hola, Michael», le sonreí con entusiasmo cuando le abrí la puerta de mi hogar. Estaba ansiosa por volverlo a ver.

«Hola», me dijo con frialdad. Me sorprendió aquel cambio repentino de una persona tan afectuosa y amistosa como la que conocí en el estudio.

Conversamos un poco mientras yo mezclaba un brebaje de levadura de cerveza, germen de trigo, granulado de lecitina, vitamina C, acidófilos y otras cosas más en un vaso de jugo de uva. Mientras se lo tomaba, me di cuenta que pensaba que la mezcla lo iba a matar. Sin embargo, mi credibilidad quedó a salvo veinte minutos más tarde cuando la cabeza se le comenzó a aclarar.

Hablamos de cosas sin importancia en voz baja y con titubeos por su parte. Había algo distinto en él. Se había comportado amistoso en el estudio, pero ahora actuaba con frialdad. No lo podía comprender. Tal vez yo interpretara mal su amistad. O quizá se sintiera incómodo por estar en mi apartamento a altas horas de la noche. Al fin y al cabo, era uno de esos cristianos. O tal vez me pudiera conocer y encontrara muchas cosas que no le agradaban.

Cuando se marchó, estaba dolorosamente triste. Me sentí bien de una manera poco común mientras estaba a su lado en el estudio, pero ese encuentro fue tenso. Reafirmaba mi creencia de que no había buenas relaciones, sino solo relaciones tolerables. Todo lo que había que hacer era conseguirse una que fuera tolerable y sacarle toda la vida que una pudiera hasta que llegara el momento de seguir adelante, hacia la relación siguiente. Yo me iba a casar, solo porque no soportaba seguir viviendo sola, y Rick era la relación más tolerable de todas las que había tenido en mi vida. Nos iría bien si nos podíamos mantener juntos un par de años.

Aunque acepté la realidad de que se apagó la relación que parecía fantástica en potencia, no me podía sacar de la mente a Michael Omartian. Había una cualidad en él que me encantaba. Era algo que iba más allá de lo físico, aunque de seguro que lo físico también tenía que ver. No le podía dar un nombre, pero era la misma dinámica de vida que reconocía en mi amiga Terry.

Dos semanas más tarde, me pidió que la acompañara a visitar a su amigo Paul Johnson, un famoso músico cristiano. Michael resultó ser uno de sus dos compañeros de apartamento. Vivían en lo alto de las colinas de Sherman Oaks, en una hermosa casa grande y moderna con unas ventanas enormes desde las que se contemplaba toda la ciudad. La vista era impresionante... y la vista en el interior era mejor aún con esos tres hombres tan apuestos. Todos tenían un buen aspecto de limpieza, salud y vitalidad, además de esa dulce, amorosa e irresistible cualidad que aún yo no podía expresar con palabras.

Cuando vi a Michael de nuevo, esta vez no actuó con frialdad. Solo vacilante y cauteloso. Como me pasó antes, me sentí atrapada en algún lugar situado entre el cielo y la tierra, mientras hablábamos de un tema tras otro. Él me invitó para que saliéramos a cenar la noche siguiente, y yo acepté.

En el restaurante, nuestra conversación se comenzó a mover más allá de las cosas, los lugares y las personas, para ir entrando en el tema más profundo de los sentimientos. Me explicó que la razón por la que actuó de repente con frialdad en mi apartamento fue porque Terry le acababa de revelar mis planes de casarme. Se sentía confundido y desconcertado.

«Terry piensa que estás cometiendo un grave error, Stormie», me dijo en forma categórica. «Y yo pienso lo mismo».

«Sé que estoy cometiendo un error, pero no puedo hacer nada al respecto. Ya todo está en movimiento y no lo puedo detener». Tragué saliva para no llorar.

No le pude decir que me aterraba vivir sola, que no me merecía nada mejor, y que si algún hombre descubría cómo era yo en realidad, no me querría. Creía que no había buenas relaciones; al menos, para mí.

Vi a Michael todas las noches durante las diez noches anteriores a mi boda. Rick nunca me preguntó dónde estaba, y nunca quiso que nos reuniéramos. Estaba en la casa de su madre. Una noche, Michael llegó a mi apartamento para recogerme y llevarme a cenar, y Rick se detuvo allí durante unos minutos. Yo los presenté. Rick salió en seguida, y nunca me pidió explicación acerca de Michael. Ese incidente indicaba lo nebulosa que era nuestra relación.

Era obvio que Rick y yo no teníamos base alguna para establecer un matrimonio. Apenas nos vimos durante las dos semanas anteriores a la boda. Yo me estaba volviendo loca. Sabía que Michael pensaba que la debía cancelar, pero mi vida estaba fuera de control. Se movía en una espiral descendente y a una velocidad horripilante, y yo pensaba que el hecho de casarme me ayudaría a no golpearme contra la roca del fondo.

En la noche anterior a la boda, Michael y yo nos encontramos para despedirnos. Él me recogió en mi apartamento, y salimos a dar un paseo en auto. Yo estaba tan deprimida, que apenas podía hablar, porque sabía que no nos volveríamos a ver nunca más.

—¿Qué estás haciendo, Stormie? —me preguntó, con la voz tensa por la frustración que sentía—. Te vas a casar con un hombre al que no amas. Todo el mundo piensa que estás cometiendo un grave error, y yo *sé* que lo estás cometiendo. Puedes detener todo esto ahora mismo; entonces, ¿por qué no cancelas la boda?

—¡No puedo, Michael! —le dije llorando—. Sé que no tiene sentido alguno, pero no lo puedo evitar.

Mis temores y mis intensas necesidades emocionales estaban tomando decisiones por mí. Las dudas sobre mí misma y el sufrimiento eran mayores que mi capacidad para hacer lo que era sensato. Aun así, no sabía cómo se lo iba a explicar a él. Nunca lo entendería.

Él sacó el auto hacia un lado de la carretera, me tomó la mano y me dijo:

—Tú sabes que yo te amo mucho.

—Y yo también te amo a ti —le dije mientras me lanzaba a sus brazos y comenzaba a llorar—. Te amo más de lo que he amado jamás a nadie.

—Entonces, ¿por qué no cancelas todo eso? —me preguntó. Ahora se le notaba ira en la voz.

—No puedo —le dije sollozando—. Sencillamente, no puedo.

Esto lo debe haber confundido terriblemente. Ninguna persona normal se habría comportado de esa manera. Nadie me obligaba a casarme. Era yo misma la que lo decidía.

Semanas antes, cuando Michael trató brevemente de hablarme acerca de Jesús, no quise saber nada al respecto. Di por sentado que identificarme con el cristianismo hubiera significado un suicidio intelectual y, de seguro, no quería oír hablar de eso. Ahora, quería haber oído más, pero era demasiado tarde. Aunque se me hacía difícil desprenderme de la pureza y la limpieza de nuestra relación, sabía que tenía que olvidar a Michael y seguir adelante con el problema de mi supervivencia. Nos despedimos y yo me fui a la cama. Lloré hasta dormirme con esa clase de lágrimas con las que se llora a un muerto.

A la mañana siguiente, me desperté con mi depresión de costumbre y mis pensamientos suicidas. La sensación de inutilidad era mayor que nunca. Me iba a casar. Era la única alternativa viable para mi vida, y me sentía como si me dirigiera al infierno.

Trabajé con mi depresión de la mañana al convencerme que el matrimonio sería mejor que vivir sola. Durante un momento, pensé en Michael, pero sabía que una vez que supiera cómo yo era en realidad, me hubiera rechazado con toda certeza. Eso habría sido devastador.

Tenía que conformarme con un poco de seguridad y una suspensión temporal de mi intensa soledad y mis temores. Necesitaba un lugar con el cual identificarme, cualesquiera que fueran las condiciones.

En un estado desapasionado, me sometí a todos los ritos mientras nos casábamos Rick y yo. Mi caída hacia el infierno comenzó de inmediato.

3
Me hundo mucho más

—Rick, ¿me podrías hacer el favor de enjuagarme los platos del desayuno? Los fregaré cuando llegue esta noche —le grité mientras estaba a punto de marcharme para mi cita de las ocho de la mañana con mi entrenadora de expresión.

—Ese no es mi trabajo —me espetó.

—Bueno, ¿y cuál *es* exactamente tu trabajo? —le respondí de manera insensible—. Durante el último año y medio que hemos estado casados, tú has trabajado exactamente cuatro días. Al menos podrías dejar de ver la televisión por una hora, o no ir a casa de tu madre una noche para ayudarme con alguna tarea de la casa. Yo no lo puedo hacer todo.

Desde el principio, sabía que Rick sentía una dedicación fuera de lo normal con respecto a su madre, y la amaba mucho más de lo que jamás me pudo amar a mí. Quería que fuera como ella, y yo hacía mi mejor esfuerzo por imitar sus numerosas cualidades buenas, pero nunca podía estar a su altura. Él usaba la crítica para tratar de moldearme de manera que me convirtiera en un ser humano aceptable. Sin embargo, yo no reaccionaba bien ante eso, y me alejaba.

—Hoy se vence el seguro de los autos —me advirtió, obviando por completo todo lo que le acababa de decir en cuanto a ayudarme con las tareas de la casa.

—¡Ay, no! ¡Son más de seiscientos dólares! ¿No podrías pagar tú la mitad de esa cantidad? —le supliqué.

—Ese no fue nuestro acuerdo. Yo di el pago inicial de la casa y ahora tú pagas todo lo demás —me recordó con atrevimiento.

A mí no me había llevado mucho tiempo comprender que nuestro acuerdo financiero era injusto. Yo estaba pagando mucho más que él. Aun así, *estuve* de acuerdo en hacerlo y, al parecer, ya no había marcha atrás.

Salí y tiré la puerta de un golpe. A través de la ventana pude ver a Rick que volvía al televisor, donde se pasaría el resto del día, mientras los platos sucios seguían sobre la encimera de la cocina. *Es evidente que este arreglo matrimonial no está resultando como había planeado*, pensé mientras me dirigía en mi auto a reunirme con la entrenadora de expresión.

De seguro que vivir en compañía de un hombre no era lo que esperaba. En realidad, la soledad que sentía *iba en aumento* día a día, junto con mis temores y mis propias dudas. Ahora sentía que me habría ido mejor de soltera. Al menos, entonces solo tenía que soportarme a mí misma y limpiar las cosas mías. Con mi agenda tan agitada, y Rick sin hacer nada en casa para ayudar, me sentía siempre enojada con él. No había comunicación entre nosotros y, aunque teníamos relaciones sexuales, fuera de esos momentos no había afecto ni ternura. Necesitaba más de lo que me podía dar, y me sentía resentida con él por no ser capaz de dármelo. En silencio, le exigía que me amara y me adorara, pero él no podía. Tenía sus propios problemas, sus propias depresiones, y yo estaba tan metida en los míos que no podía comenzar siquiera a comprender los suyos. No tenía idea alguna de lo que él quería sacar de nuestra relación, pero estaba segura de que nunca lo había encontrado.

Mientras recorría Benedict Canyon, pasé Cielo Drive, la calle donde vivió Sharon Tate, en la casa donde la asesinaron a ella y a sus amigos. Me estremecí. Hasta en pleno día, seguía teniendo miedo de pasar por allí. Sin embargo, la casa de mi entrenadora de expresión estaba a unas pocas casas de allí, más allá del cañón, así que esa era la ruta más directa desde mi casa hasta la suya.

—Hola, Gloria. Perdona que me atrasara —murmuré mientras pasaba junto a ella, rumbo a la típica sala acogedora y rústica de muchas casas del cañón en Beverly Hills.

—Hoy te ves muy cansada, Stormie. ¿Y por qué estás hablando así? —me preguntó, manifestando así su desagrado.

—*Estoy* cansada, y acabo de tener una pelea con Rick.

Traté de hablar con lentitud, recordando todo lo que me había enseñado.

Durante años, había estudiado con diferentes terapeutas de la voz para tratar de superar un impedimento del habla que había tenido desde mi niñez. Horas y horas de unos ejercicios tediosos, aburridos, que tuvieron por consecuencia algo que solo parecía una mejora mínima mes tras mes. De niña, trataba de ocultar el problema, o bien quedándome callada, o ensayando con cuidado lo que tenía que decir. Por eso me atraía tanto la actuación. Podía practicar mis partes en las representaciones una y otra vez, trabajarlas con mi entrenadora de expresión, y después decirlas con claridad.

Gloria era la que más me había ayudado de todas. Además de nuestra terapia regular del habla dos veces a la semana, participaba en todos los papeles activos que recibía yo. Esa mañana en particular, me iba a ayudar a decir bien mis intervenciones en la próxima comedia en la que me presentaría. El ensayo para esa comedia tendría lugar en el estudio de la CBS a las diez.

—¡Más lento! Estás hablando demasiado rápido —me dijo cuando comencé—. Estás mascullando las palabras.

Lo intenté de nuevo.

—¡No! Demasiado nasal. Comienza desde el principio.

Un minuto más tarde, me volvió a interrumpir.

—Stormie, estás reteniendo demasiada tensión en la garganta. Practica estas intervenciones con un corcho de vino entre los dientes.

Obediente, abrí la boca para que me pudiera poner allí el corcho.

—Ahora habla desde el diafragma, no desde la garganta.

Ensayé las intervenciones una y otra vez. Cambiar los malos hábitos al hablar tenía que ser muchísimo más difícil que aprender a hablar bien desde el principio. Trabajamos sin parar durante toda una hora, y al final yo estaba tan exhausta que comencé a temblar. Sabía que la depresión y la creciente amargura hacia Rick se pagaban su precio en mi cuerpo. Me enfermaba con frecuencia, y me sentía fea y vieja. Me estaba muriendo por dentro. Todas las decisiones que había tomado para la vida que yo pensaba que me salvarían, me estaban matando. A veces sentía como si hubiera otros seres viviendo dentro de mí, y que no los podía controlar. Tal vez esto se debiera a todas las drogas que había tomado a lo largo de los años, o quizá a mis incursiones en las prácticas de ocultismo que me produjeron experiencias fuera de mi cuerpo.

Al pagarle a Gloria para marcharme, me miró con esa misma expresión que había visto en tantas personas. Era una expresión que parecía decir: *Stormie es una excelente joven con mucho potencial. Me pregunto cuál será su problema.*

Seguí por el cañón, hice una izquierda en Sunset Boulevard y después seguí hasta CBS, tan ansiosa por trabajar como siempre, pero al mismo tiempo sintiendo temor de todo eso. Debido a mi infelicidad en mi casa, me dediqué al trabajo más que nunca. *The Glen Campbell Goodtime Hour* acababa de comenzar otra temporada, y yo tenía un papel importante en el primero de todos los segmentos. Además de eso, todavía seguía haciendo las sesiones de grabación que me fueran posibles, ya fueran anuncios, fechas para el rodaje de películas o en programas de televisión que podía meter en mi agenda. Me llegaron numerosos trabajos de actuación, y vivía para hacerlos. En la CBS me sentía más en casa que en mi propia casa de Benedict Canyon.

Esa tarde llegué a casa procedente del estudio de la CBS más temprano que de costumbre. Por supuesto, Rick miraba televisión. «Estoy exhausta», le dije, y subí al dormitorio para dormir un rato. «Despiértame a las ocho para que prepare algo y comamos».

Me metí en la cama y me tapé la cara con las mantas para que no me molestara la luz del día. Lo siguiente que recuerdo es que Rick levantaba la manta que me cubría la cara. Tenía los ojos abiertos y fijos en la parte superior de la pared. Me llamó por mi nombre, pero yo no vería ni oiría nada.

Cuando se inclinó hacia mí y me sacudió, volví sorprendida a estar consciente en medio de un ataque de histeria al darme cuenta de lo que acababa de pasar. Era como si mi espíritu hubiera salido de mi cuerpo y hubiera ido a un lugar de tormentos extremos. Por un momento, sentí como si hubiera perdido el control sobre una parte de mi ser, y nunca lo iba a poder recuperar. Era aterrador, y sollocé de manera incontrolable.

—Te voy a buscar un poco de agua —me dijo Rick tratando de calmarme y se comenzó a alejar.

—¡No, no! ¡No me dejes aquí sola! —le supliqué—. Por favor. Iré contigo.

Él me ayudó a bajar las escaleras y me sentó en los dos escalones de la entrada que llevaban a la sala de estar que estaba en un nivel inferior. Cuando me puse la cara entre las manos y me eché a llorar, no lo vi irse a la cocina. Al oír el sonido de unos pasos, levanté la mirada y vi una forma oscura que se me acercaba. Se parecía a mi madre llevando un cuchillo, y tuve miedo de que me fuera a matar.

—¡Ayúdenme! ¡Alguien que me ayude! —grité descontrolada por la histeria.

Sospechando que estaba teniendo alucinaciones, Rick me tomó por el hombro con una mano y me sacudió con fuerza.

—Stormie, ¡soy yo! ¡Rick! —me gritó en la cara.

Yo lo miré sorprendida por completo.

—Rick —dije sollozando—, yo pensaba que era...

Dejé de hablar. Al parecer, el vaso de agua que me traía debe haber reflejado la luz de una manera que hizo que lo viera como un cuchillo. En cambio, no se lo podía decir... Nunca le había hablado a nadie al respecto.

—No sé lo que pensé que era —dije entre dientes, mientras empezaba a temblar.

Después de esa experiencia, sentía miedo de estar sola, incluso por el día. En cuanto a Rick, nunca volvió a mencionar el incidente. Tal vez pensara que me estaba volviendo loca, o a lo mejor fuera demasiado pasivo para que le importara. Nunca hablaba mucho de ninguna cosa.

Unos días más tarde, comencé a desarrollar unas dolorosas aftas en la boca. Apenas podía comer o tragar. Cuando por fin consulté a un médico, me dijo que tenía una fuerte deficiencia de vitamina B.

—Desconozco cuál es su estilo de vida, pero usted se halla bajo una cantidad muy grande de estrés.

—Pero si yo consumo comida saludable y hago ejercicios —protesté.

—La comida sana y los ejercicios son buenos, pero no se equilibraría tampoco contra el estrés excesivo. Es mejor que vea la forma de descansar más y trabajar menos. Y líbrese de lo que le esté causando esa ansiedad. Usted solo tiene veintiocho años. Está demasiado joven para tener estos problemas. Mientras más edad tenga, más serios se van a volver. Mientras tanto, le voy a recetar unas inyecciones de vitamina B tres veces por semana hasta que se mejore. Ese mediodía me fui a casa y me miré en el espejo. Tenía en el rostro unas líneas profundas alrededor de los ojos, la boca y la frente. Mi cabello carecía de brillo y de vida; ya llevaba un tiempo que se me estaba cayendo. Tenía la piel de un color gris amarillento. Mi cuerpo sufría de fatiga crónica y mi figura se veía deformada, en lugar de estar llena de energía. El sufrimiento que llevaba dentro era insoportable. Me sentía vieja y acabada, y que yo supiera, esta era una situación permanente que nunca se iba a poder arreglar. Los veinticuatro años eran una edad considerada ya como vejez en mi profesión. Aterrada de que la gente descubriera que ya había pasado esa edad, sentí desespero por esconder la realidad. El hecho de saber que algunas de las demás con las que trabajé tenían incluso más edad que *yo* también mentían, no me daba consuelo alguno.

Me hundí en una depresión que superó a todas las depresiones que sufrí antes. Una vez más, pensé en serio acerca del suicidio y lo planifiqué todo al detalle en la mente. Nunca hablaba con nadie de lo que pasaba dentro de mí, pero en otra grabación con Terry, mi amiga cristiana, le hablé de mi experiencia fuera del cuerpo y de lo mucho que me aterró. Ella me aconsejó que pronunciara el nombre de Jesús una y otra vez cuando me sintiera así. «Eso se va a llevar el temor», me dijo.

Pensé que era un consejo un poco extraño; de todas maneras, a la primera señal de ese temor incapacitante, hice lo que me dijo. Para mi asombro, el temor desapareció de inmediato. El nombre de Jesús no tenía ningún significado en especial para mí, pero si tenía alguna clase de poder especial, ¿por qué no usarlo? Al menos *esta* vez me ayudó.

Mi aflicción emocional estaba afectando mi trabajo. Comencé a perder la concentración, y me fallaba la voz a causa de la fuerte tensión que tenía en la garganta. Una tarde, una amiga que yo sabía que estaba batallando también, me llamó para darme el nombre de un psicólogo.

—¿Por qué no lo llamas? —me sugirió—. Él me ayudó mucho, y sé que puede hacer lo mismo por ti.

—¿Se trata de alguien que me va a *hablar*? —le pregunté, recordando todo el dinero que había desperdiciado en médicos que, según me parecía, necesitaban más ayuda que *yo*—. No estoy interesada en más psicólogos que me pongan a hablar y después se sienten allí con cara de aburridos o como si pensaran que estoy loca.

—Este médico habla. Y da buenos consejos.

Con esa seguridad, y la esperanza de que me pudiera ayudar a controlar mi angustia emocional y enfrentarme a la depresión, le pedí una cita para la semana siguiente.

El Dr. Foreman* me pareció un caballero cortés y agradable. Era un hombre distinguido, de mediana edad y cabello canoso, que era cinco veces más costoso que cualquier otro médico al que había consultado, pero si iba a ser cinco veces más agradable, bien valdría la pena. Desde el principio me trató como si fuera una persona inteligente, y no como si estuviera loca. Esto me impresionó tanto que en seguida me sentí tranquila. Me indicó que me sentara en la silla que estaba del otro lado de su escritorio.

—¿Qué la ha estado molestando, mi joven amiga? —me dijo con una afectuosa sonrisa.

—Dr. Foreman, yo vivo en medio de un temor constante. Y ni siquiera estoy segura con exactitud a qué le tengo temor. Estoy rodeada de personas, pero la soledad que siento es insoportable. Sufro de unas depresiones que me debilitan y unos ataques de ansiedad que me hacen sentir como si me estuviera muriendo. Todo el tiempo siento una angustia emocional, y no sé qué hacer con ella. Pensaba que si me casaba, se aliviaría alguna de estas cosas, pero todo lo que ha sucedido es que han empeorado.

No podía creer que le estuviera soltando toda esa información a ese hombre, pero ya no la podía seguir callando por más tiempo. El Dr. Foreman me contestó con una risa de aceptación, se inclinó sobre el escritorio y me dio unas palmaditas en las manos para tranquilizarme.

—No se sienta tan preocupada —me dijo—. Esas cosas parecen síntomas de algo que lleva usted muy adentro, y que es probable que haya escondido. Es como si fuera una niña y encerrara con llave dentro del clóset algo que pensaba que era un león porque era grande y la aterraba. A lo largo de los años de crecimiento, ha estado pensando con frecuencia en ese león y lo temible que es. Entonces, si siendo ya una adulta crecida volviera a ese clóset y dejara salir al león, es probable que descubriera que solo se trata de un gatito. Cuando era una niña pequeña le parecía grande, pero ahora ya no tiene por qué temerle. Lo que necesitamos hacer es abrir unas cuantas puertas en su pasado y hacerle ver que lo que en el pasado era tan atemorizador, ahora ya dejó de ser una amenaza para usted.

Me sorprendió que escogiera la analogía de un clóset, cuando yo ni siquiera le había hablado de esa parte de mi vida todavía.

Con las palabras serenas y tranquilizadoras del Dr. Foreman, supe que por fin le iba a contar mi historia a alguien... eran cosas que nunca antes le dije *a nadie*. Respiré hondo y comencé poco a poco por mis primeros recuerdos.

4
La vida en las tinieblas

Estaba sentada con las piernas cruzadas encima del gran canasto de ropa sucia hasta desbordar. El rancio olor de las camisas sucias de mi padre me consolaba mientras esperaba en la oscuridad del pequeño clóset que había debajo de las escaleras. El viejo rancho de dos pisos era tan pequeño que yo podía escuchar con exactitud dónde se hallaba mi madre la mayor parte del tiempo. En ese momento, salía de uno de los dormitorios del segundo piso, y yo podía escuchar sus zapatos en la madera a medida que bajaba la escalera.

Contuve la respiración mientras se acercaba al clóset.

Tal vez venga para dejarme salir, pensé. *¿O me va a dar otra serie de nalgadas?*

En su lugar, pasó frente a la puerta caminando y entró a la cocina. *Me parece que se ha olvidado de mí. ¿Cuánto tiempo voy a tener que estar aquí adentro esta vez?*, me preguntaba, mientras lloraba en silencio.

Mi única fuente de luz dentro de aquel clóset atestado venía de una pequeña rendija que había en la parte inferior de la puerta. No me atreví a bajarme de mi posición sobre el canasto de la ropa sucia para mirar por la rendija, por los ratones y las ratas que se deslizaban con frecuencia por el piso. Yo tenía apenas cuatro años, y algunas ratas me parecían muy grandes. Me aterraba pensar que una de ellas me saltara encima. En una ocasión, encontré una gran serpiente en el pequeño clóset de la cocina, y la posibilidad de que hubiera otra que se me uniera allí en el clóset era algo muy real para mí. Me aseguré de que mis pies nunca tocaran el piso.

¿Por qué mamá siempre está enojada conmigo?, me preguntaba en medio de aquel silencio. Todo lo que había hecho era pedirle un vaso de agua, pero ella se dio vuelta y me gritó: «¡Métete en el clóset hasta que pueda soportar tu cara!». Yo había aprendido a muy corta edad que si lloraba o protestaba de alguna manera, me daba una golpiza y me encerraba en el clóset, así que nunca me resistía. La fuerza de la personalidad que tenía mi madre era tanta que hasta mi padre parecía impotente en su contra, pues siempre la dejaba hacer lo que le pareciera.

Vi pasar su sombra junto a la puerta una vez más, y la pude oír hablando consigo misma o con alguna persona invisible, como solía hacer. Había entrado una vez más en el mundo de sus sueños, y pasarían horas antes que papá volviera a casa y ella regresara a la realidad.

Me imaginé a papá trabajando al aire libre, bajo el calor del sol. Era un hombre alto, callado y de temperamento estable, con la mandíbula cuadrada y las manos grandes, que siempre trabajaba largas y duras horas, solo para lograr nuestra supervivencia. Cuando no estaba trabajando, estaba «muerto de cansancio», como decía siempre. En ese día, había ido a cargar madera para otro ranchero. Aunque siempre tenía mucho trabajo que hacer en casa, en nuestro rancho, necesitábamos dinero extra para pagarlo todo. A mí me habría gustado que estuviera más tiempo en casa. Mamá no me hacía meterme en el clóset cuando papá estaba en casa. Una vez traté de decirle a papá que mamá me obligaba a meterme en el clóset, pero ella me acusó de ser una mentirosa y me llevé unas cuantas nalgadas. Nunca lo volví a intentar.

Me corrían por el rostro unas lágrimas calientes. Me preguntaba si todos los niños tendrían que pasar tiempos en un clóset pequeño y oscuro. En realidad, no conocía a ningún otro niño, porque vivíamos en una pequeña hacienda ganadera de Wyoming, a unos treinta kilómetros de la población más cercana, y a varios de nuestro vecino más cercano. No teníamos teléfono ni televisor. Solo los muy ricos tenían esas cosas, y nosotros ni siquiera conocíamos a nadie así. De manera que, con la excepción de los parientes que nos visitaban muy de vez en cuando, estábamos aislados del resto del mundo. Las visitas de mis tías, mis tíos y mis primos eran los momentos más destacados de mi vida. Cuando venían, mi madre era otra persona. Era alegre y extravertida... al menos con ellos. Sus ojos de color azul hielo chispeaban cuando tocaba el piano y cantaba, mientras todos se reunían a su alrededor para acompañarla. Yo admiraba su hermosa voz y su bella sonrisa. Había oído decir a sus hermanas que su belleza con su cabello negro les recordaba a la actriz Vivien Leigh en *Lo que el viento se llevó*. Sentía el deseo de poder ver algún día esa película.

Jean, la hermana menor de mi madre, una mujer hermosa y de buen humor a la que yo adoraba, era la que nos visitaba con más frecuencia; al menos un par de veces al año. Cuando estábamos juntas, me sentía muy feliz. Sin embargo, el mismo día en que se marchaba, toda esa felicidad desaparecía de mi vida. Era como una muerte. Nos abrazábamos para despedirnos, pero apenas salía su auto de nuestro estacionamiento, yo tenía que esforzarme por no llorar mientras mi madre comenzaba su típica sarta de comentarios. «No son más que un montón de sanguijuelas», murmuraba mientras daba la vuelta y entraba con paso firme a la casa. «Todo lo que quieren es comer y dormir gratis. No tienen consideración alguna por nuestra vida». Yo sabía que eso no era cierto. Eran buenos y generosos. Aun así, me quedaba callada. Papá no le replicaba y se marchaba al granero. Yo sabía que a más tardar en un día, lo más probable era que yo volviera a estar metida en el clóset.

Una vez vino el papá de mi madre a vivir con nosotros durante un tiempo. Papi, como lo llamábamos, se convirtió en mi mejor amigo, y la vida era buena siempre que estuviera cerca. Papi y mi madre discutían a cada momento, pero ella nunca me puso una mano encima estando él presente. Cuando se marchó, lo eché muchísimo de menos. Era un alivio temporal muy bien recibido en mi triste vida.

Mi madre tenía dos personalidades distintas, y la mala era la que se reservaba para mí cuando estábamos solas. En esos momentos, me criticaba y era fría, malvada e imprevisible. Su amarga ira se podía encender de un chispazo, y me asustaba tanto que era frecuente que tuviera pesadillas en las que estaba ella. Cuando había otras personas cerca, mi madre se preocupaba mucho por causarles una buena impresión. Para ella era muy importante que la consideraran como una mujer perfecta. Es más, me decía con frecuencia: «Yo soy perfecta. Nunca he hecho nada indebido».

En cambio, muchas veces me decía que yo era fea, estúpida y mala, y que nunca llegaría a ser nada en la vida.

Cuando me di cuenta de que era una persona carente por completo de importancia e incluso indeseable, se apoderaron fuertemente de mí los sentimientos de desamparo, desesperanza, inutilidad, rechazo, abandono, tristeza, temor y odio por mi propia persona. Eran palabras demasiado grandes para que las comprendiera por completo, o las expresara, pero eran sentimientos genuinos que experimentaba día tras día.

Las horas pasaban con lentitud en ese desagradable día, caluroso y húmedo, pasado en el clóset. El aire viciado y estancado allí me dio sueño y me hizo dormitar durante un instante. Me desperté al oír que mi madre entraba a la cocina para comenzar a preparar la cena. Unos minutos después, abrió la puerta del clóset y me dejó salir como pude. Estaba agradecida de que me pusiera en libertad. Poco después, papá llegó a casa y se desplomó en el sofá, mientras decía: «Hoy vengo muerto de cansancio». Él no era brusco conmigo, pero era obvio que no tenía tiempo para mí. El afecto físico y las conversaciones no formaban parte de nuestra convivencia.

Me aterraba la oscuridad, y como no había electricidad en el rancho, por la noche no tenía manera de encender una luz. Cuando me iba a la cama, todo estaba oscuro por completo, con la excepción de la luz de la lámpara de queroseno que podía ver que llegaba desde la cocina. Me cubría la cabeza con las mantas y no me movía. Tampoco había instalaciones sanitarias allí. Temía tener que levantarme en la noche y ponerme a tratar de encontrar el orinal que había en mi cuarto para ese propósito.

Una noche me desperté llena de miedo. Debo haber tenido una pesadilla. Me bajé de la cama y me dirigí a la cocina para tomar un poco de agua. Mi madre todavía estaba allí, y faltó poco para que chocara con ella al entrar. En mi terror, vi que empuñaba un gran cuchillo de carnicero. La hoja de acero que tenía levantada brillaba con la escasa luz que había. Una siniestra sonrisa le cruzó la cara, mientras mantenía la mirada fija en mí con sus fríos ojos de color azul acerado. Cuando retrocedí, ella se comenzó a reír. Esto se convirtió en unas carcajadas salvajes que parecían aullidos, mientras yo me volví a toda prisa por las escaleras hasta mi cuarto para meterme en la cama. Pasó un buen rato antes de que cayera en un inquieto sueño.

Me desperté cuando comenzaba a romper el alba, y pensé en mi madre, lista con aquel cuchillo, como si tuviera toda la intención de apuñalarme. El recuerdo de ese momento de terror nunca desapareció de mi mente. Una y otra vez tenía pesadillas en las que mi madre estaba en la cocina con el cuchillo levantado, riéndose de mi miedo.

Poco después de mi sexto cumpleaños, nos mudamos a una pequeña granja situada a unos treinta kilómetros del pueblo. Como en el rancho, no había ninguna de las comodidades modernas. No había instalaciones sanitarias internas en la casa, sino solo un maloliente retrete fuera de ella. No había agua corriente ni bañera. No había teléfono, ni radio, ni televisión. Había luces eléctricas, lo cual ya era una gran mejora, pero la única calefacción era una estufa en el diminuto comedor. La vida era difícil allí; nada era fácil. Lo mejor que había eran los numerosos vecinos amables que vivían a unos kilómetros de la granja. No nos visitaban con frecuencia, pero cuando lo hacían, mi madre se portaba con cordialidad.

Ya no me encerraba en un clóset. Es más, aquel lugar era tan pequeño que no creo que los dos clósets fueran lo bastante largos para que yo me pudiera sentar siquiera. Sin embargo, esa granja se podía volver un lugar aterrador con tantas serpientes de cascabel. Es de sorprenderse que nunca me mordiera una de ellas, porque era frecuente que descubrieran alguna cerca de mí, enroscada y lista para lanzarse. Eran aterradoras y horribles, y me asustaban más que ninguna otra cosa.

Ese invierno tuve una irritación en la garganta que me produjo una inflamación tan dolorosa que llegó al punto de que me impedía tragar la comida. Hasta beber algo resultaba insoportable. Tenía los conductos nasales con un material grueso que parecía soga, y que el médico me tuvo que sacar con un instrumento especial. Como todas las demás cosas en un pueblo pequeño, el hospital estaba más que repleto, y no tenía una cama para mí. Todos los días teníamos que hacer el largo viaje hasta el pueblo en medio de la nieve, a fin de que el médico me pudiera poner una inyección y sacar aquel material enfermo parecido a una soga que tenía en la nariz. El tratamiento era doloroso, pero lo soportaba con la esperanza de que pronto estaría lo suficientemente bien como para poder comer de nuevo.

Después de unas cuantas semanas en ese estado, el médico se preocupó al ver que yo estaba perdiendo peso y poniéndome más débil. Decidió enviar una muestra del material nasal, junto con muestras de sangre y de orina, a una clínica especial para averiguar lo que andaba mal. Fuimos en auto hasta la casa en espera de los resultados.

Esa noche hubo una tormenta de nieve, y durante los días siguientes estuvimos aislados. Cuando arreció la tormenta, mi madre me hizo una cama sobre un catre en el comedor, cerca de la estufa. Las temperaturas estaban muy por debajo del punto de congelación, y como no teníamos dentro instalaciones sanitarias, tuve que hacer mis necesidades en un gran orinal de metal que pusieron cerca de mi catre.

Se me hizo tan difícil respirar, y tan doloroso tragar, que apenas podía comer o beber algo. Me seguí debilitando y llegué a sentir que la muerte sería un agradable alivio. En medio de mi sufrimiento, sentí en mi madre una preocupación nunca antes vista. Con frecuencia, me trataba de dar algo de beber, pero yo solo podía beber dos o tres sorbos antes de que el dolor se volviera insoportable.

Una semana después que el médico recogió las muestras, todavía no sabíamos nada. La tormenta de nieve hacía imposible ir al pueblo. Teníamos acumulaciones de nieve de más de cuatro metros de alto, y no había manera de comunicarse con él. Papá se pasaba la mayor parte del día tratando de llevarle heno al ganado que estaba atrapado en los campos helados y cubiertos de nieve.

Una tarde, alguien llamó a la puerta del fondo. Yo estaba demasiado débil para que me importara quién sería, o para reconocer lo poco usual que era tener una visita con un tiempo tan severo. Mi madre dio un grito ahogado cuando abrió la puerta. Era el médico, con nieve pegada a su pesado sobretodo, su sombrero, sus botas y sus guantes.

«Tenía que venir de inmediato», le dijo mientras se quitaba el sobretodo. «Vine en auto hasta donde pude, y después caminé los últimos kilómetros. Su hija podría morir en cualquier momento si no se le da esta medicina».

¡El médico vino hasta aquí para salvarme la vida!, pensé yo.

Mientras se quitaba el sobretodo y se subía las mangas, le dijo a mi madre que yo tenía difteria nasal. Después de un rápido examen, me metió una aguja en la poca carne que me quedaba en las posaderas. Yo detestaba las agujas, pero ya estaba demasiado débil, y con tanto dolor, que no me importó.

Me quedé dormida después que se fue, y horas más tarde, cuando desperté, pude ver que el sol se ocultaba porque se reflejaba a través de las botellas de soda de crema, mis favoritas, que había en la mesa del comedor. Ya me había mejorado mucho la garganta, y por vez primera en muchas semanas pude beber la soda de crema y pedí algo de comer.

Mi madre parecía estar llena de gozo, y cuando papá llegó a la casa, lo recibió con la buena noticia de lo que hizo el médico. Papá, acostumbrado a ser silencioso, no dijo gran cosa, pero por su sonrisa supe que sentía un gran alivio.

La recuperación fue lenta. Había perdido tanto peso que estaba muy delgada y débil. La bondad de mi madre me hizo tener ganas de quedarme más tiempo aún en cama. Ahora ya no había palabras duras. Sonreía con frecuencia, tocaba el piano y cantaba. Era como si lo que estuvo a punto de convertirse en tragedia le hubiera dado una nueva razón para vivir.

Cuando se derritió la nieve y vimos las primeras señales de la primavera, pensé que tal vez la vida fuera diferente entonces. Ya no volvería a sufrir la ira y la dureza de mi madre. Seríamos una alegre familia todo el tiempo. Lo lamentable es que mis esperanzas duraron poco. Poco a poco, ella fue regresando a su mundo invisible donde les hablaba siempre a las voces que escuchaba en su cabeza.

La mañana era bastante cálida, pero yo corrí al borde del camino temblando ante el día de escuela que me esperaba. El miniván se detuvo frente a mí y se abrió la puerta. Cuando titubeé, el conductor, con un movimiento de la mano, me dijo: «Vamos, que no tenemos todo el día». Las primeras veces, había parecido comprender mis temores; ahora, solo expresaba irritación. La mía era una de las numerosas paradas en el viaje de una hora que hacíamos todos los días hasta el pueblo.

Me apresuré a subir y me deslicé hasta el segundo asiento, detrás del conductor. Prácticamente, me aplasté contra la ventanilla, con la esperanza de que nadie notara mi presencia. A medida que iban entrando más estudiantes, más iba creciendo el nivel del ruido. Todo el mundo parecía conocer a todo el mundo, y su animada conversación me asustaba. Me quedé sentada sin moverme, mirando por la ventanilla, con la esperanza de que nadie notara que yo estaba viva. Lo conseguí. Nadie me notó.

Por fin, cuando el miniván se estacionó frente a la escuela, había sobrevivido a otro viaje más sin que nadie me hablara.

La escuela era más aterradora aún que el viaje hasta ella. Debido a mi larga enfermedad, no había ido al jardín de la infancia, sino que había comenzado el primer grado como la de más edad y mayor estatura en mi clase. No tenía ropa elegante, como el resto de las niñas. Ellas tenían un cabello brillante y hermoso; el mío parecía como un enredo de paja. Mi único refugio seguro era la propia aula. Nunca dejé escapar un sonido, a menos que se me hablara, y obedecía todas las órdenes y las normas. El trabajo no me era difícil. Estudiaba mucho, aprendía con rapidez y sacaba sobresaliente siempre.

Mi problema estaba *fuera* del aula. Estaba aterrada ante el patio de recreo, donde los niños corrían por todas partes gritando, riendo y jugando cosas que yo no sabía jugar. Nunca había estado entre otros niños, con la excepción de mis primos, que solo nos visitaban una o dos veces al año. No sabía relacionarme con nadie de mi edad. Durante los recreos, me escondía entre los arbustos que había en el borde del patio y esperaba a que tocaran la campana. Si una maestra me encontraba y me enviaba de vuelta al patio, me ponía en la fila más larga para montar en los columpios, que era un lugar legítimo para que estuviera durante cierto tiempo. Cuando llegaba hasta el frente de la fila, salía corriendo para ir a buscar otra fila larga. Yo no sabía montar en un columpio ni deslizarme por un tobogán.

Durante mi segunda semana, mientras estaba de nuevo en la fila para un columpio, uno de los niños me preguntó:

—Oye, flacucha, ¿cómo te llamas?

—Stormie —mascullé.

—¡Estás bromeando! —gritó—. ¡Oigan todos, escuchen esto! ¡Se llama Stormie!

Todos se rieron, y yo sentí que la cara se me ponía roja por completo. Entonces alguien me gritó:

—Oye, Stormie, ¿cómo conseguiste un nombre tan estúpido?

—Muy fácil —añadió otro—. Te apuesto lo que quieras a que nació en un desagüe para el agua de las tormentas.

—O tal vez sea de las tropas de asalto —dijo otro.

Yo sentía pánico en mi interior mientras luchaba en vano por contener las lágrimas. Di un tembloroso suspiro de alivio cuando sonó la campana y todos nos dirigimos de vuelta a hacer las filas para entrar a clases. Una intensa sensación de soledad se apoderó de mí, y lo que quería era desaparecer de la faz de la tierra. ¡Cuánto anhelaba haber tenido un nombre normal, como Mary Smith, para que nunca tuviera que soportar sus burlas!

Mi papá me puso al nacer el nombre de Stormie porque no solo nací en medio de una tormenta, sino porque él siempre decía que cuando yo lloraba, me llenaba de nubes mucho tiempo antes que llegara la lluvia (las lágrimas). Mi madre había querido ponerme Marilyn, pero papá dijo que ese nombre le recordaba a alguien que nunca le había caído bien. Mi nombre nunca me había molestado hasta que entré a la escuela y, entonces, todo parecía como si nunca hubiera escuchado su final.

Tenía otro problema con el habla. Al ver las reacciones de los demás niños, me daba cuenta de que no hablaba bien. No podía formar correctamente las palabras, y me tropezaba con ellas. En las pocas ocasiones en las que tomaba la iniciativa de hablarle a alguien, o bien hablaba con tanta suavidad que no me escuchaban y me sentía rechazada por su falta de respuesta, o de lo contrario, iba tropezando de manera vergonzosa con las palabras.

«Stormie habla raro», decían algunos de los niños, riéndose.

Yo les temía al recreo y a la hora del almuerzo, cuando me tenía que relacionar socialmente con otros niños. No había maestros u otros adultos que notaran mis aprietos, o incluso, que trataran de ayudarme.

La vida en casa no era mejor que en la escuela. Casi siempre, la conducta de mi madre era errática y volátil. De repente se volvía airada y violenta, y me castigaba por unas infracciones desconocidas.

Otras veces se pasaba días enteros actuando como si yo no existiera. Nada de lo que hiciera le llamaba la atención. En esos momentos, vivía en un mundo de fantasía, hablando con gente imaginaria. La mayoría eran personas que cometían una injusticia con ella, y se ponía a reprenderlas. Yo aprendí a no molestarla nunca en esos momentos, porque se volvía violentamente en mi contra.

Un día, tomé el collar de perlas falsas de mi madre del pequeño joyero que tenía en su dormitorio, porque quería usarlo para las fotos de la escuela. Lo guardé en el bolsillo hasta que llegué a la escuela, y entonces me lo puse en el baño. Todas las demás niñas tenían vestidos bonitos; en cambio, yo siempre usaba la misma camisa roja a cuadros y unos pantalones largos de color azul oscuro. En realidad, las perlas se veían absurdas en combinación con esa ropa que parecía de varón, pero en ese tiempo yo no me daba cuenta de eso. Solo necesitaba algo que me ayudara a verme mejor en la fotografía. Tampoco fui lo bastante lista como para darme cuenta de que tendría un problema tan pronto como mi madre viera las fotos. Todo lo que tenía era que estaba desesperada por verme atractiva de alguna manera.

Unas cuantas tardes después, hacía poco tiempo que había llegado de la escuela cuando mi madre me preguntó:

—¿Has visto mis perlas?

—No —le dije, tratando de enmascarar mi pánico al preguntarme dónde las puse. Sabía que me las quité en el autobús cuando volvía de la escuela a casa, y las guardé en el bolsillo, pero se me había olvidado por completo devolverlas a su joyero.

Tomándome por un brazo, tiró de mí hasta llevarme al fregadero de la cocina.

—Yo te voy a enseñar a decirme mentiras —me amenazó mientras me empujaba a la fuerza por la boca una sucia barra de jabón Lava hasta que sentí náuseas—. Yo encontré mis perlas en el bolsillo de tus pantalones azules. Aléjate de mis cosas y nunca me vuelvas a decir una mentira.

Después que ella me quitó el jabón de la boca, tuve que soportar por un buen rato esa horrible sensación que tenía en la boca antes que me permitiera enjuagármela.

Por raro que parezca, aquel castigo nunca fue un recuerdo tan malo como la de estar metida en el clóset, porque esta vez me castigaban por algo malo que hice en realidad. Algún tiempo después, cuando llegó de la escuela la foto en la que aparecía yo con las perlas puestas, ella solo se rio, y yo me sentí aliviada.

De alguna manera, sobreviví al primer grado. Sin embargo, dos meses después de comenzar el segundo, mi madre me llevó de viaje para visitar a mi tía, su hermana mayor, que vivía en Nebraska. A mí me encantaba estar allí, porque mi madre se portaba bien conmigo cuando había otras personas delante, y mis primos eran una gran compañía. El único problema era, como poco a poco todos nos fuimos dando cuenta, que mi madre no tenía intención alguna de volver a casa. Más tarde, mi papá dijo que no habían tenido ninguna pelea; ni siquiera una discusión que le hiciera sospechar que ella se marchaba para siempre. Yo pude escuchar que ella le confiaba a mi tía que pensaba que mi padre no la amaba, y que la vida de la granja era demasiado dura.

Entré a la escuela en esa ciudad, y era más aterradora aún que la de Wyoming. Eran chicos de ciudad; no chicos de campo. Iban mejor vestidos, tenían más seguridad de sí mismos y también tenían más conocimientos. Tenían un conjunto de gestos y expresiones que a mí me eran extraños del todo. Así se volvió dolorosamente obvio que yo no pertenecía a ese grupo.

A la hora del almuerzo, teníamos que caminar por parejas durante cerca de seis calles hasta la cafetería, pero yo siempre era la persona extraña que caminaba sola. Eso me avergonzaba hasta el punto de causarme un sufrimiento incalculable. Tenía que ir conteniendo las lágrimas durante todo el camino.

Mi soledad se volvió tan intensa que un día después de almorzar, mientras estaba de pie en el patio en espera de que sonara la campana, me sentí desesperada por encontrar alguien con quien jugar. Decidí acercarme a un grupo de cinco niñas que estaban de pie alrededor de un pequeño árbol, llenándole las ramas de nieve. Yo me uní al grupo y traté de reírme de la misma manera que ellas. De repente, la niña más alta se volvió hacia mí y me dijo: «Tú no haces nada aquí. ¡Lárgate! ¿Quién te invitó a jugar?». Las otras niñas añadieron: «¡Sí, lárgate!».

El dolor de su rechazo me penetró como si fuera un cuchillo. Me di media vuelta y corrí a través de todo el patio, cegada por las calientes lágrimas que me brotaban a chorros de los ojos. Llegué al borde del patio, pero no me pude detener. Crucé la calle y corrí durante toda la corta distancia que había hasta la casa de mi tía. Una vez dentro, corrí escaleras arriba, me metí en la cama, me cubrí la cabeza con las mantas y sollocé abrazada a la almohada. Mi madre y mi tía habían ido de compras, y mi tío estaba durmiendo en su cuarto con el aparato para oír apagado, así que nadie supo que yo estaba allí.

Cuando volvía a vivir aquella horrible experiencia en el recreo una y otra vez, me quería morir. ¿Acaso no había en toda la tierra nadie que me diera ni la hora? Yo no le hacía daño a nadie. Solo quería alguien que hablara conmigo y reconociera de alguna manera que yo existía.

Cuando mi madre y mi tía regresaron y me encontraron, yo les dije que me dolía el estómago y que había tenido que volver de la escuela. Durante unos cuantos días, la excusa me sirvió, pero entonces me obligaron a regresar a la escuela. Me sentía tan herida, tan despreciada y tan solitaria que dejé de intentar hacer algo.

Al llegar el día de Navidad, Santa Claus les trajo algo a mis tres primitos, pero no me trajo nada a mí. Me sentía con el corazón destrozado mientras los veía cómo abrían todos sus regalos. Alguien me dijo que Santa no sabía dónde estaba yo. Me pregunté cómo podría él saber si yo era mala o buena, y no saber dónde yo estaba. Decidí que a él tampoco le interesaba.

Después de las Navidades, nos fuimos de manera repentina de la casa de mi tía. Yo no supe sino hasta un tiempo después que mi tía le pidió a mi madre que se marchara y regresara con mi papá. Todo el mundo pensaba que nos íbamos para nuestra casa, pero esos no eran los planes de mi madre. En lugar de ir allí, nos fuimos a casa de una tía de mi madre llamada Grace, en otra ciudad. Allí me matriculó en otra escuela y ella encontró en seguida un trabajo.

La casa de la tía Grace era de dos pisos, grande y agradable, con un amplio portal en el frente, rodeado por arbustos de lilas que se llenaron de flores en la primavera y que tenían un olor maravilloso. En su interior, la casa era cómoda y limpia, y la tía Grace siempre estaba cocinando algo en la cocina. A pesar de esa manera tan maravillosa de vivir, yo echaba muchísimo de menos a mi papá. «¿Cuándo vamos a volver a casa?», le pregunté a mi madre otra vez.

«No lo sé. Deja de estarme preguntando».

En esa nueva escuela, me resigné a la soledad. No hice intento alguno por avergonzarme a mí misma tratando de parecer amistosa y soportando los crueles rechazos. Mi único alivio consistía en leer libros y escribirle cartas a mi papá. Me limité a soportar el sufrimiento hasta que se terminaron las clases en junio.

Cuando papá vino por fin a visitarnos al final del verano, la tía Grace le informó a mi madre que ya era hora de que regresara a su hogar con su esposo. Como no había ningún otro lugar a donde ir a parar, ella volvió muy a su pesar con él a la granja. Mi madre se sentía abatida y de inmediato se convirtió en su naturaleza malvada. Con todo y eso, yo me sentía alegre de estar en casa con mi papá.

No habíamos estado mucho tiempo en casa cuando pasó un desastre. Una fuerte ventisca invernal mató a gran parte del ganado de mi padre. Cuando por fin pudo salir a caballo para recorrer las tierras, se los encontró a casi todos muertos y sepultados bajo enormes montones de nieve. Esa fue una inmensa pérdida para nosotros, pero las cosas no terminaron allí. En la primavera siguiente sembró, pero todo lo que sembró quedó destruido a causa de una serie de granizadas violentas. Ya era imposible seguir soportando las penurias de la vida en una granja de Wyoming, así que mi madre y mi padre decidieron buscar una vida más fácil en el sur de California. Empacaron nuestras pocas pertenencias y se dirigieron hacia el oeste, con un punto de destino desconocido, y tal vez una vida mejor para todos nosotros.

5
Una desesperanza mortal

La «vida mejor» en busca de la cual nos marchamos de Wyoming terminó siendo una pequeña gasolinera de Compton que mi papá arrendó, junto con un viejo desastre de casa detrás de ella para que viviéramos nosotros. La puerta del frente de la casa estaba a cuatro pasos de la puerta del fondo de la gasolinera, de manera que nos tuvimos que acostumbrar a la grasa y la suciedad. Un campo baldío que había junto a nosotros era un criadero de ratas, que no tenían problema alguno en encontrar la manera de meterse en mi habitación. De vez en cuando, eran lo bastante valientes como para subirse por mi cubrecama y correr a través de la cama. Cuando sucedía eso, me quedaba paralizada por el miedo y no era capaz de dormirme.

Papá trabajaba catorce horas diarias, desde las siete de la mañana hasta las nueve de la noche, seis días a la semana. Cuando no estaba trabajando, siempre estaba «muerto de cansancio». A pesar de lo duro que trabajaba, apenas sobrevivíamos.

Nuestra pobreza era evidente. Nadie vivía en una casa peor, ni tenía un auto más antiguo ni más maltrecho que el nuestro. Y aunque yo pude conseguir cinco vestidos nuevos para la escuela, uno para cada día de clases en la semana, eran de una calidad tan pobre que pronto tomaron un aspecto desaliñado, gastado y mal ajustado a mi persona. Aun así, tenían que durar todo el año, junto con un par de zapatos baratos. Esos zapatos siempre se rompían a mediados del año escolar, y había que arreglarlos con pegamento. Daban vergüenza. Comíamos tan mal en mi casa que mi almuerzo caliente en la escuela me parecía como si fuera la comida *gourmet* más excelente. No podía creer cómo era posible que los demás niños hicieran bromas acerca de la comida y se negaran a comerla. Muchas noches, yo me iba a la cama con hambre, cuando en la cocina no había otra cosa más que un bote casi vacío de mayonesa y una botella de kétchup. Solía vivir a base de emparedados de mantequilla de cacahuete y jalea. Me sentía muy agradecida por el almuerzo que nos daban en la escuela y me lo comía todo, fuera lo que fuera.

Entre el hambre, las ratas y la pobreza, la vida volvió a parecer sin esperanza. Yo me escapaba, soñando con ser una hermosa estrella del cine. Ganaría millones de dólares, usaría unas ropas hermosas, tendría chofer propio que me llevaría en una limusina y viviría en un palacio que mantendría impecablemente limpio un ama de casa a tiempo completo. Mis fanáticos me adorarían y me darían el amor que nunca había conocido.

Cuando nació mi hermana, tuve nuevas esperanzas y felicidad. Por un tiempo, le proporcionó a mi madre algo en qué enfocarse que no fuera yo. Y me sentía eufórica. Aunque Suzy tenía cerca de doce años menos que yo, la consideraba una compañía; alguien con quien hablar, con quien identificarme, a quien amar y cargar. La veía como mi billete de salida de mi intensa soledad. Además, ver a mi madre cuidando de otra persona me daba la esperanza de que fuera humana de veras.

Una tarde, cuando llegué de la escuela, oí a Suzy, que para entonces solo tenía tres semanas de nacida, llorando en la habitación de mi madre. Me fui a mi habitación para dedicarme a una gran cantidad de tareas que tenía que hacer, y de repente me encontré con que mi madre estaba de pie junto a mí. Cuando levanté la vista, soltó a Suzy en mis brazos.

—¡Aquí la tienes! Es tuya ahora.

—Pero si yo estoy haciendo mis tareas —protesté.

—No discutas conmigo. A partir de ahora, Suzy es responsabilidad tuya. Cuando no estés en la escuela, te vas a dedicar a cuidarla.

—Pero yo iba a tratar de entrar en la obra de teatro...

—¡Tú vas a venir directamente a casa apenas se acaben las clases! —me gritó—. ¿Entendiste?

Me sentí abrumada. ¿Cómo iba a poder mantenerme al día con mis tareas? Por fin había comenzado a hacer algunas amistades, pero ahora no me quedaría tiempo libre alguno para estar con ellas. Nunca iba a poder llevar a nadie a casa, porque estaba demasiado sucia para llevar a nadie a verla. Y de todas maneras, mi madre no quería a nadie en la casa. Traté de sentir resentimiento hacia Suzy por ser una carga tan grande para mí, pero no pude. Su naturaleza tan dulce y cariñosa era encantadora, y la adoraba.

Una mañana, poco después de cumplir los doce años, me desperté con un dolor de cabeza terrible. Apenas me podía quedar de pie derecha a causa de los calambres y el dolor de la espalda. Fui tropezando hasta el baño para enseñarle a mi madre la sangre que había en mi camisón de dormir.

«Bueno, ahora ya tienes la maldición de todas las mujeres», dijo mi madre con repugnancia, como si lo que pasaba fuera culpa mía. Por supuesto, ella nunca me advirtió acerca de los cambios que se producirían en mi cuerpo. Por alguna razón imposible de imaginar, nadie hablaba acerca de nada ni remotamente reproductivo en esa época.

Cuando me comenzaron a crecer los pechos, noté que las otras jovencitas de la escuela usaban unos hermosos sostenes pequeños. De manera tentativa, le pedí a mi madre que me dejara comprar uno a mí también.

—¡Nosotros no tenemos dinero para desperdiciarlo en ti! —me gritó enojada. Se fue a su habitación, volvió unos cuantos minutos más tarde y me tiró su sostén de maternidad para amamantar a la bebé.

—¡Ahí lo tienes! Ya tienes tu sostén. Ahora, quítate de mi vista.

—¡Yo no puedo usar esto!

—¿Y por qué no? Yo lo usé.

—Pero es demasiado grande. ¿No me puedo comprar mi propio sostén? Por favor, yo misma voy a conseguir el dinero.

—No, no puedes. Yo no tenía cosas elegantes cuando era niña. ¿Por qué las habrías de tener tú?

Esa era su respuesta acostumbrada a todas las necesidades que yo expresaba, y no había nada más que discutir. Así que tuve que usar lo que me dio. Me sentía mortificada en la clase de gimnasia, cuando me tenía que desvestir frente a las demás muchachas. Trataba de esconderlo tanto como podía, pero pronto me descubrieron. «¿Dónde conseguiste esa cosa?», me dijo una de ellas en voz alta. «Nadie usa eso». Sentí ganas de arrastrarme hasta mi taquilla y desaparecer cuando todas se comenzaron a reír.

En consonancia con la naturaleza errática de mi madre, me sorprendió un domingo por la mañana cuando me dijo: «Vístete. Vamos a ir a la iglesia».

«¿A la iglesia?», expresé mi sorpresa. Nunca habíamos estado en una iglesia, con la excepción de una boda y dos funerales, que yo pudiera recordar, y de los tiempos en que mi tía nos llevaba cuando estuvimos parando en su casa. *¿De dónde le habrá venido la idea de ir a la iglesia?*, me preguntaba. Parecía una cosa normal tan poco característica, que estaba ansiosa por ir.

Alisté a Suzy y fuimos en el auto hasta una bella iglesita cercana. Mi madre escuchó con atención el sermón, y le debe haber gustado lo que oyó porque volvió al domingo siguiente. Unas pocas semanas más tarde, mi madre comenzó a dar clases en la Escuela Dominical, algo que era más notablemente normal aún.

Una de las cosas estupendas que tenía esa iglesia era que el grupo de jóvenes tenía unas fiestas y meriendas en la playa que eran estupendas. Yo me enamoré de casi todos los muchachos que había en el grupo. Eran amables, bondadosos y divertidos, y yo trataba de llamar su atención.

Lo lamentable es que alguien me atrapó besando a uno de los muchachos en el estacionamiento de la iglesia mientras se celebraba una fiesta de jóvenes dentro, en el salón de confraternidad. El que lo reportó, llamó al pastor, y el pastor llamó a mi madre. «Has andado por ahí prostituyéndote», me gritó ella mientras me agarraba por el cabello, me golpeaba la cabeza contra la pared y comenzaba a darme bofetones con su mano libre. «El pastor te quiere ver. Vamos a ir ahora mismo, y tal vez él te pueda meter dentro un poco de sensatez».

Me sentí terriblemente avergonzada cuando me llevó a la oficina del pastor. Mi madre se había referido a mí con tanta frecuencia llamándome prostituta y mujer ligera, que ahora me sentía así estando allí frente a él. *De seguro que estará furioso*, pensaba.

Sin embargo, el pastor me miró con los ojos llenos de compasión y de amor. Me invitó a sentarme y me dijo con gentileza: «Yo no quiero que una muchacha tan buena como tú se meta en problemas. Voy a orar contigo para que esto no vuelva a suceder». *¿Eso es todo?* Me quedé maravillada. Él no había dicho otra cosa más que una breve oración. Estaba asombrada. ¿No me dio una paliza? ¿No me castigó? ¿Cómo era posible? Me trató con respeto y amor, y sentí que me daba una segunda oportunidad. Me prometí nunca olvidar su misericordia y nunca volver a violar las reglas... al menos, mientras estuviera cerca de la iglesia.

Antes que comenzara el octavo grado, nos mudamos a una casa bastante decente en un vecindario de clase media baja en otra zona residencial del sur de California. Mi madre siempre mejoraba durante los primeros meses después de una mudada. Para ella era como un nuevo comienzo, y trató con toda sinceridad de seguir asistiendo a la iglesita. Sin embargo, ahora estaba mucho más lejos y, a decir verdad, no lo pudo seguir haciendo. De nuevo volvió a ser irritable y mala, y comenzó a llamarme usando unos nombres sorprendentemente obscenos, peores aún que los de antes. El castigo corporal era su única manera de tratarme. El único contacto físico que tenía con ella era cuando me daba un bofetón por la boca o cuando me golpeaba en la cabeza.

Muy pronto se estaba dedicando a dormir la mayor parte del día y andar por la casa durante la noche, conversando con unos personajes invisibles. Una noche, en un ataque de furia, y no tengo ni idea de qué lo provocó, tomó la Biblia grande de familia que compró después de hacerse miembro de la iglesia, y la lanzó por la puerta trasera hasta el otro lado del patio donde había un montón de tierra. Yo deduje que se sentía enojada con Dios y con la iglesia. Al parecer, perdonó a Dios, porque a los pocos días la Biblia estaba de vuelta dentro de la casa. En cambio, nunca perdonó a la iglesia, y nunca volvimos a asistir a ella.

Hizo amistad con unas cuantas vecinas de nuestra calle y, aunque nunca llegó a estar tan normal como para invitarlas a nuestra casa, por lo menos era cordial. Entonces, cuando ellas no estaban presentes, gritaba y se enfurecía conmigo sin razón aparente alguna.

Su vocabulario se volvió liberalmente salpicado por las vulgaridades más repugnantes. Solo se refería a mí usando nombres indecentes, de los cuales los más delicados eran «prostituta» y «zorra». La mayoría de ellos, nunca se los querría repetir a nadie. Mi hermana menor estaba aprendiendo a hablar bien, y comenzó a copiar algunas de las palabras indecentes que usaba mi madre y a tratar a sus muñecas como mi madre me trataba a mí. Mi madre estaba horrorizada. Temiendo que los vecinos se dieran cuenta de que Suzy hablara y actuara de esa manera, limpió con sumo cuidado su lenguaje y controló mejor sus acciones... al menos frente a Suzy.

Su disciplina era siempre inconstante. Se enfurecía si yo trataba de limpiar nuestra casa y me gritaba: «¡Esta casa es mía, no tuya! Si la quisiera tener limpia, lo haría yo misma». Sin embargo, cuando yo hacía algo indebido de verdad, como la ocasión en que una amiga y yo sacamos el auto para dar una vuelta sin tener licencia de conducir ninguna de las dos, ella no hizo nada. Cuando quemé las cortinas de mi cuarto porque estaba fumando y había tirado a la papelera una cerilla que no estaba apagada del todo, no hizo comentario alguno. Era como si eso nunca hubiera sucedido. Su conducta carecía de sentido, así que nunca sabía qué esperar. Sus continuos abusos verbales degradantes fueron creando dentro de mí un odio tan profundo que algunas veces deseaba que se muriera.

Por supuesto, seguía sin poder llevar a mi casa a nadie de la escuela. Yo nunca sabía de un momento a otro en qué estado se encontraría mi madre. Siempre era consciente del hecho de estar viviendo en una casa loca, que no era como las casas de las personas normales. En nuestras vidas no había risas, ni diversión, ni paz, y no había esperanza de que las cosas llegaran a ser diferentes alguna vez.

Raras veces veía a mi padre. Salía para la gasolinera antes que yo me levantara y muchas veces, cuando volvía a casa, ya yo me había ido a la cama. En cuanto a mi hermana, mi madre le tenía un afecto obvio. Es más, se iba al extremo opuesto con ella. Mientras que a mí me trataba con violencia y odio, a Suzy la descuidaba y no recibía disciplina alguna. A veces me preguntaba si mi madre trataba de compensar la forma en que me trataba a mí al ir en la dirección contraria con Suzy. A pesar de la evidente discrepancia, nunca me sentí celosa. Me alegraba que mi madre pudiera portarse siempre bien con alguien. Además, Suzy era adorable y afectuosa, y yo sabía que me amaba, porque la cuidaba bien. Era mi amiguita.

Durante mi último año de secundaria, me pasé una noche en la casa de mi amiga Martina Hammil*. Mi madre estaba muy enojada por mi salida, pero yo me fui de todas formas. Cuando Martina y su mamá me trajeron a casa al día siguiente, la Sra. Hammil nos dio con gran gozo la noticia de que tenía dos meses de embarazo.

Una semana más tarde, mientras yo entraba por la puerta de la casa después de las clases, mi madre me agarró por el cabello. Me estrelló contra la puerta de la cocina y comenzó a abofetearme mientras me gritaba:

—¡Asesina! ¡Asesina! ¡Mataste a un niño inocente! ¡Espero que te sientas feliz de lo que has hecho, _____ egoísta!

Mi mente daba vueltas. *¿Qué pude haber hecho? ¿Tal vez dejara abierta la puerta del frente, Suzy se saldría de la casa y la atropellaría un auto?*

—¡No sé de lo que estás hablando! —le grité—. Yo no le he hecho daño a nadie.

—Tú mataste al bebé de la Sra. Hammil. Tú tienes la culpa. No me escuchaste. ¡Espero que estés satisfecha, asesina!

—¿Cuál bebé? La Sra. Hammil no tiene un bebé.

—¡Perdió su bebé! —me gritó mi madre con toda la fuerza de sus pulmones—. Tuvo un aborto natural, y es culpa tuya porque tú hiciste que te recogiera y te llevara en su auto a su casa. Por eso está muerto el bebé. ¡Asesina!

Yo me fui de allí, corrí a mi cuarto, cerré la puerta de un golpe y me tiré en la cama hecha un mar de llanto. «¡Ah, no! ¡Dios, no!», grité. «El bebé está muerto y la culpa es mía. Todo el mundo me va a odiar. Nadie va a querer tener nada que ver conmigo nunca más».

Después de un rato me comencé a calmar y traté de pensar con sensatez. Tenía que llamar a Martina. Tenía que saber lo que pensaba de todo eso. Abrí la puerta y fui de puntillas hasta el teléfono. Mi madre me vio. «No toques ese teléfono. Es mío, no es tuyo».

Al día siguiente, en la escuela, le pregunté a Martina qué le sucedió a su mamá.

—Ah, nada —me dijo sin gran interés—. Solo que mamá se empezó a sentir mal, fue al hospital y perdió el bebé. Ya está bien.

—Mi madre dice que fue culpa mía —le dije avergonzada—. Dice que cuando tu mamá fue a mi casa a recogerme, eso le hizo mucho daño.

—¡Eso es absurdo! —dijo Martina riendo—. Mi madre estuvo conduciendo todo el tiempo. Tu madre no anda bien de la cabeza.

Yo me reí con ella, pero en el interior de mi corazón me endurecí más aún contra mi madre. Tomé una decisión: *Nunca más la voy a dejar que me destroce de esa manera. Aunque me entre a golpes y me trate de destruir con sus palabras, nunca va a poder penetrar en el odio que le tengo. A partir de ahora, la voy a considerar como un animal loco en el que nunca podré confiar.*

Mi madre intentó hacer agradables las Navidades de ese año, pero para mí solo fue un tiempo vacío. La temporada en la que todas las familias se reunían llenas de alegría solo me servía para ver la soledad que sentía, y ansiaba que todo terminara.

Mi madre me sorprendió en el día de Navidad dándome un pequeño diario de color verde. También me dio un par de cosas más, pero sentí que el diario era un regalo excepcionalmente considerado y lo aprecié. Me encantaba todo lo que tuviera que ver con escribir. El diario sería una forma magnífica de expresar los sentimientos que llevaba acumulados por dentro. El primero de enero estaba tan ansiosa por empezar a escribir que ni siquiera me molesté cuando perdí una de las dos llaves que venían con él.

Cuando comencé a escribir a diario lo que pensaba y lo que hacía, tomé nota en particular de quiénes notaban mi presencia lo suficiente como para decirme algo cada día y quiénes no. Estaba desesperada por recibir una afirmación positiva. Al mismo tiempo, sospechaba de la gente que me prestaba atención, porque sentía que debía haber algo malo en ellas. Puesto que nunca había cercanía, comunicación o contacto emocional con mi familia, traté de satisfacer esas necesidades por medio de noviecitos. Cuando eso no funcionó, empecé a escribir fantasías en mi diario. Aunque me seguía yendo bien en la escuela, eso no bastaba para soportar el vacío, la soledad y la desesperación que sentía. «¿Habrá alguien que me pueda amar?», le solía decir por la noche llorando a un dios distante que estaba en algún lado del universo.

Mi madre parecía saber todo lo que yo hacía, como si hubiera contratado detectives. Sin embargo, lo que *sí estaba* haciendo mal parecía poca cosa, comparado con sus acusaciones. El lenguaje vulgar y degradante que usaba para dirigirse a mí, y los fuertes bofetones que me daba en la boca y la cabeza, que se producían de repente y sin ninguna razón aparente, se volvieron más insoportables. De nuevo comencé a tener pesadillas en las que ella me perseguía blandiendo un cuchillo.

Pronto logró hacerme pensar que tal vez fuera *yo* la que se estuviera volviendo loca.

—¿Dónde está tu camisa blanca? —me preguntó una mañana.

—En mi clóset. ¿Dónde si no? —le contesté sin respeto alguno.

—No está allí. Algo hiciste con ella. Les estás regalando tu ropa a tus amigas —me dijo en tono acusador. Entonces me lanzó una diatriba acerca de mi negligencia.

Yo busqué por todo el cuarto de Suzy, la lavandería y la pila de ropa para planchar, pero no la pude encontrar por ninguna parte. No quise mirar en la habitación de mi madre, porque ella protegía mucho sus propiedades privadas y nunca me permitía entrar siquiera a su habitación, mucho menos mirar en su clóset o en los cajones.

Al final de la tarde, cuando fui a mi clóset a buscar algo, allí estaba mi camisa blanca, colgada a plena vista.

«¡Aquí está mi camisa blanca!», le grité a mi madre. «¿La pusiste tú?»

«Lo más probable es que estuviera allí todo el tiempo. Estás ciega», me dijo con autoridad. «Te debes estar volviendo loca. Tienes la mente muy enferma. Yo creo que tienes una enfermedad mental».

Aunque esos incidentes eran comunes, y yo sospechaba que ella los planificaba, en parte me preguntaba: *¿Me estaré volviendo loca?*

Una noche yo estaba enfrente de mi casa, en la casa de una amiga, viendo cómo ella se preparaba para una cita. Tenía dos años más que yo, y era muy hermosa y popular entre los muchachos... Todo lo que yo deseaba ser, pero no era. Cuando me comparaba con ella, mi depresión se volvía insoportable. Estaba llena de dolor y de desprecio por mí misma. Cuando abrí la puerta de mi casa, me encontré con dos miradas llenas de ira. Papá me dijo: «¿Dónde has estado? ¿Qué has estado haciendo?».

Antes de que yo tuviera la oportunidad de contestar, mi madre comenzó a escupir su veneno. «Has estado coqueteando por todo el vecindario como una cualquiera. Has estado con...» y comenzó a mencionar los nombres de los muchachos que me gustaban.

Yo salí huyendo hacia mi habitación. *¿Cómo sabía ella todos los nombres y los detalles?*, me preguntaba. *Sí, esos muchachos me han atraído, pero estoy segura de no habérselo dicho a ellos ni de habérselos mencionado a nadie. Y a ella en especial. ¿Cómo era posible que conociera así mis pensamientos?*

Mi madre me siguió hasta la habitación para seguir con sus acusaciones. Me iba soltando sus palabras con los dientes apretados: «Tu padre y yo hemos decidido que no puedes volver a cruzar la calle. No puedes ver a tus amigos después de las clases, y ya no puedes usar el teléfono». No me pudo amenazar de quitarme mi mesada, porque no recibía ninguna, ni suspender mis privilegios, porque tampoco tenía ninguno.

Cuando por fin se marchó de mi habitación, yo no lloré. Era como si hubiera vuelto al clóset y fuera de nuevo una niña pequeña. Me inundaron el temor, el terror, la desesperanza y la inutilidad, y no pude soportar lo inmenso que era todo eso. La voz que me hablaba dentro de la cabeza me decía: *Las cosas nunca van a ser distintas.* Si eso era cierto, no podía soportar la idea de enfrentarme a un día más.

Esperé hasta que hubo silencio en la casa, y mis padres estaban dormidos, y después me deslicé en el baño, abrí el armario y procedí a vaciar todos los frascos de medicina y tragarme cuanta píldora pude encontrar. Me tragué un frasco y medio de aspirinas, además de analgésicos, soporíferos y un par de medicinas recetadas. Cuando terminé, volví a mi habitación, me puse un camisón y una bata limpios y me acosté en mi cama, sabiendo que nunca volvería a despertar. No se trataba de un plan para llamar la atención de nadie, ni sacudir a la gente para que me atendiera. Todo lo que quería era acabar con aquel sufrimiento.

Caí en un profundo sueño.

Cuando abrí los ojos de nuevo, no los podía enfocar. La habitación daba vueltas, y me sentía débil, mareada y enferma del estómago. Me di vuelta, noté que la luz del sol estaba brillante y traté de centrar la vista en mi reloj. Era la una de la tarde.

¿Qué sucedió? ¿Qué funcionó mal? ¿Por qué sigo viva? Lo fui recordando poco a poco. En algún momento, en medio de la noche, mi madre me llevó a la bañera y me obligó a beber alguna cosa asquerosa hasta que vomité.

Me fui dando tumbos hasta el baño y cerré con llave la puerta. Las botellas vacías estaban en la basura. La mayor parte de lo que tomé fueron aspirinas. Vi los otros frascos. Los soporíferos y los analgésicos eran viejos, de los tiempos posteriores al nacimiento de Suzy, cuando a mi madre le costaba trabajo dormirse. Tal vez hubieran perdido su poder. Lo obvio era que no me pudieron matar. Solo me enfermaron.

Cuando volví a la cama, reviví todas las acusaciones que me hizo mi madre la noche anterior. ¿Dónde consiguió esa información? ¿Cómo sabía de todos esos muchachos? Entonces, me di cuenta. ¡El diario! ¡La llave perdida! Todo estaba escrito en mi diario, y ella lo usaba para espiarme. Hasta mis pensamientos más privados estaban sometidos a su escrutinio.

Desde detrás de mi puerta cerrada, pude oír el sonido que hacía mi madre pasando la aspiradora. Cada vez que sucedía algo horrible, pasaba la aspiradora. Era su forma de negar el problema y dar la impresión de que era perfecta. ¿Y cuál era el problema con exactitud? ¿Era yo?

¿O no sería que el problema era *ella*?

Ya a esas horas había visto de cerca suficientes familias para darme cuenta de que mi madre no era normal. Había algo en ella que estaba muy mal. Últimamente, le había dado por conversar acerca de gente que la vigilaba desde la televisión o la seguía cuando se marchaba de la casa. Cuando papá o yo la tratábamos de disuadir, se ponía histérica, y la fuerza de su histeria nos abrumaba. El número de personas que trataban de «matarla» iba en constante aumento: comunistas, católicos, negros, blancos, hispanos, ricos, pobres, bautistas, armenios, los Kennedy y seguía la lista hasta terminar incluyendo a todas las personas que conocíamos.

Cuando por fin me levanté tarde ese día, mi madre no dijo una palabra, ni siquiera para reconocer mi presencia o preguntarme cómo me sentía. Y yo tampoco le dije nada. Era como si nos hubiéramos puesto de acuerdo en silencio para no hablarle nunca a nadie de aquel incidente.

Dos días más tarde volví a la escuela. «Gripe» fue la explicación en la nota que llevé de casa. No estaba segura sobre la razón por la que estaba viva, pero la crisis pasó y, por alguna razón, ya no sentía ganas de morirme. Tal vez fuera porque sabía que mi madre se daba cuenta de que había ido más allá de los límites de la decencia. Sin embargo, no me quedaba esperanza alguna de que fuera a cambiar jamás. Decírselo a papá sería inútil. Sabía que si alguna vez le mencionaba algo, mi madre me acusaría de mentir y me castigarían. Siempre la creía a ella.

Por supuesto, mi madre siguió sin acercarse a mí de ninguna forma, pero dejó de atacarme físicamente. Volvimos a hacer lo que toda nuestra familia sabía hacer mejor: fingir que todo marchaba bien. La única solución para mi vida era terminar el instituto y después marcharme de la casa tan pronto como me fuera posible. A partir de entonces, todas mis actividades se dirigieron hacia esa meta.

6
La falta de compromiso

Mi plan para escaparme de mi hogar estaba formado por varios elementos.

En primer lugar, después que nos mudamos de nuevo justo antes de mi penúltimo año en el instituto, revisé mis maneras de ganar atención en mi nueva escuela. Me esforcé mucho por imitar las cualidades que veía en las personas que admiraba y sabía que viajaban.

Me mantuve con buenas notas, siendo casi todo el tiempo una estudiante de sobresaliente. En una ocasión saqué un notable en educación física en el octavo grado. Cuando le mostré a mi maestro favorito todos los sobresalientes, me dijo con bondad:

—Habrías debido sacar un sobresaliente también en Educación Física.

No le pude hablar de mi intento de suicidio y de lo delicada de salud que estuve después, ni tampoco de que no me gustaba ponerme los pantalones cortos de gimnasia, porque la gente se burlaba de mí a causa de lo delgada que era.

—No me gusta la Educación Física —me limité a decirle.

—Si quieres triunfar en la vida, Stormie, y de seguro que lo puedes lograr, vas a tener que hacer cosas que no te van a gustar.

Nunca lo olvidé. Y actué de acuerdo a ese consejo.

Sabía que había una cosa que no me gustaba, y eran los ejercicios de conversación. Encontré un libro sobre conversación en la biblioteca y pensé que me iba a matar de aburrimiento, pero también sabía que no iba a llegar a ninguna parte sin una terapia profesional del habla. Así que, en cuanto cumplí los dieciséis años, comencé a trabajar en una tienda por departamentos con el fin de ganar el dinero suficiente para comprarme un auto y pagar lecciones sobre la conversación y la voz.

Cuando tenía ahorrados doscientos dólares, le dije a papá que quería comprar un auto y le pedí que me ayudara a encontrar uno bueno. Un día, me dijo que había visto un anuncio donde ofrecían un Ford de 1949 justo por esa misma cantidad. «Vayamos a verlo». Me encantó el interés demostrado por papá. Se relacionaba bien conmigo cuando se trataba de autos. Siempre habíamos tenido el auto más viejo que aún podía funcionar y sabía arreglarlo para que lo siguiera haciendo.

El auto no tenía nada de maravilloso, pero papá me dijo que tenía un buen motor, y con unos cuantos ajustes menores en su gasolinera, estaría en buenas condiciones de funcionar. Así que lo compré y lo llevé a casa.

—¿De qué color lo quieres pintar? —me preguntó papá.

—De azul, pero en estos momentos no me puedo dar el lujo de pintarlo.

—¿Y no es tu cumpleaños la semana que viene?

No podía creer lo que me estaba diciendo. Pero así fue: en el día de mi cumpleaños, papá trajo el auto hasta el estacionamiento de la casa. Lo pintaron con mi tono favorito de azul. Tuvieron una venta especial en un lugar popular donde pintaban autos, y lo pintaron por USD$ 24.99. Estaba perfecto. Vi que mi madre nos observaba por la ventana, mientras yo le daba a mi papá un fuerte abrazo y salía en el auto para dar una vuelta.

Mi madre me lanzó una mirada fulminante cuando volví a casa. «Yo no tuve auto cuando era adolescente», me dijo con desprecio. «¿Por qué habrías de tener uno tú? Te crees especial, ¿no es cierto?». Yo pasé junto a ella sin decir una palabra, me fui a mi habitación y tiré con fuerza la puerta. Entonces ella me gritó a través de la puerta cerrada: «¿Y qué te hace pensar que vas a tomar lecciones de voz? Yo nunca tuve lecciones de voz y tú tampoco las vas a tener».

A pesar de su oposición, tenía un auto y un trabajo, y ella no me iba a seguir controlando la vida. De todas formas, sentía que era su crueldad la que había causado que yo no pudiera hablar bien. Pronto descubrí que incluso con ayuda profesional tendría que esforzarme mucho para superar mis problemas al hablar. La tensión que tenía en la garganta era tan grande que en cada sesión hacía falta una buena cantidad de tiempo solo para que lograra aflojar la mandíbula y abrir la garganta. Hablaba con tanta rapidez que para hablar más lento y de una manera más inteligible, me hicieron falta horas de aburrida práctica, y aun así, los resultados eran apenas perceptibles. En medio de mi frustración, terminaba llorando después de casi todas las sesiones de práctica.

Por fin vi el fruto de mis esfuerzos cuando me dieron el papel principal en un drama de la escuela y me eligieron tesorera del último grado. Papá se sentía feliz por mis logros. Mi madre estaba lívida. Me seguía recordando que todavía era una prostituta y una mujer fácil por muchos logros que tuviera. «¡Nunca servirás para nada, _____ inútil!», susurraría mientras me iba para el ensayo.

La siguiente parte de mi plan consistía en ganar el dinero suficiente para cubrir mis gastos de los primeros años de universidad. Después que me gradué en el instituto, nos mudamos a un pequeño apartamento cercano a Knott's Berry Farm, un parque de diversiones cercano a Disneylandia, donde encontré trabajo como actriz y cantante en el *Bird Cage Theater*. Mi papá ya no podía soportar tantas horas en la gasolinera, así que consiguió un trabajo con un horario regular, también en Knott's.

Una mañana temprano, en el día que tenía libre, decidí limpiar el cuartito que compartíamos mi hermanita de seis años y yo. Ya no podía seguir soportando el desorden que ella tenía. Todos los cajones de su lado en el clóset y en el baño estaban asquerosos y repletos de cosas que se habrían debido tirar a la basura desde hacía mucho tiempo. La culpa no era suya. Formaba parte del descuido en que la tenía mi madre. Suzy me ayudó por un rato, pero después perdió el interés y salió a jugar. Mi madre entró mientras yo le daba los toques finales al cuarto. Se acababa de despertar, y tenía hinchados los ojos y ardiendo de ira mientras me exigía:

—¿Qué te crees que estás haciendo?

—Acabo de limpiar nuestro cuarto —le dije con orgullo.
Siempre me había encantado limpiar las cosas y ponerlas en orden.
Era una de las muchas formas en que me distinguía a mí misma de mi
madre. Mientras rechinaba los dientes, sus ojos azul acero me abrieron
un agujero que me llegaba al corazón, mientras me decía:

—Te dije que si yo quería tener limpia esta casa, la limpiaría yo
misma. Esta casa no es tuya, es mía.

Luego, se fue al clóset, tomó todos los libros y los juguetes que yo
había organizado con tanto cuidado en los estantes, y los tiró al suelo.
Cuando comenzó a vaciar en el suelo todos los cajones del armario,
algo se rompió dentro de mí. ¡Esto era demasiado! Comencé a gritar...
gritaba con la boca abierta, histérica, desde lo más profundo de mi ser.

Entonces, la arremetí en su contra para tratar de detenerla. Con
toda rapidez, su mano derecha me dio un fuerte golpe a través de una
oreja, una mejilla y parte de un ojo. El golpe me aturdió y, antes que
tuviera tiempo de pensar en lo que hacía, la golpeé en la cara tan fuerte
como pude, de la misma forma en que lo hizo ella.

Se quedó estupefacta y yo también. No podía creer lo que había
hecho. Ahora sería mayor mi temor de que me acuchillara en medio
de la noche. No esperé a que reaccionara de nuevo. Tomé mi bolso, salí
del apartamento y me fui en el auto a la casa de una amiga.

En el auto comencé a llorar y después dejé de hacerlo. «No es digna
de que llore por ella», me dije en voz alta. «No es más que una odiosa
vieja bruja y no merece mis lágrimas. Falta poco para que me marche
de allí, y entonces nunca la tendré que ver de nuevo». Al día siguiente
regresé con mi amiga, recogí algo de ropa y cosas personales, y me fui
a quedarme por un tiempo con su familia. Al final, cuando tuve que
regresar a casa, no le dije nada a mi madre y ella no me dijo nada a mí.
Nos centramos en Suzy.

Después de la graduación, me matriculé en un colegio universitario estatal que estaba a una media hora del pequeño apartamento de mi
familia. Otra amiga que iba al mismo colegio me pidió que me quedara con ella, con su madre y su hermana mientras asistía a las clases allí.
Ese fue uno de los mejores tiempos de mi vida, porque era mi primera
experiencia en cuanto a vivir en una familia normal. Eran maravillosas,
y me daba vida ver su amorosa relación entre madre e hijas. Veía unas
señales delicadas y constantes de amor nunca antes vistas.

Después de ese año, me ofrecieron oportunidades en el departamento de música de la Universidad del Sur de California. La experiencia de vivir en el recinto universitario y de asistir a las clases era fantástica, pero era demasiado costosa y yo decidí que no me iba a permitir quedarme allí más allá de ese año, lo cual me endeudaría mucho. Tal como salieron las cosas, solo estuve allí un semestre porque mi madre tuvo que someterse a una operación de emergencia y mi papá necesitó que yo volviera a la casa para cuidar de mi hermana. Aunque mi madre pensaba que todos los médicos tenían el propósito de matarla, tal parece que el dolor que sentía superó sus temores y se sometió a la operación.

Una vez de vuelta en el apartamento, vi lo mucho que se había descuidado a mi hermana, y me sentí mal por haberme marchado del hogar. Sin embargo, lo que pensaba era que si me podía liberar yo misma de la pobreza, podría ayudar a sacar de ella a Suzy también. Pagaría mis estudios universitarios y después pagaría los suyos.

Regresé a Knott's Berry Farm para trabajar de nuevo en el *Bird Cage Theater*. Intervenía en cuatro presentaciones al día: dos en la tarde y dos en la noche. Mi papá trabajaba en el turno de la mañana temprano, así que nuestros horarios funcionaban de tal manera que siempre había alguien en casa con Suzy. Yo siempre recibía clases nocturnas dos noches a la semana en un colegio universitario estatal para no irme atrasando.

En los melodramas que representábamos en el pequeño teatro, yo hacía el papel de la heroína, y el actor que hacía el papel del héroe era un comediante bien parecido y talentoso llamado Steve Martin. Era brillante y sensible, y lo que comenzó como una amistad en la que hablábamos de poesía, filosofía, sueños y pensamientos profundos, se convirtió en mi primer romance en el que me enamoré de la cabeza a los pies. Steve hacía que me sintiera hermosa, femenina, deseable y amada de verdad por vez primera en mi vida. Cuando estábamos juntos, el tiempo se detenía, y nunca hubo nada negativo entre nosotros dos. Él era agradablemente divertido, así como muy serio y pensativo. Sin luchas. Sin sufrimientos. Sin malentendidos. Estábamos muy bien juntos. La vida era hermosa.

Me asombraba que Steve no supiera lo dotado, inteligente y atractivo que era. Yo lo animaba a que asistiera a la universidad a fin de que ampliara su mente, se fijara unas metas más elevadas de las que tenía y descubriera a dónde lo llevarían sus talentos. Quería que viera su propia genialidad. Ya la llevaba por dentro, y solo necesitaba que se reconociera, desarrollara y definiera. Tenía todo lo que se necesitaba para triunfar, y yo le decía que estaba destinado a cosas grandes. Estaba segura. Lo tenía todo.

No me di cuenta hasta que Steve escribió su autobiografía años más tarde, después de llegar a ser muy exitoso y famoso, que su padre estuvo siempre en su contra. Steve y yo nunca hablábamos de mi madre ni tampoco de su padre. Es probable que ambos todavía nos estuviéramos preguntando si las opiniones y las sospechas de nuestros padres probarían ser acertadas aún. Yo notaba que les agradaba a sus padres, y mis padres adoraban a Steve. Es más, cuando mejor se comportaba mi madre era cuando él andaba cerca. Era imposible que hubiera alguien a quien no le agradara.

Sin embargo, éramos jóvenes y teníamos muchos sueños y aspiraciones, y sabíamos que teníamos que perseguirlos. Así que, después de nuestra temporada juntos, no hubo una triste ruptura, sino solo un alejamiento no planeado para seguir hacia donde nos llevara la vida. La relación terminaría siendo la única por la que no lamento nada, ni guardo sentimientos negativos, sino solo recuerdos felices de buenos tiempos, bondad, amor y gratitud mutua. Su madre y yo nos escribimos varias veces al año durante décadas, hasta que ella falleció, muchos años más tarde. En cuanto a su padre, me parece que siempre estaba esperando que él se consiguiera un trabajo de verdad.

Volví a la universidad durante mi primer año, solo que esta vez fui a la Universidad de Los Ángeles en California [UCLA, por sus siglas en inglés]. Era una gran universidad, justo entre Hollywood y Beverly Hills, donde quería estar. Y era mucho menos cara. Yo trabajaba para pagarme los estudios a medida que iba avanzando, de manera que el único préstamo de estudiante que tuve fue el otro semestre en la Universidad del Sur de California.

A fines de ese mismo año en las Navidades, recibí una invitación de un antiguo novio del instituto, Scott Lansdale*, para pasar las

Navidades con él y su familia. Él asistía a una prestigiosa universidad en el este del país, y su familia se había mudado a una ciudad del medio oeste. Yo aproveché de inmediato la oportunidad porque cualquier excusa era buena para no tener que estar cerca de mi madre, en especial durante las festividades.

La familia Lansdale era acaudalada, y su hogar era todo lo que no era el mío. Era grande, amplio, hermoso y limpio. Hasta las grandes ventanas panorámicas que daban al césped hermosamente cuidado estaban impecables. Los padres de Scott eran normales, y yo adoraba a su padre y a su madre. Eran inteligentes y divertidos. Scott siempre me hacía bromas, diciéndome que me caían mejor sus padres que él mismo. Lo lamentable es que eso era cierto. Yo habría dado cualquier cosa por poder hacer con él un intercambio de madres.

La Sra. Lansdale era una mujer bondadosa, lista y sensible que se levantaba temprano todas las mañanas para preparar el desayuno. Me trataba como si yo fuera muy valiosa, y me era difícil no hacer un contraste entre ella y mi propia madre. Muy pronto nos convertimos en grandes amigas, aunque no lo bastante cercanas para que le contara los detalles íntimos acerca de mi pasado. Era demasiado vergonzoso hablarle a alguien de que me encerraban en un clóset cuando era niña, o que tenía que escuchar a mi madre mientras vagaba por la casa durante la noche, conversando con unas voces que solo oía ella. Si le revelaba esas cosas a la Sra. Lansdale, de seguro que me rechazaría. Al fin y al cabo, razonaba, si uno de tus padres te rechaza, debe ser porque eres una persona rechazable.

Una noche, después de una gran fiesta en la casa de los Lansdale, todos los huéspedes se habían marchado, y los esposos Lansdale habían subido a acostarse. Scott y yo nos quedamos en la cómoda sala de fiestas que había en el sótano para tomar vino junto al fuego. En mi desesperación por sentirme amada, fui descuidada, y esa sería una noche que lamentaría más tarde.

Pocas semanas después de regresar a Los Ángeles, supe por mi padre que la salud de mi madre había empeorado. Consultó a un médico que le diagnosticó a mi madre una enfermedad mental con toda una serie de términos médicos, de los cuales los únicos que comprendí fueron «esquizofrenia» y «paranoia». Así que se confirmaba de manera oficial que la conducta de mi madre se debía a más cosas que una simple malevolencia y la disposición al odio. Sin duda, había algo que funcionaba mal en ella, algo que tenía un nombre.

En esa época no se hablaba abiertamente de las enfermedades mentales porque no producían una reacción compasiva. Se reflejaban en los miembros de la familia, como si su salud mental quedara también en entredicho. Papá y yo lo mantuvimos en secreto, y mi tía Margaret*, la hermana mayor de mi madre, aceptó ir en avión para ayudar a papá a ingresar a mi madre.

«Stormie, es necesario que estés allí también», me indicó Margaret por teléfono. «Tu madre debe saber que estamos unidos en nuestra creencia en cuanto a lo que es mejor para ella. Los médicos dicen que si la podemos convencer para que vaya por sí sola al hospital, se habrá ganado la mitad de la batalla. La reacción de los pacientes que se ingresan ellos mismos es muchísimo mejor que la de quienes hay que ingresar a la fuerza».

«Pero ella nunca lo va a aceptar. No va a ir de una manera pacífica, y nunca los va a dejar que la lleven».

Todo el mundo, menos yo, parecía pensar que la idea era buena, y que ella reaccionaría bien. Sin embargo, conocía la naturaleza tenebrosa de mi madre mucho mejor que todos los demás, y estaba convencida de que la escena sería muy desagradable.

Se fijó la fecha para una semana más tarde, y yo me debía encontrar con mi tía en el apartamento de mis padres. Se hicieron los arreglos para que mi hermana menor no estuviera allí esa noche. Papá, mi tía y yo trazaríamos un plan para mi madre. Ella vería lo sabio que era, e iría tranquila con nosotros mientras la llevábamos en auto al hospital psiquiátrico.

Están soñando, pensé. *No la conocen en absoluto. Mi madre está convencida por completo de que tiene la razón y el resto del mundo está equivocado, que ella es inocente y todos los demás son culpables, que ella es normal y todos los demás estamos locos. De ninguna manera va a admitir que hay algo en ella que funciona mal.*

Mientras tanto, cuando trataba de prepararme para los exámenes finales en la universidad, me enfermé tanto que no podía comer ni dormir, mucho menos estudiar. Desde las fiestas me había ido poniendo cada vez peor. Al principio pensé que era una gripe que me atacó el estómago, pero la enfermedad persistía. Por fin acudí a un médico y supe, para mi horror, que estaba embarazada. La noticia me dejó destrozada. ¿Cómo sucedió eso? Yo no tenía experiencia alguna, y había confiado en que Scott tomaría las precauciones necesarias.

Salí tambaleante de la oficina del médico y me fui en el auto hasta una bella iglesita que había al lado mismo del recinto universitario. Me senté en el santuario, que estaba vacío, y traté de analizar mis opciones. Ninguna era buena.

El matrimonio no lo podía ni tener en cuenta. Aunque habría aceptado de inmediato esa solución, el claro mensaje que recibí de Scott era que no quería tener nada que ver conmigo, ni con este problema. Era un estudiante destacado de leyes, un hombre importante en la universidad y el orgullo de su familia. Ellos tenían la esperanza de que llegara a ser senador o gobernador. De ninguna manera estaba dispuesto a abandonar todo eso, solo para corregir un pequeño error. Además, demostró no ser digno de confianza cuando se reveló que le enviaba a otra chica las mismas cartas de amor que me enviaba a mí. Sin que lo supiera, la otra chica a la que le enviaba las mismas cartas de amor se hizo mi mejor amiga. Un día, ella y yo comparamos notas y nos reímos ante lo que descubrimos. Nos vengamos enviándole nosotras a él unas cartas idénticas como respuesta, y nos reímos de la situación. Sin embargo, me entristeció su falta de integridad. No era lo que yo pensé que era.

El suicidio era otra solución a mi aterrador dilema de estar embarazada y soltera, ¿pero qué les haría eso a mi hermana y a mi padre? Estábamos a punto de ingresar a mi madre en un hospital psiquiátrico. Los destruiría. Aun así, tener el bebé sería peor aún. Estaba segura de que mis familiares preferirían que yo estuviera muerta a que los humillara.

¿Dónde podría ir? ¿Qué podría hacer? Me deslicé del banco hasta quedar de rodillas y oré. «Dios mío, te ruego que me ayudes a salir de este desastre», le dije sollozando. «Te prometo que me voy a portar bien».

No sé por cuánto tiempo estuve allí arrodillada, llorando y orando, pero cuando por fin me levanté, no había escuchado respuesta alguna ni recibido ninguna paz de parte de Dios.

Después de eso las náuseas fueron en aumento. Cuando llegó el día de enfrentarnos a mi madre, tía Margaret voló a Los Ángeles. Yo me sentía tan mal, que apenas podía conducir, pero me las arreglé para hacer el viaje de hora y media en el auto hasta la casa de mis padres. Mi tía me saludó en la puerta, y comencé a temblar. Entré al baño para tratar de recuperar mi compostura. Estaba agradecida por su fortaleza y me alegraba que estuviera allí. Si al menos le pudiera decir la verdad e irme a casa con ella al hermoso cuarto con los colores del arco iris en el que me quedé en el pasado en el segundo piso de su hermosa casa... Si al menos pudiera meterme entre sus sábanas limpias de colores, y cubrirme con ellas la cabeza hasta que desapareciera mi pesadilla...

«¡Ay, Dios!», clamé. «No tengo salida. Estoy atrapada».

Salí del baño y le dije a mi tía: «No me puedo quedar. Tengo exámenes finales por la mañana, y me siento como si fuera a vomitar. No puedo soportar la escena que vamos a tener aquí esta noche. Te ruego que me perdones, pero me tengo que ir. ¿Se lo puedes explicar tú por mí a papá?».

Ella pareció estar muy desilusionada, pero me prometió que me llamaría para informarme lo que sucedería.

Yo me volví a mi apartamento de la UCLA en Westwood Village, y me tiré en la cama. Estaba demasiado enferma y turbada a fin de estudiar para los exámenes finales. Tendría que confiar en que el trabajo que hice en todo el semestre me ayudara. «¡Ah, Dios, dame una buena memoria!». *¿Por qué estoy orando? ¿Acaso Dios me escucha? En realidad, ¿habrá de veras un Dios?*

A la mañana siguiente, mi tía me llamó temprano.

—¿Te estás sintiendo mejor?

—Un poco —le dije, mintiendo—. Voy rumbo a mi examen que empieza en unos minutos. ¿Cómo fueron las cosas anoche?

—Nada bien. Cuando le dijimos a tu madre que fuera de forma pacífica al hospital, se puso histérica —dijo tía Margaret respirando hondo antes de continuar—. Nunca la había visto así. Nos gritaba y nos decía que éramos como todos los demás comunistas que andaban buscando la forma de matarla. Nos lanzó unos insultos horribles. No puedes creer las cosas que dijo.

—Sí, puedo creerlo. Ella me dice a mí cosas de ese tipo todo el tiempo.

—Tratamos de hablar con ella de una forma razonable, pero gritaba: "¡Todos *ustedes* son los locos, *yo* no! Yo no tengo nada malo". Entonces, corrió hasta su cuarto, tomó su bolso y las llaves del auto, salió volando por la puerta, se metió al auto, y antes de que la pudiéramos detener, ya se había ido.

—¿Dónde está ahora?

—No lo sabemos. No regresó anoche. El médico le informó a tu padre que podía firmar unos papeles, y la policía la recogería y la obligaría a quedar ingresada.

Hubo silencio.

—Bueno... ¿qué hizo papá?

—Se quebrantó y lloró, y dijo que no lo podía hacer. Siente que si hace que la ingresen, ella nunca lo va a perdonar, y que tal vez un día se recupere.

Sabía que la idea que tenía mi padre sobre los asilos de dementes procedía de las películas de terror del pasado, y que sentía que allí no le quedaría a ella ninguna esperanza. A pesar de lo cruel que había sido con él a lo largo de los años, la seguía amando lo suficiente para seguir soportando hasta el final con la esperanza de que algún día «se recuperaría», como si eso fuera incluso posible.

—De manera que depende de ti, Stormie —me continuó diciendo por teléfono con su voz profundamente agotada—. Tú eres la única que puedes hacer algo por tu madre.

—¿Yo? —dije con voz entrecortada—. Tienes que estar bromeando. Yo no puedo hacer nada por ella. Siempre nos hemos odiado la una a la otra.

—Sí, lo sé —me dijo, suspirando—. Me temo que tu madre haya sido una madre terrible.

No podía creer lo que escuchaba. Había otra persona que sabía que ella había sido una madre terrible. Su observación me dio fuerzas, porque el reconocimiento de aquella verdad por parte de alguien me hacía sentir que, al fin y al cabo, yo no estaba loca. Al mismo tiempo, me preguntaba por qué mi tía nunca había hecho un esfuerzo por ayudarme.

En ese momento, sentí toda la responsabilidad del mundo sobre mis hombros. Estaba embarazada y enferma, y mi padre y mi hermana me necesitaban más que nunca, ahora que mi madre se había marchado. No me podía desaparecer por un año para tener un bebé. Mi suicidio los destruiría. Solo me quedaba un lugar hacia el cual correr.

7
Decisiones para la muerte

—**S**tormie, ¿cómo estás? —sonó la voz de Julie por el teléfono.
—No estoy tan bien como me gustaría estar —le dije.
Conocí a Julie en el verano anterior, mientras trabajaba en Knott's Berry Farm—. Necesito de veras tu ayuda. ¿Recuerdas cuando me hablaste del aborto que tuviste? Bueno, pues yo necesito comunicarme con el médico que te lo hizo.

Contuve la respiración mientras esperaba su respuesta. Si se negaba a ayudarme, no sabría dónde ir. El aborto nunca se mencionaba en público. Es más, Julie era la única persona a la que le había oído decir esa palabra.

—Tú sabes que la policía los está persiguiendo —me dijo—. El médico que me hizo el mío cayó en la cárcel.

—¡Ay, no! ¿Qué voy a hacer? Por favor, Julie, necesito tu ayuda con urgencia. Tengo que encontrar a alguien que se haga cargo de mi situación.

—Tengo algunos contactos. Déjame ver lo que puedo hacer. Ahora cuelga, Stormie. Es posible que me tome unos cuantos días volverme a comunicar contigo, pero te voy a llamar. Te lo prometo.

Pasaron dos semanas antes que volviera a saber de ella. Durante ese tiempo, papá me llamó para decirme que mi madre había vuelto por fin a casa después de unos diez días. Había desaparecido antes unas cuantas veces, pero nunca por tanto tiempo. Como de costumbre, nadie le preguntó dónde estuvo, ni qué hizo. Seguiremos nuestra vida como siempre, fingiendo que no sucedió nada.

Al día siguiente, Julie se volvió a comunicar conmigo para darme una noticia:

—Encontré un médico en Tijuana, al otro lado mismo de la frontera con México.

—No me importa donde sea. Ni siquiera me importa si es un verdadero médico. Todo lo que quiero es salir de esta angustia. ¿Cuánto?

—Seiscientos dólares.

—¿Seiscientos dólares? —repetí con voz entrecortada—. ¡Yo no tengo ni cincuenta siquiera!

Hice una pausa.

—No importa. Los conseguiré. Dile que sí, y avísame cuándo.

Llamé a Scott, fui directa al grano y le pedí el dinero. Después de cierta reticencia y de hacerme preguntas sobre si estaba embarazada de veras o solo se trataba de que me hiciera falta dinero, cedió. Me sentí muy herida por sus observaciones, pero recibí el dinero de sus padres que estaban muy preocupados por mí.

Con el dinero en la mano, fui en mi auto a un lugar de reunión antes acordado en una zona donde no vivía nadie, junto a la carretera principal que iba a México. Un hombre que era el contacto con el médico se encontró allí conmigo y con otra mujer que viajaba con su esposo. Todos íbamos al mismo lugar por la misma razón. Lo primero fue darle nuestro dinero. Hicimos algunos intentos por conversar, pero aparte de eso, nadie dijo una palabra mientras nos dirigíamos a la frontera, que estaba a cerca de una hora de distancia. Yo tenía mucho miedo, pero decidí que, sucediera lo que sucediera, esto tenía que ser mejor que estar embarazada y con unas náuseas insoportables todos los días.

En la frontera no tuvimos problemas; era evidente que los guardias conocían al que conducía. Seguimos hasta llegar a una casa pequeña e insignificante situada en una sección residencial vieja y sucia de Tijuana. Una mexicana nos recibió en la puerta. Una vez que estábamos en la sala y la puerta se cerró con llave, salió el médico a recibirnos.

Como yo estaba muy nerviosa, me ofrecí para pasar primero. Me guiaron hasta la parte trasera de la casa a través de un pasillo largo y oscuro. Entré en lo que esperaba que fuera un pequeño dormitorio, pero la puerta daba a una sala de operaciones blanca, semejante a las de los hospitales, con todo el equipo médico que se necesitaba. Una enfermera vestida de blanco me ayudó a ponerme una bata blanca de hospital y acostarme en la mesa como se me indicó. Cuando el anestesista me insertó una aguja en una vena del brazo, el médico se inclinó sobre mí y me dijo con bondad:

—Ah, dicho sea de paso, si mueres durante esta operación, tendré que tirar tu cuerpo en el desierto. Comprenderás que no me puedo poner en peligro yo mismo, ni tampoco a los demás, entregándole tu cuerpo a la policía. Solo quiero que lo sepas desde el principio.

—¿Eso sucede a menudo? —le pregunté con el corazón lleno de miedo.

—No, no sucede a menudo —me contestó sin manifestar emoción alguna—. Pero sí sucede. No me agrada hacerlo, pero no tengo otro recurso.

Oré en silencio: *Dios mío, por favor, permíteme seguir viva y seré buena.* Fueron muchas las veces que me quise morir en la vida, pero ahora me aterraba con solo pensarlo.

«Diez, nueve, ocho, siete...». Lo siguiente que recuerdo fue que estaba acostada en otra habitación, y la enfermera me preparaba para irme a casa. En seguida noté que por vez primera en unas cuatro semanas, no tenía ganas de vomitar. ¡Terminó la pesadilla! No se me ocurrió que acababa de destruir una vida humana. Todo lo que podía ver era que escapé de la muerte. No tenía remordimiento alguno, sino solo la alegría de saber que seguía viva, y que ahora tenía una segunda oportunidad. Nadie lo sabría jamás, con la única excepción de las personas involucradas.

Gracias, Dios mío, oré. *Voy a hacer bien las cosas. Voy a valorar lo que tengo, en lugar de quejarme de lo que no tengo. Voy a tratar de conocerte más, y no voy a cometer el mismo error otra vez.*

Fue una oración simplista, pero sincera. Aunque todas mis promesas eran reales, pronto descubrí que era demasiado débil para cumplir una sola de ellas. Después de volver a mis estudios, volví a caer en los mismos hábitos y formas de pensar del pasado.

Ese verano me contrataron como cantante en un popular y nuevo teatro de escenario central que hacía comedias musicales en vivo con diferentes estrellas invitadas cada dos semanas. Las horas de trabajo eran muchas porque ensayábamos una presentación durante el día y hacíamos otra durante la noche. Para ahorrar dinero, me volví a mudar a casa con mis padres, pero allí estaba solo para dormir porque tenía que conducir más de hora y media del teatro a la casa, y otro tanto de vuelta.

Mi madre adoptó una nueva manera de conducirse después de regresar a casa desde el lugar desconocido al que escapó en la noche del enfrentamiento con ella. Aumentó su odio lleno de furia y agresividad hacia papá, pero a *mí* me mantuvo a distancia. Ahora veía a mi padre y a su propia hermana como sus enemigos. Puesto que yo no estuve presente durante la noche de la horrible escena, no me consideraba traidora. Suzy nunca salía a relucir. Para todos, era terreno neutral.

Muchas veces la encontré enojada por la extraña conducta de nuestra madre. Debido a que, en esencia, fui yo la que la crie durante los seis primeros años de su vida, me las había arreglado para protegerla de alguna manera en cuanto a los problemas mentales de nuestra madre. Sin embargo, una vez que comencé mis estudios en la universidad y estaba fuera la mayor parte del tiempo, ella se tuvo que defender sola. Yo me sentía mal por su situación, pero el próximo paso para salir de la pobreza era que yo misma estudiara. Y ella también.

Una noche llegué tarde a casa y me encontré a Suzy llorando.

—¿Estás llorando por causa de mamá?

—Sí —me dijo sollozando.

Yo la abracé y le acaricié el cabello. Entonces le expliqué:

—Mamá no está bien. Está muy enferma y no quiere ir al hospital. Así que nosotros la tenemos que cuidar lo mejor que podamos. Trata de no tomar nada de lo que diga o haga de manera personal porque ella no se puede dominar.

No podía creer lo bien que le expliqué la situación con esas palabras. Despreciaba a mi madre. No tenía ni un ápice de compasión por ella; la única compasión que sentía era por mí misma y por Suzy.

No obstante, fui tan convincente que mi hermana se animó y parecía enfrentar mejor la situación después de eso.

La relación entre Suzy y mi madre nunca estuvo llena de cicatrices como la mía. A mí me había hecho un daño irreparable a causa de todos sus maltratos. Por consiguiente, me costaba trabajo luchar en la vida. El vacío y el sufrimiento que sentía día tras día se profundizaban más con cada año que pasaba. Mi ansiedad y mi depresión iban en aumento, y me enfrentaba a pensamientos suicidas todas las mañanas al despertar. Por encima de todo, tenía que batallar con una fatiga crónica, pues me impulsaba a mí misma a trabajar sin cesar en un vano intento por superar mi situación y no permitir que me ahogara.

Mi presentación final del verano fue *Llámeme señora*, con Ethel Merman, una estrella de fama ya legendaria. Me encantó la presentación y me encantó trabajar con Ethel. El recuerdo de que se terminó y yo tenía que regresar a la UCLA para mi último año era deprimente, debido a los malos recuerdos de los tiempos del embarazo, la enfermedad y el aborto. Necesitaba escapar de todo eso por un tiempo. Así que cuando una cantante compañera mía me preguntó si estaría interesada en hacer una gira con el coro de Norman Luboff, un grupo que entonces era muy popular a causa del éxito de sus canciones en la radio, acepté de inmediato.

Durante los nueve meses siguientes, hice una gira por Estados Unidos, lo cual me enfrentó a unos cuantos problemas que no había previsto. Vivir con treinta personas más, confinada en un autobús, sin tener siquiera el lujo de un cuarto privado durante una noche, significaba que iba a tener que esconder mis depresiones y mis gigantes inseguridades, y fingir que todo andaba bien *siempre*. Era agotador. Se volvió imposible.

Una vez a la semana, llamaba a casa para ver cómo iba mi hermana. Una noche, después de una presentación, llamé desde Georgia y mi madre respondió el teléfono. Demostró sentirse lívida porque yo estaba con Norman Luboff. «Gracias a lo fácilmente visible que tú estás, me van a encontrar a mí, y me van a matar», me espetó. Al parecer, el hecho de que afirmara durante años que «ellos» la estaban vigilando a través de la televisión, y que tenían su casa llena de micrófonos para espiarla, no importaba. «No te olvides de que tú no vales nada», siguió diciendo. «No importa que cantes con esa fatua vocecita de coro. No sigues valiendo nada. No eres nadie».

Mi madre estaba loca. Yo lo sabía. En ese caso, ¿por qué temblaba cuando colgué el teléfono? Reconocía que lo que decía no era cierto, pero me sentía destruida cada vez que oía sus palabras. Todavía tenía el poder suficiente para dejarme destruida, como la niñita que encerraba en el clóset. Cuando me atrapaba en un momento de debilidad, me podía enterrar un cuchillo en el corazón y meterme en el pozo de la depresión durante semanas. Una parte de mí misma sabía que ella estaba mal de la cabeza. La otra parte creía todas las palabras que decía. ¿Por qué mi madre siempre mantenía ese dominio sobre mí?

Bajé las escaleras para unirme a algunos de los cantantes que me esperaban en el restaurante del hotel. Estaba tan deprimida que apenas podía hablar o comer, así que me excusé en cuanto pude, me fui de vuelta a mi cuarto y estuve llorando hasta que me dormí.

A la mañana siguiente, tuve que reunir las fuerzas suficientes para unirme al grupo en el desayuno. Hasta fabriqué una falsa sonrisa y dije unos cuantos chistes. Uno de los hombres jóvenes señaló: «Ah, veo que hoy estás algo maniática». Me pareció divertido su comentario, y hasta me reí con todos los demás que estaban a la mesa... pero fue doloroso. Cualquier referencia a mi inestabilidad mental alimentaba un temor inherente a que me pudiera volver algún día como mi madre.

Salí de la gira desconcertada, además de exhausta de manera mental, emocional y física. El esfuerzo por aparentar que todo iba bien se cobró su precio. Vivir rodeada siempre por otras personas durante todo ese tiempo solo me hizo ver lo extraña que era, comparada con todos los demás. Me sentía como una fracasada cuando me volví a casa y, en esencia, permanecí en cama durante varias semanas.

Un día fui sacudida de mi letargo cuando me invitaron a hacer una audición para un nuevo programa musical televisado de variedades que la CBS iba a lanzar al aire en el verano de 1966. Yo hice todo lo que sabía para tener buen aspecto y agradar con mi forma de hablar, pero cuando vi la belleza y el talento de las otras chicas, me sentí tan deprimida que me fui a casa y me volví a meter en la cama.

Cuando el contratista me llamó más tarde para decirme que me escogieron como una de las cuatro cantantes del programa, me sorprendí. Mi gozo se mezcló de inmediato con el temor. Era obvio que me fue bien en la audición, ¿pero cuánto tiempo me podría mantener en un lugar prominente? Mis ataques de ansiedad iban de mal en peor, y nunca sabía cuándo se iban a producir. Cuando eso pasaba, me tenía que ir a esconder en un cubículo del baño más cercano y sostenerme el estómago mientras tenía convulsiones con sollozos que trataba de callar y sintiendo como si una espada me hubiera atravesado el corazón. ¿Por cuánto tiempo iba a poder ocultar *eso*? Otras veces, cuando tenía miedo, la garganta se me ponía rígida y perdía la voz. ¿Y si me pasaba en ese trabajo?

A pesar de todos mis temores, acepté el papel, pues tenía más temor de no aceptarlo, y me fue bastante bien a través de toda la serie de verano. Era un programa popular y todos los que trabajaban en él eran los mejores en el género. Bob Mackie era el diseñador de la ropa y hacía milagros con un presupuesto escaso. Tomaba pedazos baratos de tela desechada y hacía unos ropajes que se veían sensacionales. Después que terminó la serie, recibí más oportunidades para cantar, danzar y actuar en varios programas de televisión seguidos, además de anuncios y sesiones de grabación. Trabajé con estrellas como Danny Kaye, Jack Benny, Jimmy Durante, George Burns, Dean Martin, Jerry Lewis, Mac Davis, Stevie Wonder, Linda Ronstadt, Sonny y Cher, y muchos más... todos populares en ese entonces. Sin embargo, cuando me llegaba el momento de actuar, tenía que luchar muy fuerte con la depresión y la ansiedad que amenazaban con echarlo todo a perder.

Había retenido a un buen agente para que me ayudara con las ofertas de trabajo. Una noche me llamó:

—¿Por qué no aceptaste el papel en esa película de hoy, Stormie? —me preguntó Jerry*—. Después de todas las audiciones que hiciste y de lo duro que yo trabajé, rechazaste la oferta. No puedo comprender lo que te pasa.

—Lo siento, Jerry —le dije y busqué con desesperación alguna respuesta que explicara lo sucedido—. En el último minuto no pude llegar hasta el final.

—¿Haciendo qué? Tú tenías el papel. Todo lo que debías hacer era presentarte a trabajar.

—Lo siento y me da pena, Jerry. De veras que me apena.

Después de un largo silencio en el que casi podía escuchar su mente tratando de encontrarles sentido a las cosas que yo hacía para poner en peligro mi propia carrera, se despidió y colgó el teléfono. Era imposible que alguien comprendiera la incoherencia de mis acciones. Apenas las podía comprender yo misma. Durante años, soñé con hacer las cosas que hacía entonces. En cambio, ni siquiera todas mis apariciones como modelo, los anuncios, los programas de televisión y las actuaciones me podían convencer de que era atractiva o talentosa. Por glamurosas y maravillosas que fueran las cosas que me sucedieran, me seguía viendo fea e inaceptable; una fracasada que nunca llegaría a ser nada, tal como mi madre me recordaba siempre. Solo unas pocas horas después del éxtasis de alcanzar una nueva meta, me sentía peor que nunca, porque pensaba: *Si esto no me hace sentir mejor, ¿qué puede lograrlo? ¿Por qué no me puedo transformar a mí misma? ¿Por qué estoy tan dañada? ¿Por qué no puedo escapar de mi pasado?*

Seguía buscando la relación perfecta, pensando siempre que cambiaría las cosas. Las apariencias eran muy importantes para mí, así que escogía hombres que parecieran distinguidos, educados y cultos. Quería formar parte de cualquier estilo de vida que fuera opuesto a la forma en la que crecí. Tommy* coincidía a la perfección con lo que yo buscaba. Era apuesto, bondadoso, un caballero, y trabajaba mucho en Hollywood como cantante.

En realidad, éramos incompatibles por completo, pero no me podía permitir que lo reconociera. Me imaginaba que siempre sería incompatible con alguien que fuera magnífico. Quería que me amaran de manera incondicional, y me tocaran con emoción, pero Tommy solo quería pasar un buen rato, y lo alejaba cualquier sugerencia de compromiso o matrimonio. Sabía que no me convenía, pero su bondad, su aspecto atractivo y su estilo exuberante de vida me hacían creer que terminaría por satisfacer mi necesidad de amor y seguridad.

Todo mi afán de recibir amor causó que terminara en la misma situación que dos años antes le prometí a Dios que nunca volvería a suceder. Quedé embarazada. Por raro que pareciera, se usaron las precauciones en ambas ocasiones, y fracasaron en las dos. No lo podía creer.

Como antes, no tenía lugar alguno a dónde acudir, ni nadie que me quisiera en esa situación. Sin embargo, esta vez mi principal preocupación era mi carrera. De seguro que quedar embarazada era un mal paso para la carrera, y dejaría de existir sin mi carrera. Para complicar más las cosas, me había comprometido a hacer una gira por Europa, África y Suramérica durante los tres meses siguientes con un famoso grupo musical que lograba el éxito todo el tiempo con sus grabaciones. Saldría en una semana, así que tenía que actuar con rapidez.

Este embarazo me hizo sentir peor que el anterior. No había manera de encontrar al médico que me hizo el aborto en México, así que con la recomendación de una fuente bien informada, volé a Las Vegas para tratar de establecer una conexión con cierto médico de allí. Tommy aceptó con gusto hacerse cargo de los gastos, aunque esta vez yo disponía de suficiente dinero.

Fui a la clínica de ese médico y le supliqué que hiciera la operación. Sospechaba de mí porque no trabajaba ni vivía en Las Vegas, y me quería hacer una prueba para determinar con seguridad que estaba embarazada.

—¿Cuánto tiempo hará falta para tener los resultados?

—De dos a tres días.

—No puedo esperar tanto tiempo. Voy a salir dentro de dos días a una gira de tres meses para cantar fuera del país. Necesito la interrupción ahora mismo.

—Se trata de una trampa, ¿no es cierto?

—¿Qué quiere decir? —le pregunté.

Entonces me di cuenta de que pensaba que yo podría formar parte de una operación encubierta de la policía. Estuvo pensando en silencio por un momento, y después me dijo:

—No, no lo puedo hacer.

—Por favor —le supliqué—. Si usted no lo puede hacer, envíeme a alguien que lo haga. Estoy desesperada. Tengo el dinero.

Se mantuvo firme en su decisión y se marchó de la oficina.

Esa misma tarde recibí una llamada telefónica en el lugar donde me hospedaba. La voz al otro lado de la línea me dijo:

—¿Necesita usted un médico?

—Sí. Por favor, ¿puede ayudarme?

—Yo tengo un médico que lo puede hacer. Mil doscientos en efectivo.

—Los tengo. ¿Cuándo es lo más pronto que se puede hacer?

—La recogeré a las tres en punto.

De repente, me sentí asustada.

—Se trata de un verdadero médico, ¿no es cierto? ¿Y me va a dormir para que no sienta dolor?

—Por supuesto —dijo en voz baja y colgó el teléfono.

A las tres en punto, un hombre de baja estatura, fornido y casi calvo llegó a mi puerta. Estaba nervioso y se secaba a cada instante el sudor de la frente con un sucio pañuelo blanco. Entré en su auto y fuimos a un lugar cercano, donde había un oscuro motel de baja calidad, cerca del centro de la ciudad. Entramos por la puerta trasera y tomamos el ascensor hasta el segundo piso. Tenía la llave de un cuarto y entramos en seguida. Hasta ese momento, había pensado que la interrupción sería un procedimiento sencillo, como la vez anterior, pero cuando entré a aquel sucio cuarto del motel, supe que me había equivocado.

—¿Dónde está el médico? —le pregunté, sintiendo pánico—. «¿Dónde está el anestesista? ¿Dónde están los equipos?

—Silencio. No debe hablar. La gente la va a oír —me dijo de mala manera—. El médico entrará en cuanto esté lista. Enséñeme el dinero.

Yo le di el dinero.

—Quítese la ropa de la cintura para abajo y acuéstese boca arriba en esa pequeña cómoda.

—¡Usted tiene que estar bromeando! ¿Dónde está el médico? Yo lo quiero ver primero.

—Mire, ¿quiere la interrupción o no? —me preguntó con brusquedad.

Al ver que no había otra alternativa, hice lo que me dijo. Entonces, el hombre me puso una venda apretada alrededor de los ojos y una mordaza en la boca.

—Usted no puede ver al médico ni hacer ningún ruido —me explicó—. Estas operaciones son muy peligrosas ahora. La policía las está persiguiendo. No la podemos anestesiar porque nos debemos mover rápido si hay algún problema. Créame, esta es la mejor manera.

Estaba paralizada de temor cuando me ató a la parte superior de la cómoda. ¿Sin anestesia? El corazón me latía con furia. No conocía al hombre. Me podía matar allí mismo y llevarse mi dinero. Luego, oí que la puerta se abrió en silencio y otra persona entró en la habitación. Los dos hombres susurraron brevemente, y me di cuenta de que la otra persona también era un hombre. Pronto oí el ruido metálico de los instrumentos quirúrgicos.

Entonces comenzó la verdadera pesadilla. El primer hombre se colocó a través de la mitad superior de mi cuerpo, mientras el «médico» comenzaba a realizar el aborto. Cuando raspaba y cortaba, comencé a llorar. Me atragantaba, hacía arqueadas para vomitar y sentía el dolor más grande que hubiera experimentado en toda mi vida. Parecía no tener fin. Gemía tan alto, que el hombre puso el pecho con toda su fuerza encima de mi rostro para que no se oyeran los ruidos. Yo temía ahogarme. Al final, sentí un doloroso corte dentro de mí que me pareció que debía haber cortado al bebé de la pared del útero. Fue más allá de cuanto dolor me habría podido imaginar. Pocos segundos más tarde, todo terminó y el médico salió de la habitación.

El hombre me desató, me quitó la venda de los ojos y la mordaza, y entonces sonó el teléfono. Lo respondió, pero yo tenía tanto dolor y estaba tan aterrada que no noté lo que dijo. Me levanté de la cómoda y fui dando tumbos hasta la cama en busca de mi ropa. Mi cuerpo se estremecía con las náuseas, los sollozos y el dolor.

El hombre colgó el teléfono, se volvió hacia mí y me dijo con enojo: «Limpie todo esto. La policía está a la entrada y el lugar está lleno de agentes del FBI».

Justo cuando dijo eso, vomité sobre la cama y sobre mi ropa. El vómito y la sangre cubrían mis piernas. El hombre, lleno de repugnancia, limpió la suciedad que quedó alrededor de la cómoda. Lo que cortaron en mi cuerpo yacía en unas toallas de papel sangrientas que estaban en el piso, y él quería destruir esa evidencia en su contra. «Termine de limpiarlo todo y tírelo por el inodoro», me indicó con severidad, mientras huía del cuarto.

Yo tampoco quería que me encontraran en esa situación, así que, a pesar de sentirme tan enferma, seguí sus instrucciones. Con las toallas del baño me limpié la sangre y el vómito que tenía en las piernas, y también lo que había en la cama, en el armario y en el piso. Me limpié la ropa lo mejor que pude y me apresuré a ponérmela. Por todo el rostro me corrían las lágrimas, mezcladas con sudor y maquillaje. Todavía los sollozos me producían convulsiones. El hombre regresó aliviado. «En el primer piso hubo un secuestro. No tuvo nada que ver con nosotros. Terminaré de limpiar este lugar; usted vaya a arreglarse la cara y el cabello». Pocos minutos más tarde, me llevó al lugar donde yo estaba hospedada.

A diferencia del aborto anterior, cuando me sentí aliviada por estar viva, esta vez sentí depresión, fracaso y repugnancia. Todo fue muy asqueroso.

Un par de días más tarde, volé desde Las Vegas hasta la costa este para comenzar una gira mundial con aquel popular grupo musical. Seguí sangrando durante semanas, y a la larga ingresé en un hospital para que me detuvieran la hemorragia con una operación. No obstante, el dolor por el recuerdo nunca cesaba. Cada vez que veía un bebé, lo volvía a sentir de nuevo. Estaba afligida y sentía un vacío que no se parecía a nada que hubiera conocido jamás. Después de eso, no volví a ser la de antes. En mi vida mental, comencé una espiral descendente.

¿Terminaría alguna vez el desamparo en el que me sentía, o estaba condenada a esta clase de existencia dolorosa mientras tuviera vida? ¿Dónde podría encontrar respuestas? ¿Quién me podría ayudar?

De la gira, regresé al apartamento de Hollywood que tenía alquilado con Diana*, mi mejor amiga del instituto. Diana actuó conmigo en los dramitas de la escuela, y de allí nos conocíamos. Teníamos los dos papeles principales en una de las producciones, y acertamos en ellos en seguida. Ella era muy inteligente y talentosa, pero también sufría de depresión y ansiedad. Sentía que yo era lo bastante digna de confianza como para decirme que su madre era una alcohólica perdida, y que por eso nunca llevaba a nadie a su casa. Yo le conté acerca de mi situación con mi madre mentalmente enferma, y que por eso yo nunca podía llevar a nadie a mi casa tampoco. El que nuestras madres nos hubieran maltratado, y que nuestros padres fueran unas personas pacíficas, nos unía. Nos comprendíamos por completo la una a la otra. Me dijo que creía que era hija adoptiva. Su padre me lo confirmó, y me describió cómo ella, siendo aún niña, iba buscando por toda la casa los papeles de adopción.

Diana asistió a la universidad en San Francisco mientras que yo me quedé en el sur de California, así que perdimos el rastro la una de la otra por varios años. Cuando yo estaba en Hollywood buscando apartamento, fui caminando de un edificio a otro en la zona donde quería vivir, viendo lo que estaba disponible. En un lugar vi un apartamento excelente, pero necesitaba una compañera que también viviera allí para compartir los gastos. El gerente del siguiente edificio que fui a ver no estaba en su oficina, pero cuando me marchaba, se me ocurrió mirar el registro de las personas que tenían un lugar alquilado y allí estaba el nombre de Diana. Sabía que tenía que ser ella, porque su apellido era muy poco común.

Toqué a la puerta y ella me abrió. Ambas nos quedamos sorprendidas y encantadas de vernos de nuevo. Su apartamento era un lugar lleno de cosas, oscuro y de un solo cuarto, y yo pensé en el apartamento más grande, más nuevo y soleado que había visto con una puerta corrediza de vidrio que daba a un balcón exterior con algo de paisaje delante. Después que hablamos un poco y nos volvimos a conectar como si nunca nos hubiéramos separado, le hablé de aquel apartamento tan estupendo que acababa de ver, y le pregunté si estaría dispuesta a compartirlo conmigo. Ella accedió con todo gusto.

Cuando entré por la puerta de nuestro apartamento, después de tres meses de gira por Suramérica, Sudáfrica, Inglaterra y Francia, mi depresión y mi agotamiento eran tan grandes que todo lo que quería era dormir y despertar semanas más tarde. Diana me recibió en la puerta, y se veía más demacrada todavía que yo. Había subido mucho de peso, y eso siempre era una señal de que la depresión se había apoderado de ella.

Caminé hasta el refrigerador en busca de algo de comer o beber, pero estaba vacío, con la excepción de una soda de dieta y alguna bebida de dieta poco saludable. Como podía ver, todo estaba muy sucio. Había un par de centímetros de polvo por todas partes y la cocina era un desastre. Tal parecía que ella no había hecho nada para limpiar lugar alguno del apartamento todo el tiempo que yo estuve fuera. Eso solo empeoró la desesperación que yo llevaba encima. Me pareció que carecía de esperanza compartir la vida con alguien en peores condiciones que yo.

No dije nada al respecto. Estaba demasiado agotada para salir a buscar comida, así que me fui a la cama con hambre después de decidir que conseguiría víveres y limpiaría el apartamento cuando me despertara. Mi depresión se había vuelto negra. La única cosa que me pudo sacar de la cama al día siguiente fue el hambre y la alergia al polvo.

El resto de la gira se canceló cuando uno de los tres hombres contrajo una seria enfermedad. Ahora no tenía trabajo, y estar durante tanto tiempo de gira hace que la gente se olvide de una al regresar a la ciudad. Me tenía que poner en marcha para comenzar de nuevo las audiciones. Pronto, Diana decidió escapar, entrando en un matrimonio condenado al fracaso... y así sucedió. Sin embargo, ya en esa época yo me había mudado sola a un pequeño apartamento en Hollywood Hills, y me había comenzado a llegar trabajo.

8
La verdad sin libertad

El Dr. Foreman, el bondadoso psicólogo, escuchó la evolución de mi historia durante varios meses y me ayudó a tener cierta perspectiva acerca de lo que me había pasado. Ahora podía ver de dónde procedían mis temores y cómo me controlaban. Hablar con él era un alivio, pues dijera lo que dijera, nunca me hacía sentir que estaba loca ni que merecía que se me juzgara.

No obstante, ninguno de nosotros podía comprender el origen del odio que me tenía mi madre, ni por qué me trataba como lo hacía. Sí, estaba enferma de la mente, pero no es usual que las enfermedades mentales resulten en crueldad y violencia. Yo tenía un inquebrantable deseo de averiguar más acerca de ella.

El Dr. Foreman pensó que era una excelente idea que yo viajara al lugar donde vivía la familia de mi madre, a fin de poder hablar con ellos y descubrir cómo llegó a tales condiciones. Volé hasta Nebraska y hablé con el padre de mi madre, las dos hermanas de ella, tías y primos. Me fue difícil reunir todas las piezas porque cada uno recordaba el pasado de una manera algo diferente. El Dr. Foreman me advirtió que los siete miembros de una familia dan siete versiones distintas del mismo acontecimiento. Eso resultó cierto en este caso, pero algo que sucedía siempre era que todos lloraban al hablar de mi madre y del pasado. No era posible obviar la tragedia de su vida.

No le dije a nadie mi propósito por estar allí. ¿Cómo podía aumentar su dolor al decirles que mi madre me maltrató y que ahora trataba de superar las cicatrices? ¿Cómo les podía decir que mi vida se hacía pedazos y que visitaba a un psicólogo para que me ayudara a volverla a componer? Ya en esos momentos sabía que no estaba loca, pero sí tenía serias dudas en cuanto a que algún día pudiera ser normal. Mi única esperanza era que pudiera aprender a enfrentar la vida.

Después de una semana de preguntas, reuní de alguna manera todas las piezas de la vida de mi madre. Aunque era evidente que no la maltrataron en la niñez, de seguro que en su vida la marcaron los traumas.

Era la segunda de tres hermanas. Hermosa y muy agradable, pero también voluntariosa, perezosa y obstinada. Su personalidad brillante y llena de vida causaba una buena impresión en las reuniones sociales, pero en su relación personal directa con ciertos familiares era cruel y fría. Durante la Depresión, a la gente le preocupaba sobrevivir, de manera que el estado emocional de un miembro de la familia no era una prioridad. Por consiguiente, casi nadie se enfrentaba a sus rasgos de carácter indeseables ni a su obstinación.

Cuando tenía once años, tuvo un encuentro desagradable con su madre, quien en esa época ya tenía nueve meses de embarazo. Al parecer, la madre la reprendió de palabras por algo que hizo. No obstante, mi madre se mantuvo en sus trece y le contestó diciéndole: «¡Estás equivocada! ¡Yo no hice eso!». La madre la envió a su cuarto, donde ella deseó en silencio que estuviera muerta. Pocas horas más tarde, la madre comenzó a tener dolores de parto, y murió en el hospital junto con su bebé mientras daba a luz.

Como les pasa con frecuencia a los niños, mi madre se sintió responsable de lo sucedido y creyó que la muerte de su madre era un castigo por su actitud rebelde y por su rechazo. Un sentido de culpabilidad no censurado y una angustia insoportable produjeron en ella unas profundas cicatrices emocionales, de las cuales nunca se recuperó.

La sacudida que significó la muerte de su esposa abrumó al padre de mi madre, y la carga de cuidar a sus tres hijas era más de lo que podía soportar. Separó a las niñas, quienes fueron pasando entre diferentes parientes y amigos. A causa de esto, mi madre se sintió abandonada, aislada y sola. Una vez más, esto sucedió durante la Depresión, y tener una niña más que alimentar y vestir no siempre se consideraba una bendición. Mi madre sabía que los diversos padres temporales con los que vivió favorecían a sus hijos naturales antes que a ella, como se veía en sus manifestaciones de afecto y en la provisión de sus necesidades materiales. Cierto o no, esto es lo que ella creía, y esas cosas que consideraba como injusticias le infundieron una ira y una amargura muy grandes.

Se unió mucho a cierta familia en la que las otras jovencitas eran atractivas y poseían unas cualidades que ella anhelaba mucho. Trató de imitarlas, e hizo sus mejores esfuerzos por conseguir el aprecio de toda la familia, pero justo cuando se permitía unos fuertes sentimientos hacia cada uno de sus miembros, el padre de familia se suicidó. Nadie sabía la razón exacta de su suicidio, pero muchas personas sospechaban que eran sus problemas económicos. Una vez más, mi madre dio por seguro que ella era la causa. «Yo soy la responsable de todas las muertes ocurridas en mi familia», me decía muy seria con frecuencia. Ahora comprendo por qué pensaba de esa manera.

Poco a poco, a mi madre se le fue haciendo demasiado difícil enfrentarse al mundo real. Se creía responsable de las muertes de dos de las personas más importantes en su vida, y como tenía una edad en la que no era capaz de comprender sus propios sentimientos, ni de expresarlos con palabras, el rechazo echó raíces. Como todos los que la rodeaban se veían forzados a enfrentarse con graves problemas propios, no había nadie que la ayudara a *ella*. Incapaz de superar la montaña de culpabilidad que enfrentaba a diario, se retiró de la realidad para meterse en un mundo fabricado por ella misma donde era impecable y perfecta.

Durante los últimos años de su adolescencia, mi madre contrajo un severo caso de escarlatina y estuvo cerca de la muerte. Se recuperó, pero algunos familiares me dijeron que después de eso nunca volvió a ser la misma de antes. Su inestabilidad emocional se volvió más evidente, y su personalidad ya inconstante manifestaba unos cambios de estado en que se alternaban la frialdad y el afecto de una manera tal que desafiaba toda lógica. Desesperada, trató de salir del pueblecito donde vivía para asistir a la universidad o estudiar música, pero no había dinero para eso. Además, su padre se oponía de plano. Estaba firmemente convencido de que era inútil gastar dinero en educar a una mujer para que, de todos modos, acabara casándose y teniendo hijos. Esto aumentó su creciente frustración, amargura e inseguridad.

Durante su niñez, su padre la metió en un clóset unas cuantas veces como castigo por infracciones menores. Aunque esos incidentes no eran frecuentes y duraban poco, ella sentía una fuerte indignación y expresaba con palabras el disgusto que le causaban. Tenía celos de sus dos hermanas, y a mí me dijo muchas veces que sentía que recibieron siempre un trato mejor. En cambio, yo escuché de ellas lo contrario; afirmaban que *ella* era la favorecida. Las creí a ellas. Debido a lo que creía con respecto a esto, ella era cruel en especial con su hermana menor, y cuando la tuvo que cuidar, la metió numerosas veces en un clóset para castigarla. Me ayudó mucho saberlo.

Después de escuchar esas historias, comencé a sentir lástima por mi madre. Era digna de compasión y no de odio. Estuvo atrapada por su medio y las circunstancias que rodearon su vida. Quizá una persona más fuerte hubiera resuelto los problemas, pero ella sobrevivió de la única manera que sabía hacerlo, y los maltratos que me daba eran una especie de venganza por todos los momentos en que la rechazaron a ella.

Esto no excusaba sus acciones, pero las hacía más comprensibles. Creo que me encerraba en el clóset para poderse enfrentar mejor con la vida, y solo olvidaba el tiempo que me dejaba allí. Estaba enojada con su madre por morir, enojada con su padre por no ayudarla cuando más lo necesitaba, enojada por el suicidio de la figura paterna que tenía en la familia temporal, enojada con sus hermanas, de quienes creía que eran más favorecidas, y enojada con Dios por las circunstancias de su vida. Estaba llena de una rabia reprimida que desahogaba sobre las personas con las que era más probable que lo hiciera: su hermana menor, yo misma, y más tarde mi papá.

Muchas personas se daban cuenta de que mi madre era una persona mentalmente inestable, pero pocas sabían lo mal que estaba debido a su capacidad para dar la impresión de estar normal a veces. Incluso los que eran conscientes de su extraña conducta no reconocían la gravedad de su enfermedad. Por curiosidad, les pregunté a ciertas personas cuándo fue la primera vez que se dieron cuenta de que mi madre era diferente. Recibí diversas respuestas.

«Cuando llegó al final de su adolescencia», dijo la hermana menor, «justo después que tuvo la fiebre escarlata».

«Ella siempre tuvo emociones frágiles», me dijo su hermana mayor.

«Cuando llevaba poco tiempo de casada», dijeron muchos.

«Era físicamente frágil desde el principio», me dijo su padre, «y siempre tuvo una personalidad difícil. Cuesta trabajo creer que su mente se deteriorara de tan mala manera...». Su voz se fue apagando.

La noche antes de mi partida, me acosté y me puse a pensar en todo lo que había oído. Recordé una conversación nada común que tuve a solas con mi papá una mañana temprano antes de que se despertara mi madre. «¿Cuándo fue la primera vez que te diste cuenta de que algo andaba mal con mi madre?», le pregunté con osadía.

«Lo noté en nuestra luna de miel. Ella pensaba que alguien nos seguía y se negó a detenerse en el hotel donde teníamos reservado un cuarto. Pasamos por cuatro hoteles diferentes antes que yo terminara diciéndole que no íbamos a ir a ningún otro hotel». Él sabía que nadie los seguía y no podía comprender por qué ella se comportaba de esa manera.

Me quedé estupefacta por completo de que él lo supo desde el día en que se casaron. En silencio, dudé de su buen juicio, a la vez que me sentí maravillada de que la soportara por tanto tiempo. Tiene que haberla amado de verdad para pasar por alto todo eso.

Cuando apagué la luz y me subí las mantas hasta la barbilla, me sentí preocupada. No había respuestas concretas respecto a mi madre. ¿Nació con un desequilibrio químico, o el trauma de su niñez la incapacitó? ¿Se le dañó el cerebro por la fiebre tan alta durante su lucha con la escarlatina? ¿Ya en su adolescencia tenía señales de enfermedad mental que no reconoció nadie? ¿Fueron todas esas cosas juntas? Ni yo ni ninguna otra persona podíamos responder esas preguntas.

Pensaba que saber la verdad cambiaría las cosas, pero no cambió la forma en que me sentía por dentro. Toda esa información solo sirvió para agitar todavía más mi sufrimiento.

Me seguía sintiendo prisionera de mi pasado. Pensaba: *Lo comprendo todo, pero no comprendo nada.*

Lloré en mi almohada cuando el desespero venció a la poca esperanza que fui juntando en los últimos meses. «Y ahora, ¿qué se supone que deba hacer?», sollocé sin que nadie me escuchara.

9
La búsqueda de la Única Luz Verdadera

Volé a casa más desdichada que antes de partir. Rick no había movido un dedo para mantener limpia la casa mientras yo estaba fuera, así que era un desastre cuando llegué. Miré mi casa y miré mi vida, y ya no podía enfrentar ninguna de las dos.

Me miré en el espejo del baño mientras me cambiaba para acostarme. Me veía vieja. Tenía la piel cetrina, arrugada e irritada. Mis poros eran grandes. Tenía el cabello seco y se me estaba cayendo. Con cada nuevo trauma, las canas prematuras fueron cada vez más en aumento con solo veintitantos años. Mi mente se nublaba también. En mi vida no había colores brillantes. Mis ojos estaban apagados y carentes de vida, con oscuras ojeras que ya no podía esconder con el maquillaje. Tenía veintiocho años, pero parecía de cuarenta.

La salud no respondía a la buena nutrición y al ejercicio como en el pasado. Tenía una sinusitis y unas pequeñas nauseas constantes que meses antes habían desaparecido. No me sentía amada, deseada, ni atractiva, y estaba más encerrada que nunca. Mi vacío no tenía límites. Solo veía la desesperanza de mi vida. Todos mis métodos de supervivencia habían fracasado. Una nueva temporada de *The Glen Campbell Goodtime Hour* debía comenzar en unas semanas, pero esta vez no creía que pudiera participar de nuevo.

Dios mío, dije en silencio, *ya no quiero seguir viviendo. Las cosas nunca van a mejorar y mi vida no tiene sentido. Por favor, déjame morir.* El suicidio era la respuesta. Solo que esta vez no me descuidaría. Lo haría todo bien. Arreglaría las cosas para que todo mi dinero fuera a parar a mi papá y a Suzy, y mi muerte parecería una sobredosis accidental de drogas y alcohol. Saldría de mi aflicción sin hacer sufrir a ninguna otra persona. Hice planes para conseguirme la cantidad de píldoras que necesitaba para lograrlo. De todas maneras, estaba muriendo todos los días; entonces, ¿por qué no terminar esta tortura?

A la noche siguiente mi amiga cristiana, Terry, me llamó para hacer otra sesión de grabación como cantante del conjunto. Durante un receso, me dijo de pronto:

—Se te nota que no te va bien, Stormie. ¿Por qué no vienes conmigo a conocer a mi pastor? Es un hombre maravilloso y sé que te va a poder ayudar.

Yo titubeé.

—¿Qué tienes que perder si vas? —insistió—. Yo te recojo y voy contigo. ¿De acuerdo?

Contemplé la devastación que había en mi vida y vi con claridad que ella tenía razón... era cierto que no tenía nada que perder.

—Está bien —me limité a decir.

Dos días más tarde, Terry me recogió y me llevó a un restaurante muy popular, donde conocí al pastor Jack. Era un hombre afectuoso y vivaz, con una mirada directa, e irradiaba una seguridad que habría sido intimidante de no haber estado matizada por un corazón obviamente amoroso y compasivo. Hablaba con un notable equilibrio entre la elocuencia y la comunicación clara y sencilla. Aunque es posible que tuviera diez años más que yo, todo en él parecía juvenil. Yo me mantuve a la expectativa de fingimientos, motivaciones ocultas, discrepancias o manipulaciones, pero nunca encontré nada de eso. No se parecía a nadie que hubiera conocido antes en mi vida.

El pastor Jack me escuchó con atención mientras le hablaba de manera concisa acerca de mi depresión y mis temores. Todavía seguía tratando de presentar un buen aspecto, incluso en esta hora tan tardía de mi vida. No quería que ninguno de los dos supiera que sentía náuseas y que luchaba con una infección que no respondía a ningún método de tratamiento. Veía cualquier admisión de debilidad como señal de fracaso. De seguro que no quería que supieran detalles sobre mi madre y mi niñez, ni sobre las cosas horribles que había hecho yo misma.

El pastor Jack se fue abriendo paso hasta llevar la conversación hacia Dios con tanta facilidad que era como si estuviera hablando de su mejor amigo. Hizo que Dios me pareciera una persona palpable que se preocupaba por mí.

—¿Cuánto sabes acerca de Jesús, Stormie?

—Solo unos pocos detalles —le dije, recordando mi experiencia del pasado con la iglesia—. Sé que nació en un establo y que le dieron una muerte cruel e inmerecida en una cruz. Se supone que fue un buen hombre. Fuera de eso, no sé nada en realidad.

—¿Has oído hablar alguna vez de "nacer de nuevo"?

—Lo he oído, pero no sé lo que significa —le dije mirándolo con una expresión vacilante.

—Jesús dijo que Él era el Hijo de Dios, y que a menos que nazcamos de nuevo, no podremos ver el reino de Dios —me explicó el pastor—. Dijo también que su Padre quiere que todos los que acudan al Hijo y crean en Él tengan vida eterna. Buscar al Hijo significa aceptarlo a Él como Salvador y, por consiguiente, nacer de nuevo para el reino de Dios. Es un nacimiento espiritual, no un nacimiento físico. Es la oportunidad para no solo asegurarnos nuestro futuro eterno, sino también nuestro futuro en esta vida. Uno puede comenzar una nueva vida, de tal manera que el pasado queda perdonado y enterrado.

Eso me fascinó, y en especial cuando me dijo cómo el Espíritu Santo de Dios vendría a mi vida para transformarme desde dentro hacia fuera. Yo anhelaba algo así, pero nunca había soñado que fuera posible.

—El nuevo nacimiento se produce en el ámbito espiritual —me siguió diciendo—, pero afecta a la situación de la persona y a su vida física de maneras prácticas también.

El pastor Jack nunca me preguntó si me quería identificar con Jesús. Lo que hizo fue hablarme *acerca* de Él como quien relata historias sobre un miembro amado de su familia. Esto era diferente a las numerosas veces en que otras personas se me acercaron en la calle, poniéndome un papel delante de la cara y hablándome con dureza y sin amor acerca del arrepentimiento, el pecado y la salvación. Parecía que esas personas pensaban que eran superiores a los que no eran como ellas, y por eso no había querido participar para nada en su estilo de vida. Esto, en cambio, era diferente.

Pasaron dos horas volando, y casi al final del tiempo que pasamos juntos, el pastor Jack me preguntó:

—¿Te gusta leer?

—¡Me encanta leer! —le respondí ansiosa.

—Si te doy unos cuantos libros, ¿te los leerías durante esta semana?

—Seguro.

Terry y yo lo seguimos hasta su oficina de la iglesia, donde escogió con sumo cuidado tres libros entre los que tenía en sus repletos estantes. Me los entregó y me dijo:

—Nos podemos reunir otra vez en el restaurante justo dentro de una semana. Quiero oír lo que piensas acerca de estos.

—¡Estupendo! —le dije con entusiasmo. Mi nueva tarea de lectura me daba algo palpable que esperar con agrado.

Hablar con el pastor Jack y con Terry fue un descanso muy bien recibido con respecto a la torturante opresión que había en mi vida, pero todo terminó cuando volví a casa. Al marcharse Terry, me volvieron las náuseas, y me fui de inmediato a la cama.

Comencé a leer los libros al día siguiente, absorbiendo su contenido como si fuera una esponja. Era como si me transportaran desde mi vida llena de temores hasta un mundo distinto.

El primer libro era *Cartas del diablo a su sobrino*, de C.S. Lewis. Es la caracterización de un diablo que le escribe unas cartas a su sobrino para instruirlo. En las cartas le habla acerca de las formas de destruir a las personas al ponerles trampas y esperar a que sus víctimas caigan en ellas. Por supuesto, yo era una persona lo bastante educada y culta como para no creer que existiera un diablo. Al fin y al cabo, ¿mis prácticas ocultistas y las religiones no me habían enseñado que la única fuerza del mal que había era la que existía en mi propia mente? Así que la idea de un diablo era divertida, aunque fascinante. Como se presentaban en la historia ciertas situaciones tomadas de la vida real, C.S. Lewis parecía tener una explicación lógica, casi creíble, para ellas. Al instante, me identifiqué con muchas de ellas.

El segundo libro hablaba de la obra del Espíritu Santo. De nuevo, aunque había oído hablar del «Padre, el Hijo y el Espíritu Santo», nunca había pensado que el Espíritu Santo es el Espíritu de Dios que habita en nosotros cuando aceptamos a Jesús, y que tiene el poder de transformar nuestra vida, guiarnos y consolarnos. Este también era fascinante y me pareció lógico.

El tercer libro era el Evangelio de Juan, que es el cuarto libro del Nuevo Testamento en la Biblia, pero se me presentó bajo la forma de un breve librito separado. Lo leí de una sentada, y las palabras de cada página iban cobrando vida y significado. Sentía que la vitalidad de esas palabras me iba entrando de alguna manera al corazón para darme vida.

Jesús dijo: «Yo, la luz, he venido al mundo, para que todo aquel que cree en mí no permanezca en tinieblas»[1]. De inmediato, reconocí algo. Había estado viviendo en tinieblas toda mi vida. Pensé: *Las conozco. Las siento. Si pongo mi fe en Jesús, ¿eso significa que Él se convierte en la luz de mi vida?*

Para el fin de semana, me estaba sintiendo físicamente un poco mejor, así que cuando Terry y yo nos reunimos de nuevo con el pastor Jack en el mismo restaurante, estaba ansiosa por hablar. Pedimos el almuerzo y después él me miró de esa forma directa que tiene y me dijo:

—Bueno, ¿qué te parecieron los libros?

—Creo que son la verdad.

Él sonrió y dejó que yo siguiera hablando.

—Sin embargo, no sé por qué. No creo en el diablo.

Él sonrió de nuevo, sin pestañear siquiera ante nada de lo que dije, y me explicó con calma que esa forma de creer era precisamente una de las trampas sobre las que escribió C.S. Lewis.

—El diablo quiere que tú creas que él no existe, que Jesús no es el Hijo de Dios, y que no hay ningún Espíritu Santo obrando con poder en tu vida hoy, pues si lo logra, te deja indefensa por completo —me explicó.

Comencé a ver la sabiduría que contenía lo que me decía. Y reconocí que estaba metida en esa trampa. Recuerdo que había leído en el libro de Juan donde decía: «En él estaba la vida, y la vida era la luz de los hombres»[2]. Eso no lo entendía del todo, pero el versículo siguiente decía: «La luz en las tinieblas resplandece, y las tinieblas no prevalecieron contra ella»[3]. Su luz había estado presente todo el tiempo, pero no había podido verla. Mis ojos espirituales habían estado tan cegados que yo había escogido las tinieblas en lugar de escoger la luz de Jesús, y ni siquiera lo sabía.

Todo se me estaba aclarando.

El pastor Jack me habló más acerca de la vida y de Dios de una forma que me hizo sentir el deseo de poder ver la vida igual que él. Después que almorzamos, él nos invitó a ir a su oficina para orar. Sentado a su escritorio, al otro lado de Terry y de mí, el pastor Jack me miró de frente y me dijo:

—Stormie, me dijiste que creías que los libros que te di decían la verdad. ¿Esto significa que quieres recibir hoy a Jesús y nacer de nuevo?

—Sí, quiero —le dije con suavidad y, para mi sorpresa, sin titubear en absoluto.

Él me dirigió en una oración y yo la fui repitiendo: «Jesús: Te reconozco en este día. Creo que tú eres el Hijo de Dios como dices que eres. Aunque es difícil comprender un amor tan grande, creo que diste tu vida por mí para que pudiera tener la vida eterna contigo y vida abundante ahora. Confieso mis fallos y que soy pecadora. Te pido tu perdón. Ven a mi corazón y lléname de tu Espíritu Santo. Permite que el poder de tu presencia eche fuera toda la muerte que hay en mi vida, y que conviertas mi vida en un nuevo comienzo».

Fue sencillo y fácil. Nací de nuevo y, de acuerdo a la Biblia, le pertenecía al Señor, y su Espíritu vivía en mí. «Si alguno no tiene el Espíritu de Cristo, no es de él»[4]. Y así fue cómo supe que el Señor nunca me dejaría ni me abandonaría, y que me transformaría desde dentro hacia fuera. Aquel hermoso día de octubre salí de la oficina del pastor Jack sintiéndome ligera, llena de esperanza y agradeciendo, a pesar de que aún no comprendía por completo todo lo que esto significaba.

Terry me invitó a asistir a la iglesia con ella y con su esposo el domingo, y yo acepté. Vieron que no tenía la suficiente fortaleza emocional o física para ir allí por mí misma, así que fueron hasta mi casa y me recogieron. Habían pasado años desde que había estado en una iglesia, y cuando entré a esta, noté de inmediato que era diferente a cuantas iglesias había visto antes. La estructura y el decorado eran sencillos, comparados con las elegantes iglesias en las que había estado, aun cuando era una iglesia ordenada, hermosa y limpia.

«¡Me alegra verte aquí!», dijo con gozo una de las anfitrionas cuando entré por la puerta del frente. Aunque llevaba pantalones de mezclilla y una camiseta, mientras que la anfitriona llevaba puestas sus mejores ropas de domingo, me rodeó con sus brazos y me dio un gran abrazo. Yo la evalué con cautela y decidí que su sonrisa era genuina y su motivación pura. Pronto descubrí que la cualidad de amigable y afectuosa era típica de casi todo el mundo en ese lugar. Era difícil pasar por alto la exuberancia, la risa y el gozo absoluto de vivir que se desprendía de las trescientas y tantas personas que estaban en el santuario ya repleto. Sentí como si asistiera a una fiesta, en comparación con las sombrías iglesias en las que estuve años antes.

Mientras me sentaba en uno de los cómodos asientos cercanos al frente, sentí que un espíritu de paz descendía sobre mi mente. Sentí que recibía fortaleza solo por estar allí. Las cosas espirituales no me eran extrañas, porque sabía que existía un mundo espiritual, tal como aprendí en todas mis prácticas de ocultismo, pero esto era distinto por completo. En lugar del temor que asocié antes con todo lo espiritual, ahora sentía una presencia sobrenatural de amor tan poderosa que llenaba los aires e inundaba mi ser.

Sentí que estaba por fin en mi hogar.

Aquí hay vida, me dije. *Y esta vida es real.*

10

No culpable por asociación

El pastor Jack pasó a la plataforma del pequeño santuario y comenzó a dirigir a la congregación en cantos de adoración a Dios. El canto de los himnos y los coros de alabanza era tan poderoso que faltó poco para que me hicieran elevarme del suelo. Mientras se elevaban las voces, también lo hacía mi espíritu, y no podía menos que compararlos con las penosamente tímidas congregaciones que escuché en el pasado, que apenas murmuraban las palabras que leían en sus himnarios, mientras una soprano con un celo excesivo dominaba nuestra atención. De nuevo me vinieron a la mente las palabras «vida nueva» cuanto traté de clasificar la comparación.

«Loores dad a Cristo el Rey, suprema potestad», todas las voces se elevaban casi en un clamor. «De su divino amor la ley, postrados aceptad».

Y entonces, otro canto acerca de que las personas con el corazón quebrantado ya no tenían que llorar más porque las sanó Jesús. Esas palabras me llegaron durante un momento de mayor ternura. Me afectaron de manera tan profunda que muchas veces no podía cantar siquiera, sino solo escuchar y llorar mientras las voces que adoraban penetraban por todas las fibras de mi ser. Con cada nuevo canto fui ganando sanidad para mi corazón y mi mente, y sentí que soltaba la tensión desde lo más profundo de mi ser, mientras que el estrés iba manando con lentitud hacia fuera de mi cuerpo.

«La Biblia nos dice que levantemos manos santas ante el Señor», nos dirigió el pastor Jack, así que yo, junto con todos los demás, respondí levantando las manos para adorar. Cuando lo hice, sentí como si me hubiera desprendido en ese instante de las pesadas cargas que había estado llevando encima. Se las ofrecí a Dios y sentí que Él se las llevaba. Mis lágrimas rodaban como un verdadero río.

Cuando terminó el tiempo de adoración, el pastor Jack comenzó a hablar, y tal parecía que me hablaba directamente a mí. La Biblia, o las «Escrituras» como él la llamaba, cobró vida cuando enseñó acerca de una historia que tuvo lugar hace miles de años y que tenía una relación directa con mi vida en esos mismos momentos. Habló de la liberación de los israelitas del cautiverio en Egipto y después de cómo deambularon por el desierto durante cuarenta años porque no quisieron escuchar a Dios y hacer las cosas a su manera.

Esa soy yo, pensé. *He estado haciendo las cosas a mi manera y deambulando por un desierto. Ah, Dios mío, ahora quiero hacer las cosas a tu manera.*

Cuando íbamos en el auto rumbo a mi casa, Terry me dijo: «Bueno, ¿qué pensaste?».

Medité por un instante y le contesté: «Creo que es mejor que no vuelva a ir más a la iglesia sin maquillaje a prueba de agua y una caja de pañuelos de papel».

Ella solo se rio. Era muy consciente de lo mucho que me conmovió el culto, la enseñanza y la poderosa presencia del Espíritu de Dios en el servicio.

Estaba ansiosa por regresar al domingo siguiente, y todos los domingos después de aquel. Durante largo tiempo, seguía estando demasiado débil para ir por mi cuenta, así que Terry me sacaba de la cama con una llamada por teléfono y me recogía en mi casa. Cada vez que entraba en la iglesia, sentía que me inundaba la paz. La sanidad y la fortaleza iban llegando por oleadas, y empecé a vislumbrar una esperanza para mi vida.

Nunca había oído a un maestro tan excelente como el pastor Jack, y le prestaba atención hasta la última palabra que decía. Siempre llevaba su enseñanza hacia el punto en el que yo estaba viviendo, como si hubiera preparado su sermón para hablarme de manera directa sobre mi necesidad. Más tarde me di cuenta de que era el Espíritu Santo obrando en mi vida, y que todos los demás se sentían de la misma forma. Al final de cada sermón, cuando presentaba la conclusión final, tenía que dominarme para no sollozar de manera convulsiva. Sin embargo, ese momento de llanto siempre me limpiaba y me sanaba, y cuando todo terminaba, me daba cuenta que mi ser se refrescaba y renovaba.

Cada vez que el pastor Jack invitaba a la congregación para que recibiera a Jesús, yo repetía en silencio esa entrega de nuevo. Solo el hecho de oír que, gracias a Jesús podía ser perdonada de todo lo malo que había hecho, y que ahora podía comenzar de nuevo, llenaba de vida todo mi ser.

Cada vez que entraba a la iglesia, lloraba. Era el llanto de una niña perdida que había estado deambulando por mucho tiempo, y aunque había tratado de mantenerse fuerte a través de su deambular, en el minuto en que veía que su papá la encontraba, se echaba a llorar. Todos los domingos me daba cuenta de nuevo que mi Padre celestial me encontró. O que, por fin, yo lo encontré a Él. Dios me amaba y se interesaba en mí cuando yo no me podía amar, ni interesarme en mí misma.

Lo lamentable es que el sobresalto que me traía de vuelta a la «vida real» comenzaba tan pronto como Terry me llevaba de la iglesia a mi casa. En el momento en que entraba a mi casa, comenzaba a descender con lentitud de vuelta hacia la depresión, hasta que el domingo siguiente por la mañana, apenas podía salir de la cama. Sin embargo, poco a poco, la paz iba permaneciendo un poco más de tiempo hasta que por fin llegó a permanecer todo el domingo. Ni siquiera Rick la podía destruir. No obstante, mientras más gozo yo sentía, más se retiraba él en la dirección opuesta. Su actitud negativa floreció por completo, y se volvió más difícil y más crítico, hasta el punto de no encontrar nada bueno que decir acerca de mí o para mí.

Una mañana, llegué a la casa procedente de la iglesia, chispeante por el gozo que sentía en mi interior. Rick estaba viendo televisión y no hizo intento alguno por comunicarse.

—¡Rick, esta iglesia es formidable! ¡Me siento estupendamente cuando salgo de allí! Me gustaría que fueras conmigo al menos una vez.

—Ya te lo dije antes. No quiero hablar acerca de eso —saltó—. Si tú quieres perder el tiempo con tus repulsivos amigos cristianos, el problema es tuyo, pero a mí no me metas en eso.

—Rick, por favor, déjame hablarte de Jesús —seguí con la esperanza de penetrar el muro de sus emociones con la verdad que había encontrado—. Jesús me ha cambiado la vida...

Se levantó de repente y gruñó con los ojos llenos de ira:

—¡No vuelvas a mencionar *jamás* ese nombre en esta casa!

Y salió de la habitación pisando fuerte, de manera que me dejó con la misma sensación que si me hubiera abofeteado y, al cerrar la puerta, eliminó las pocas posibilidades de comunicación que quedaban entre nosotros. Su ira era tan intensa que yo sabía que no le podría volver a mencionar a Jesús otra vez. Todo lo que quedaba ahora entre nosotros era resentimiento. Después de eso, hablamos muy raras veces.

A medida que mi ser interior se iba solidificando y sanando, las cosas externas de mi vida comenzaron a cambiar. Poco a poco, desaparecieron algunos de mis malos hábitos sin que lo tuviera que intentar siquiera. Rechazaba los cigarrillos, el alcohol y las drogas que me brindaban mis antiguos compañeros de trabajo, quienes pensaban que me estaba volviendo una persona muy extraña.

En poco tiempo, perdí todos los amigos más cercanos que tenía. Ni uno me quedó, con la excepción de Terry y de mi amiga Diana, quien por esa época ya estaba divorciada y vuelto a casar. Ella no me rechazó cuando le conté que había hallado una vida nueva en Jesús. Me conocía lo suficiente como para ver la diferencia en mi persona, aunque no la pudiera comprender.

Alrededor de ese tiempo, se canceló *The Glen Campbell Goodtime Hour*. Además, a los dos contratistas principales de grabación y televisión para los que había trabajado en Hollywood se les desarrolló un cáncer y fallecieron. De manera repentina, se disolvió un dúo de cantantes en el que yo canté durante varios años. Mi agente comercial se enfureció cuando vio que yo rechazaba un trabajo tras otro.

«Stormie, esta es la sexta entrevista comercial a la que te negaste a ir porque tiene que ver con licores, cigarrillos o trajes que te parece que enseñan demasiado». Era obvio que estaba hastiada de mí. «Si tú no puedes aceptar estas oportunidades, no hay nada que podamos

hacer por ti. Te enviaremos por correo una liberación de contrato».
Entonces, me colgó el teléfono.

Puse el auricular en el teléfono, asombrada con lo que acababa
de suceder. En parte, sentía un gran alivio, pero en parte también
tenía temor porque se me cerraba mi última oportunidad de obtener
ingresos. De repente, ya no iba a entrar más dinero, y sabía que no
iba a poder mantener por más tiempo a Rick en esa casa tan grande.
La presión para conseguir todo el dinero que nos hacía falta cada mes
era más de lo que podía soportar. Eso, unido al hecho de que él se
estaba volviendo cada vez más crítico y cruel me llevó hasta el límite.
La vida parecía carente de esperanza cuando estaba cerca de él, pues
me recordaba a cada momento todos mis fracasos y la persona tan
rechazada que había sido yo.

Esa tarde encontré un apartamento y contraté una compañía
barata de mudanzas para que hiciera una mudada pequeña en cuanto
le avisara. Esa noche le informé a Rick que me iba a mudar a la
mañana siguiente. Ni siquiera estuvimos casados los dos años que
había pensado, pero ya no podía soportar eso. Le dije que se podía
quedar con la casa, y que todo lo que había en ella era suyo. Yo solo
me llevaría lo que traje a nuestro hogar cuando nos casamos o compré
más tarde.

Él estuvo de acuerdo, y pareció tomar con mucha calma la noticia.
Sin embargo, sabía que le preocupaba tener que encontrar un trabajo
y pagar sus propias cuentas. Estaba tan envuelta en mis propios
sentimientos, que no era capaz de ver que él también batallaba con las
dudas acerca de sí mismo. Aún no podía discernir más problemas que
los míos propios y los de nadie más.

Me mudé a la mañana siguiente. Puesto que solo tenía unas
cuantas posesiones, al cabo de un día había colgado todos los cuadros
y ordenado todos los libros y la vajilla. Como en esos momentos la
industria entera de la televisión y de las grabaciones tenía poco trabajo
en la ciudad, todos mis amigos más cercanos andaban de gira fuera
de ella. No tenía nadie con quien conversar, así que mi alivio por no
tener que seguir manteniendo a Rick ni la casa se mezcló con una
sensación de soledad. Sentía que mi vida se había vuelto al revés, y que
sacudía y sacaba todo lo que no debía estar en ella. El único problema
era que no quedaba gran cosa... solo la iglesia y el Señor.

Ellos eran mi refugio y mi único lugar de seguridad y paz.

Durante un culto del domingo por la mañana, mientras la congregación oraba en grupos pequeños, el pastor Jack se dirigió al fondo de la iglesia donde estaba yo y me dijo en voz baja que me quería ver en su oficina lo antes posible. Yo me sentí encantada de ir porque lo estimaba, y recibía con agrado toda oportunidad de hablar con él. Además, había escrito mis dos primeros cantos cristianos y estaba ansiosa por mostrárselos.

Una vez en la oficina, se puso muy serio. El pastor Jack no estaba interesado en mis cantos, sino solo en el hecho de que yo había pedido el divorcio.

—Los caminos de Dios no permiten el divorcio, Stormie —dijo y, entonces, me mostró textos de las Escrituras que apoyaban su afirmación y se pasó una hora explicándomelos.

Yo no intenté echarle la culpa a Rick, ni traté de explicar nada. Acepté toda la responsabilidad por el matrimonio y su fracaso. Estaba dispuesta a pagar cualquiera que fuera el castigo por haber engañado a Rick para que se casara conmigo, aunque esa idea era aterradora. Mis posibilidades, tal como las veía, eran regresar para vivir con Rick o, de lo contrario, perder mi salvación y la iglesia, y divorciarme. Sabía que solo había una posibilidad: nunca regresaría para vivir en un infierno con Rick.

Como si me hubiera leído la mente, el rostro del pastor Jack se suavizó, al mismo tiempo que se inclinaba a través del escritorio y me decía:

—Sé que preferirías morir antes que regresar a una situación en la que has sufrido tanto.

—Nunca podré regresar —le dije, conteniendo las lágrimas.

Todavía era importante para mí presentar un buen aspecto, de manera que luché para no llorar. Estaba agradecida porque él comprendía mis sentimientos, y si me tenía que marchar de la iglesia, al menos sabría la razón.

Entonces, hizo algo inesperado por completo. Vino hasta donde yo estaba, se puso de rodillas, me rodeó con sus brazos, me dio un fuerte abrazo y me dijo:

—Quiero que sepas que, decidas lo que decidas, yo te sigo amando, Dios te sigue amando y esta iglesia sigue siendo tu hogar.

Entonces sí que no pude controlar las lágrimas que me corrían por las mejillas. Nunca me había encontrado con un amor tan incondicional. Traté con todas mis fuerzas de ahogar la inmensa oleada de sollozos incontrolables que se encontraba inmediatamente debajo de la superficie. *Si los dejo salir, el pastor Jack podrá ver que soy un desastre emocional, y cambiará de opinión en cuanto a dejarme seguir en su iglesia*, razoné. Y podía ver a su secretaria en la oficina de fuera, a través de la puerta, que estaba abierta por completo. Me preguntaba qué pensaría ella de mí.

Me marché, prometiendo regresar para recibir más consejería, y consideré como una gran victoria que no me hubiera derrumbado por completo. Le estaba agradecida a Dios porque no me tendría que marchar de la iglesia, y porque me podían amar, incluso cuando hubiera fallado. Era mi primera experiencia con el amor incondicional de Dios, cuya profundidad no me había imaginado nunca antes. Yo había esperado un juicio. Eso era lo que había vivido antes de conocer a Jesús. En su lugar, hallé misericordia. Me declararon no culpable por asociación... con Jesús. Y pronto descubriría que esa exoneración era mucho más profunda de lo que habría soñado jamás como posible.

11
El encuentro con el Liberador

Desperté de repente un domingo por la mañana, varios meses después de mudarme a mi nuevo apartamento, y por el resplandor del sol que brillaba a través de las cortinas de mi dormitorio, me di cuenta de que había dormido demasiado. A pesar de todas las bendiciones del Señor, de la consejería en la iglesia, de los tiempos de gozo y de paz, y del apoyo de otros creyentes, todavía luchaba periódicamente con la depresión. Muy a menudo me sentía exhausta a causa de la lucha por superarla. También sufría de insomnio, y después de dar vueltas y más vueltas en la cama durante horas, terminaba cayendo en un profundo sueño que duraba hasta la mañana. Cuando me despertaba, me sentía como si no hubiera dormido nada.

«El culto comienza dentro de veinte minutos», gemí. «No tengo tiempo para lavarme el cabello ni ponerme maquillaje. Me tendré que deslizar dentro de la iglesia sin que me noten, con la esperanza de que no me vea nadie que me conozca».

Me vestí en seguida sin ducharme primero, lo cual no hago nunca, me pasé un peine por el cabello, tomé mi Biblia y me apresuré a llegar al auto. El culto del domingo por la mañana era lo que me sustentaba. No podía pensar siquiera en perdérmelo, cualquiera que fuera el estado en que me encontrara. Y ahora ya podía conducir el auto hasta allí.

Entré al estacionamiento, salté del auto y corrí hasta la entrada de la iglesia, donde me tropecé con Terry y su amigo Paul. Mientras nos saludábamos, se dieron vuelta y saludaron emocionadamente con la mano a alguien que entraba en esos momentos en el estacionamiento.

—Ese es Michael Omartian. Viene a esta iglesia por primera vez —me explicó Paul.

—¡Ahora sí! —dije yo, tratando de encubrir mi alarma y culpándome por no haberme puesto por lo menos colorete en las mejillas.

Quería escapar antes que me viera en aquel aspecto tan lamentable, pero ya era demasiado tarde. Michael ya había salido de su auto y había llegado hasta donde estábamos en lo que me pareció unos pocos segundos.

—Michael, mira quién está aquí. ¡Se trata de Stormie! —le dijo Paul.

—Hola, Michael —le dije, tratando de dar una impresión de alegría—. ¿Cómo has estado?

—Bien —dijo él, asintiendo. Tenía un aspecto maravilloso. En seguida me excusé y me apresuré a entrar sola en la iglesia. No podía soportar la idea de sentarme junto a ellos tan desaliñada.

Tan pronto como comenzó el culto, me eché a llorar y no paré hasta que se terminó. No sé lo que pensaría la gente que estaba sentada a mi alrededor, y el pastor Jack se debe haber preguntado qué efecto estaría teniendo en mí su mensaje de esa mañana. Solo podía pensar en la forma en que yo misma lo eché todo a perder. Ahora podía ver que cuando Michael llegó a mi vida por primera vez, Dios me lo había provisto como una oportunidad para que tomara la decisión adecuada. Me dijo la verdad acerca del Señor, y me trajo la luz de Dios que resplandecía en él, pero me resistí ante ella. Tuve mi oportunidad, pero como era típico de mi persona, tomé la decisión que no debía. Ahora era demasiado tarde.

Dios mío, lo eché a perder todo. Estos veintinueve años pasados fueron un desperdicio total, pero te someto mi vida. No permitas que vuelva a estar nunca más en el lugar donde no debo estar, dije en mi oración.

Hasta ese momento, solo *había recibido su vida*. Ahora *le entregaba a Él la mía*. Tal como veía los fracasos y las ruinas de mi pasado, sabía que no podía seguir navegando sola por la vida. Quería que Dios tomara mi vida e hiciera con ella lo que quisiera. Estaba segura de que haría algo mejor que lo que había hecho yo.

Después del culto, me era imposible escabullirme sin que lo notaran. Michael me detuvo en la puerta y mencionó que el día anterior acababa de comprar un auto nuevo.

—¿Te gustaría dar una vuelta conmigo?

—Ahora sí —volví a decir, culpándome de no haberme puesto por lo menos un poco de pintalabios o de maquillaje en los ojos antes de salir de casa.

Durante nuestro breve recorrido, nos pusimos al día en cuanto a los dos años pasados.

—Te ha ido bien, Michael —le dije sonriente—. He oído que eres el pianista famoso del momento en la ciudad. Recuerda que te dije que lo serías, ¿no es cierto?

Él se rió. Entonces, su semblante tomó un aspecto solemne.

—Me enteré que te divorciaste.

—No me voy a enojar si *tú* quieres soltarme un "Te lo dije" —dije asintiendo y bajando la cabeza.

—Siento que te fallé, porque no puse más presión al presentarle a tu vida la realidad de Jesús, Stormie. Si me hubiera esforzado más, tal vez te hubiera podido ayudar a comprender. Si lo hubieras recibido entonces, nada de esto habría sucedido.

—No te puedo decir cuántas veces habría querido que lo hubieras hecho, pero ahora es demasiado tarde. Todo está en el pasado, y lo importante es que lo conozco hoy. Por favor, no te culpes a ti mismo. En primer lugar, fue lo que vi en tu vida lo que me atrajo a Jesús. Lo vi a Él en ti, y en Terry, y más tarde en el pastor Jack. Solo que en esos momentos aún no sabía de qué se trataba.

Me sentí sorprendida cuando él me sugirió que nos reuniéramos para conversar de nuevo el fin de semana siguiente. «Dios mío, estoy segura de que tú has cegado a este hombre», dije en voz alta cuando iba de vuelta a casa en mi auto. «O será que me tiene lástima. No me habría podido ver peor de lo que me veo hoy. Señor, por favor, no permitas que cometa otro error. Si no debo estar con Michael, estoy dispuesta a no volverlo a ver». Lo decía en serio, lo cual era una evidencia más de que la oración que hice antes esa mañana en la iglesia era sincera.

No me sentí incómoda en absoluto con respecto a ver a Michael el fin de semana, así que cuando llegó la noche del sábado, me lavé el cabello, le di estilo con todo cuidado y me puse el maquillaje con mano de artista. Cuando llegó a mi puerta, se debe haber preguntado si yo era la misma mujer que vio el domingo anterior. Salimos a cenar esa noche y después de ese fin de semana nos vimos cada dos fines de semana durante varios meses más. Cuando hicimos arreglos para salir a cenar durante *la semana de trabajo*, me di cuenta de que las cosas iban en serio.

En especial, me encantaba ir a la iglesia con Michael los domingos por la mañana. Después del culto, salíamos a almorzar y hablar acerca de las enseñanzas de la Biblia y lo que el Señor estaba haciendo cada semana en nuestras vidas. Orar juntos nos acercó más el uno al otro mientras seguíamos aprendiendo sobre los caminos de Dios y descubriendo los planes que Él tenía para nuestra vida.

Después de cerca de un año de salir juntos, Michael me pidió que me casara con él. Yo no tuve que pedirle tiempo para pensarlo bien, porque ya había orado mucho acerca de esa posibilidad. «Dios mío, que se haga tu voluntad perfecta con respecto a nuestra relación», había dicho en mi oración día tras día todo el tiempo que estuvimos conociéndonos el uno al otro.

—Michael, hay algo que necesito decirte —le dije, reuniendo todo mi valor—. Yo he hecho cosas que nunca le he dicho a nadie.

A continuación, le confesé todas las cosas de mi pasado porque quería que en nuestra relación hubiera una sinceridad total, cualquiera que fuera el riesgo. Cuando terminé, su mirada de preocupación se convirtió en una sonrisa y me dijo:

—¿Eso es todo?

—¿Acaso no es suficiente? —le pregunté incrédula.

Sin embargo, ninguna de esas cosas lo desanimó.

Una vez casados, teníamos numerosos problemas que resolver. Por fortuna, los problemas no eran entre nosotros *todavía*, sino que de forma individual luchábamos con cicatrices del pasado, y el hecho de estar casados hizo que esas cosas salieran a la superficie.

A Michael nunca lo maltrataron en su niñez. Tenía una familia maravillosa. Aun así, su madre, a quien le tomé afecto desde el primer momento en que la vi, me dijo ella misma que fue una mujer dominante, con unas expectativas muy elevadas, a cuya altura Michael sentía que nunca podría llegar. Me dijo que había cometido errores en su papel de madre.

—Yo fui demasiado dura con él cuando era niño —me confesó con ternura una tarde.

Sus grandes y expresivos ojos castaños estaban llenos de dolor y remordimiento. Expresaban la culpabilidad que atormenta a todo padre o madre cuando se da cuenta de que ha cometido errores con un hijo suyo.

—Él siente que no puede ser lo bastante bueno y eso es culpa mía —dijo y suspiró con fuerza.

—Michael es un buen hombre y un esposo fiel —le dije para darle ánimo—. Sin duda, los problemas del pasado son reales, pero él los está superando, y Dios los está usando para manifestar su fortaleza en la vida de Michael. Por favor, no se sienta mal. Todo se está sanando. De veras.

De algún modo, se consoló, pero seguía preocupada.

La diferencia entre Michael y yo estaba en que sufría al sentir que nunca estaba a la altura de lo que se esperaba de él, mientras que yo sufría al creer que nadie había esperado nada de mí jamás. Por una parte, me sentía siempre como una inadaptada que nunca debió nacer. Por fortuna, el amor que nos teníamos Michael y yo era un fuerte lazo que preparaba el terreno para la sanidad que recibiríamos.

Poco a poco descubrí que aunque el hecho de recibir a Jesús como Salvador personal y nacer para el reino de Dios era algo de un instante, permitirle a Él que se convierta en el *Señor* de mi vida era un proceso. A medida que seguíamos adelante, le iba entregando a Él mi vida cada vez más, pero cuando pensaba que se lo había entregado *todo*, descubría que solo le había dado lo que le podía dar. Si quería vivir en paz, disfrutando la bendición de Dios en toda su plenitud, necesitaba obedecer su Palabra con una actitud de corazón que dijera: «Dime qué debo hacer, Señor, y ayúdame a hacerlo».

Yo siempre había escrito canciones, pero ahora la letra de esas canciones hablaba del Señor. Casi no las podía escribir con la suficiente rapidez porque me venían a la mente con gran velocidad. Ni siquiera la emoción de escuchar que unos artistas cristianos grababan esas canciones, y saber que Dios las usaba para sus propósitos, borraba la sensación de que yo era indigna de llegar al triunfo. ¿Qué haría falta para llegarme a sentir diferente alguna vez?

Al menos una vez por semana, hablaba por teléfono con Diana. Ella era la mejor amiga que había tenido en toda la vida, y me sentía mal porque aún estaba atascada en sus prácticas ocultistas, como lo estuve yo. Oraba todos los días por ella para que conociera el gozo que encontré yo. Sabía que ella se estaba deprimiendo cada vez más, pero un día me sorprendió saber que había comenzado a padecer de agorafobia. No podía salir de su casa, ni siquiera para ir a la tienda de víveres. Una noche hablé de manera profunda con ella acerca de Jesús una vez más, y ella lo recibió a través del teléfono. Le pedí que fuera a la iglesia conmigo el domingo por la mañana, y fue. Estuvo llorando durante todo el servicio, tal como yo lo hice al principio.

A partir de entonces, Diana no se podía apartar de la iglesia. Absorbía la Biblia como si fuera una esponja. Al final, cuando su esposo vio los asombrosos cambios que se produjeron en ella, de los cuales no era el menor el que se sanara de la agorafobia que le hizo tanto daño, comenzó a asistir también a la iglesia y también recibió al Señor. Diana y yo orábamos juntas por teléfono unas tres veces a la semana. Las oraciones que hacíamos juntas eran un regalo del cielo para ambas.

Aunque estaban sucediendo cosas buenas como estas, yo seguía luchando con la depresión. Y, por raro que fuera, parecía estar creciendo en intensidad. Todas las mañanas cuando me levantaba, mis pensamientos seguían llenos de planes de suicidio, como si fueran un mal hábito que no podía romper. No sentía timidez en cuanto a pedir oración en la iglesia, pero incluso entonces la depresión cedía algo, pero nunca desaparecía por completo.

No podía comprender por qué teniendo el don de la vida eterna, y un perdón total por parte de Jesús, un pastor amoroso que me enseñaba mucho acerca de Dios y de la Biblia, un esposo que me apoyaba, y suficiente seguridad económica para no volver a sentirme desesperada por trabajar para poder sobrevivir, y con todo seguía sintiendo como si no tuviera nada por lo cual vivir. ¿Qué sucedía conmigo? ¿Me faltaba algo, al igual que a mi madre? Aún temía que terminara loca como ella. Si tenía tanto para ser feliz y aun así seguía deprimida, si tenía todo por lo cual vivir y seguía pensando en suicidarme, ¿entonces qué esperanza habría para mí? Si Jesús era la respuesta a cada una de mis necesidades y no podía ayudarme con esto, ¿quién podría?

Como mis pensamientos suicidas iban en aumento, Michael me apremió para que llamara de nuevo a la oficina de consejería de la iglesia. Me sentía avergonzada por la frecuencia con la que pedía citas allí, pero el personal no pareció sentirse desalentado por eso. Me conectaron con la oficina del pastor auxiliar y le conté de lo larga y grave que había sido mi depresión, además de esos sentimientos suicidas que nunca desaparecían.

Él pensó un momento y después me dijo: «Me parece que lo mejor sería que vieras a Mary Anne».

Mary Anne resultó ser esposa de un pastor y miembro del personal regular de consejería bíblica en la iglesia. Estaba empapada de la Palabra de Dios y tenía gran fe en cuanto a orar por las personas y ayudarlas a recibir liberación de sus sufrimientos emocionales. Conocía mucho acerca de mi clase de problema y se convertiría en el instrumento más poderoso de Dios para liberación que haya conocido jamás.

Entré a su oficina y me senté en la silla frente a su escritorio. Levantó la vista de sus papeles y me dio una gran sonrisa. Tenía un rostro hermoso, lleno de inteligencia, comprensión y afecto, y me sentí tranquila cuando le confesé mis problemas y mi pasado. Ella me escuchó durante largo tiempo, asintiendo de manera pensativa y dando la impresión de que no se sorprendía en lo más mínimo por nada que le dijera.

—Stormie, tú necesitas liberación —afirmó sin rodeos una vez que terminé de hablar—. ¿Sabes lo que es la liberación?

Yo moví la cabeza. Había oído la palabra, pero en realidad no la comprendía.

—No dejes que la palabra "liberación" te asuste. Es un proceso que consiste en convertirte en todo lo que Dios quería que fueras cuando te creó. La liberación elimina todos los quebrantos del pasado y todas las esclavitudes que haya en la vida de una persona, a fin de que el *yo* real pueda manifestarse. Hay muchas personas que le temen a la liberación porque piensan que las van a cambiar. Sin embargo, la liberación no *cambia* a la persona, sino que la *desatasca*.

»Me refiero a la opresión y no a la posesión —siguió diciendo—. Hay espíritus que se aferran a la persona. Pueden entrar en la vida de cualquiera a través de la obra del diablo, a quien se le ha permitido que influya en nuestras vidas mediante nuestros pecados. Nuestra responsabilidad es orar para quedar libres de toda opresión que nos atormente, ya sea el temor, los pensamientos suicidas o lo que sea. La liberación tiene en común con la salvación el hecho de que tampoco la ganamos nosotros. Es un regalo que nos da Dios. Aun así, en la Segunda Epístola a los Corintios dice que Jesús nos va a *seguir* liberando.

»Creo que debemos ayunar y orar para encontrarnos de nuevo la semana próxima y ver lo que Dios quiere hacer por ti —me dijo—. Hay ciertas liberaciones que no se producen en la vida de la persona si no es a través de la oración y el ayuno.

—¿El ayuno? —le dije, tragando en seco.

Ya había oído al pastor hablar del ayuno en sus enseñanzas. Es más, se suponía que toda la iglesia ayunara cada miércoles. Supongo que pensé que el pastor Jack se dirigía al personal de la iglesia, a los ancianos y a los superespirituales. Por lo que no se refería a mí.

—Sí, hay cierta clase de liberación que no sucede en nuestra vida sin oración y ayuno —me explicó Mary Anne—. Es un acto de negarnos a nosotros mismos y poner a Dios como nuestro todo. Isaías dice que el ayuno se pensó para soltar cadenas de la maldad, deshacer cargas pesadas, poner en libertad a los cautivos y romper todo yugo.

—Ayuno... sí, claro —dije titubeante, sin deseo alguno de revelar mis verdaderos sentimientos de preocupación de morir por la noche si me iba a la cama sin cenar, y le pregunté conteniendo el aliento—. ¿Por cuánto tiempo?

—Debes dejar de comer el domingo, y te veré el miércoles a las diez de la mañana —me dijo con un tono de seguridad.

—¿Solo tomo agua durante ese tiempo?

—Sí, agua. No tienes ningún problema físico que te prohíba hacerlo, ¿no es así?

—Ah, no —le respondí, tratando de pensar en algo.

—Ahora bien, durante ese tiempo debes orar mucho. Pídele a Dios que te traiga a la mente todos los pecados que hayas cometido, todas las prácticas en que hayas participado y haz una lista de todas esas cosas en un papel. Trae el papel contigo la semana que viene.

Voy a tener que estar escribiendo día y noche, pensé yo, horrorizada.

—¿Qué va a hacer con ese papel? —le pregunté, tratando de enmascarar mi preocupación.

—Cuando lo confieses todo y oremos, tú misma lo romperás y lo tirarás a la basura.

—Bien —le dije, con tanto alivio, que ella se rio de tal manera que me alegró el corazón cuando oyó mi respuesta.

Salí de la oficina de Mary Anne sintiéndome esperanzada de que Dios hiciera algo por mí. Es más, el ayuno me parecía una aventura y me alegraba que me obligaran a hacerlo.

Los primeros días del ayuno no me causaron problemas. Estaba trabajando con mi lista de fallos y bebía agua cada vez que sentía hambre. El miércoles por la mañana, cuando me preparaba para mi cita con Mary Anne, ella me telefoneó para decirme que estaba enferma y que necesitaba posponer nuestra cita una semana. De inmediato, toda mi esperanza se me fue al suelo. Pude escuchar lo congestionados que tenía los pulmones y me di cuenta de que apenas podía hablar. Me pidió excusas y, por supuesto, yo la comprendí. Sin embargo, en lugar de ver eso como un ataque del enemigo a su cuerpo, creí la mentira del enemigo que me decía que para mí no habría liberación alguna.

«Eso nunca va a suceder», oí que me decía la voz que me hablaba dentro de la cabeza. «Has tenido esas depresiones por lo menos durante veinte años, y las cosas nunca van a ser diferentes. Fue una estupidez que tuvieras la esperanza de que iban a cambiar».

Durante la semana que siguió, mi depresión empeoró tanto que cuando Michael no estaba en casa me quedaba tirada en la cama agotada por completo. Mary Anne me indicó que ayunara de nuevo, de la misma forma que la semana anterior. Aunque había perdido la esperanza de que se lograra algo por esas cosas, ayuné de todas formas.

Haría lo que me dijera y le dejaría descubrir por sí misma que nada iba a cambiar.

En la mañana del tercer día *del segundo ayuno*, me levanté agotada de la cama y me vestí casi esperando que sonara el teléfono y se cancelara la cita. En cambio, nadie llamó. Cuando ya me iba, Michael y yo oramos para que Dios hiciera un milagro.

Una vez que estuve en la oficina de Mary Anne, fuimos directas al grano. En primer lugar, ella hizo que yo renunciara a toda mi participación en el ocultismo, mencionando de manera específica cada tipo de práctica. «Que se presenten tus astrólogos, los que observan las estrellas», leyó de la Biblia, «los que hacen predicciones mes a mes, ¡que te salven de lo que viene sobre ti!»[1]. Buscó otro pasaje y siguió leyendo: «No sea hallado en ti [...] quien practique adivinación [...] ni hechicero [...] ni mago, ni quien consulte a los muertos. Porque es abominación para con Jehová cualquiera que hace estas cosas»[2].

Lo que dice la Biblia acerca del ocultismo está muy claro. Si estás metida en esas prácticas, no puedes estar en sintonía con Dios. Recuerdo haber oído decir al pastor Jack: «Lo oculto es real en cuanto a su poder, pero equivocado en cuanto a su fuente. Deriva su poder del mundo de las tinieblas».

Al principio, no quería creer que esas cosas fueran malas. Siempre había pensado en ellas como una forma de acercarse más a Dios. Sin embargo, creía que la Biblia es la Palabra de Dios, y si Dios dijo que esas cosas son malas, estaba dispuesta a abandonar mi participación en ellas. No obstante, de alguna manera, por mi falta de un despertar espiritual completo, nunca había pensado en romper *verbalmente* los lazos que había establecido con ese mundo de las tinieblas. Pensaba que era suficiente con limitarme a dejar de practicarlas, pero estaba equivocada. Había estado alineada con la maldad, y nunca había pensado en identificar su poderoso control sobre mi vida y romper con él. Cuando Mary Anne me leyó esos pasajes bíblicos, supe que era eso lo que tenía que hacer con exactitud. Me indicó que renunciara de manera específica a cada una de esas prácticas, y así lo hice.

Cuando terminé, Mary Anne oró sobre mí para que quedara libre de todas las prácticas ocultistas, falsas religiones y cualquier otra alineación con el mundo de las tinieblas que tuve en el pasado.

Después tomé mi lista de fallos y se las presenté al Señor. Las confesé todas como pecados y le pedí su perdón. Entonces, Mary Anne me indicó que confesara mis faltas de perdón. «Dios mío, confieso mi falta de perdón hacia mi madre. Le perdono todo lo que me hizo. La perdono por no haberme amado. Ayúdame a perdonarla por completo».

Comencé a llorar, en parte por el alivio que significaba estar libre de la pesada carga de los fallos, las culpas y la falta de perdón que había llevado conmigo durante tanto tiempo. Sentí la delicada presencia sanadora del Espíritu Santo a mi alrededor.

Mary Anne llamó a otra esposa de pastor para que entrara en la oficina y orara junto con ella en esta última parte. Mientras yo permanecía sentada en una silla, me pusieron las manos en la cabeza y adoraron a Dios durante muchos minutos. Yo mantenía los ojos cerrados y sentía como si el gozo de su alabanza estuviera levantando el techo de aquel pequeño cuarto.

Uno por uno, se fueron dirigiendo a los espíritus que me atormentaron o que controlaron de manera opresora mi vida. Mencionaron a los espíritus de inutilidad, desesperación, temor y rechazo, y también a los espíritus de suicidio y de tormento. Yo no estaba poseída por demonios, pero estos espíritus me habían oprimido en unos puntos de mi vida en los que les di entrada a través de mi desobediencia a los caminos de Dios. Mientras oraban, yo sentía que desaparecía la manifestación física de mi depresión, como un enorme peso que me levantaran de los hombros y del pecho. Lo que había parecido como una luz al final del largo y oscuro túnel de mi vida se volvió tan resplandeciente que estuve a punto de querer cubrirme los ojos. *¿Era la ausencia de las tinieblas o la presencia de la luz?*, me preguntaba. *Ambas cosas*, decidí. *Entonces, ¿volverán las tinieblas al llegar la mañana? Si lo hacen, solo volveré aquí para ver a Mary Anne.*

Cuando Mary Anne sintió que por fin se quebrantó la opresión, dejó de apretarme la cabeza y descansó las manos sobre mis hombros. Comenzó a hablar, no con la poderosa voz de autoridad que usaba para orar con respecto a la opresión contra la que había batallado yo, sino con un tono suave, casi angélico, de un mensaje profético procedente de Dios que cambiaría mi vida para siempre.

—Hija mía, has estado encerrada en un clóset toda tu vida. Primero, de manera física, y después, de manera emocional, pero *yo* tengo las llaves. *Yo* tengo las llaves. La voz era la de Mary Anne, pero sabía que el mensaje me venía del Señor. Jesús tiene las llaves para abrir los lugares de mi ser en los que se me había mantenido prisionera durante toda la vida.

—Te he puesto en libertad, pero te entrego las llaves a ti —continuó el mensaje—. Cada vez que sientas que el enemigo te trata de encerrar de nuevo, usa las llaves que te di yo.

»Dios también me dio para ti un texto de las Escrituras en el libro de Isaías —me dijo Mary Anne mientras acudía a su Biblia, que permanecía abierta sobre su escritorio—. "Hablad al corazón de Jerusalén; decidle a voces que su tiempo es ya cumplido, que su pecado es perdonado; que doble ha recibido de la mano de Jehová por todos sus pecados"[3].

»Sé que el Señor me indicó que te diera este texto de las Escrituras —dijo levantando la vista hacia mí—, pero no estoy segura de lo que significan para ti las palabras "doble... por todos sus pecados".

—Sé con exactitud lo que significan —le aseguré—. Siempre he sentido que he pagado el doble por todas las cosas malas que he hecho. Siempre he creído que la vida ha sido el doble de dolorosa y de difícil para mí, que para cualquier otra persona. Dios me está diciendo que ya no debo seguir pensando de esa manera. Los tiempos de angustia se terminaron y ya se pagaron las consecuencias de mis pecados.

Todo terminó y estaba exhausta. Con una gran sonrisa llena de amor, Mary Anne me dio un afectuoso abrazo y me dijo:

—Dios se movió a tu favor hoy, Stormie. Te vas a sentir como una persona nueva.

—¡Ya me siento así!

Me sentía como si me hubieran quitado de encima mil kilos de peso muerto. Me sentía nueva.

—Sé que esta pregunta le podrá parecer extraña —le seguí diciendo—, ¿pero cree que yo me debería cambiar el nombre? De niña solía odiar que se burlaran de mí por él, y aunque ahora ha resultado un nombre que la gente recuerda, siempre he querido tener un nombre normal. Puesto que soy una nueva persona, ¿debería tomar un nombre nuevo?

—No —me contestó Mary Anne de inmediato—, creo que debes conservar tu nombre y permitir que sea un testimonio acerca de la obra que Dios ha hecho en ti. Saliste de una niñez tormentosa, pero Dios calmó las tempestades que había en tu vida. Cada vez que alguien te pregunte por qué te llamas así, tómalo como una oportunidad para hablar acerca de la bondad de Dios.

Supe de nuevo que me dijo unas palabras que venían de Dios, así que dejé tranquila esa idea de una vez por todas. Les di las gracias a esas dos poderosas guerreras de oración y me despedí dándoles un abrazo.

—Camina en toda la libertad que te ha dado Dios —me indicó Mary Anne—. Lee tu Biblia y ora todos los días, y asiste a la iglesia con tanta frecuencia como te sea posible. Esto te dará una fuerte armadura protectora contra el enemigo que va a tratar de volverte a robar este territorio de tu vida que se le arrebató. No se trata de que se pueda destruir todo lo que Dios hizo en ti, pero de seguro que el enemigo puede socavarlo al hacer que tengas dudas y temores de nuevo. No se lo permitas.

Salí de su oficina aturdida y casi entumecida. Mientras iba a casa en el auto, trataba de recordar todo lo sucedido. Fui allí sin grandes esperanzas. Creía que Dios *podía* hacer algo, pero no sabía si *querría* hacerlo a favor mío. Aunque sentí su presencia durante todo el proceso, aún no sabía lo que esto significaría en mi vida. ¿Y cuáles eran las llaves de las que me habló Dios? Aún me preguntaba si toda esa ansiedad y esa opresión volverían al llegar la mañana.

Michael no estaba en casa cuando regresé. Comí algo de fruta, mi primera comida en tres días, y me fui a la cama. Unas pocas horas más tarde, mi esposo llegó a la casa y me despertó de mi profundo sueño.

«Cuéntame lo que sucedió con Mary Anne». Su voz reflejaba la preocupación que se notaba en su rostro. Estos fueron tiempos agotadores para él también, pero hasta ese momento, mi propia parálisis emocional me cegó en cuanto al efecto que tuvo en él.

A mediados de la historia, me interrumpió: «Veo tus ojos diferentes por completo. Son unos ojos llenos de paz, no de temor ni preocupación».

A la mañana siguiente, desperté sin sentimiento alguno de depresión. Sin pensamientos suicidas, sin un peso en el pecho, sin una temerosa espera del futuro, sin ansiedades. Esperé todo el día a que regresaran, pero no lo hicieron. Día tras día fue lo mismo. Nunca más experimenté esos sentimientos paralizantes. No estoy diciendo que nunca más volví a estar deprimida, porque en la vida pasan cosas que deprimen. Sin embargo, la depresión no me volvió a controlar nunca más a partir de entonces.

Aprendí a usar las llaves. Si me comenzaba a sentir deprimida con respecto a algo, sabía que podía acudir a Dios y usar las llaves que Él me dio para superarlo.

Recuerdo las palabras de Jesús: «El pueblo asentado en tinieblas vio gran luz; y a los asentados en región de sombra de muerte, luz les resplandeció»[4].

Esa era yo. Estuve viviendo bajo la sombra de la muerte. La sentí durante años y pensé que nunca podría escapar de ella. Esa era la gran mentira que había aceptado. Ahora, en cambio, el Señor Jesús, la única luz verdadera, ha resplandecido sobre mí y nunca volveré a ser la misma de antes. Lo siento. Lo sé.

Me di cuenta de que hay muchas personas que sufren de depresión a causa de un desequilibrio químico y necesitan un tratamiento médico para lograr el equilibrio. Por eso he hecho con todo cuidado esa distinción al hablarles a otras personas acerca de lo que me sucedió a mí. No les he dicho que Dios no las pueda sanar también, pero tampoco he querido que dejen las medicinas que necesitan hasta que tanto ellas como su médico digan que están listas. «Tomar medicinas no indica falta de fe, como sugerirían algunos», les aseguro. «Dios nos da también los médicos y las medicinas».

Cada día he pensado en lo que me sucedió. Entré en esa oficina de consejería sabiendo que Jesús es mi Salvador, pero salí de allí sabiendo que Él también es mi Libertador. He visto el poder que tienen la oración y el ayuno. Y me pregunto: *¿Qué más querrá hacer Dios en mi vida y en las vidas de los demás?*

12

Las llaves para abrir el Reino

Después de mi momento de liberación, me pasé el resto del año aprendiendo lo que eran las llaves que me entregó Dios. Sabía que Jesús tenía las llaves de la vida, y al recibirlo a Él y nacer de nuevo, se me abría la puerta que da a la vida después de la muerte.

Él abrió también por completo la puerta de mi clóset emocional ese día en la oficina de consejería con Mary Anne. Ahora descubrí que el significado de las llaves se extendía mucho más lejos que eso. Si quería experimentar más vida en *esta* vida, había unas llaves que necesitaba usar con el fin de abrir a diario unas puertas: las puertas de la paz, de la integridad, de la satisfacción, del amor, de la abundancia, del crecimiento, de la liberación continua, de la productividad, de la restauración, del propósito y de la plenitud total.

Una de estas llaves era la de pasar un tiempo todos los días en la *Palabra de Dios* y dejar que se fuera grabando en mi corazón y en mi mente de manera que les diera forma a mis acciones y pensamientos. No tenía problema con creer que la Biblia era la Palabra de Dios, porque después que recibí a Jesús las palabras saltaban prácticamente de sus páginas hacia mí, llenas de vida, cuando las leía. Desarrollé el hambre por conocer cada vez más la verdad de Dios a fin de alimentar y fortalecer los lugares de mi espíritu y de mi personalidad que durante largo tiempo estuvieron hambrientos o muy desnutridos. Aprendí de memoria ciertos versículos y los repetía en voz alta cuando necesitaba abrirme paso con poder a través de los tiempos oscuros de mi vida.

Descubrí que para pasar con éxito todo un día, necesitaba leer la Biblia a primera hora de la mañana, todas las mañanas. Esto ponía mi mente en el buen camino desde el mismo principio y me daba un sólido fundamento sobre el cual edificar mi día. En cualquier momento en que me sintiera tentada a volver a caer en el viejo hábito de pensar sobre mí misma como una fracasada, o de sentirme llena de temores y deprimida, leía la Biblia hasta que podía sentir que mi actitud cambiaba por completo y mi mente se llenaba de paz.

La llave de la Palabra de Dios también era una munición espiritual para enfrentarme a todo lo que se me oponía. Me ayudaba a comprender la autoridad y el poder que se me dieron gracias a lo que logró Jesús. Combatía las mentiras con la verdad. Cuando me llenaba de temores y escuchaba en la cabeza una voz que me decía: «Eres mala. No mereces estar viva. Vas a terminar con una enfermedad mental igual que tu madre», yo pronunciaba en voz alta el texto de las Escrituras que dice: «No nos ha dado Dios espíritu de cobardía, sino de poder, de amor y de dominio propio»[1]. Lo repetía una y otra vez llena de convicción hasta que desaparecía el temor.

Reconocía esos pensamientos como mentiras procedentes del mundo de las tinieblas, del enemigo, y ajenas a la verdad de Dios. Los pensamientos mentirosos no tenían poder ahora que ya no me controlaba el padre de las mentiras. Mi Padre celestial me ayudaba a ver la verdad y a mantenerme firme en ella.

La llave de la oración era muy importante para mí. En mi mente resonaban estas palabras del rey David: «De madrugada te buscaré»[2], y sabía que necesitaba levantarme temprano todas las mañanas para dedicar un tiempo para hablar con Dios. Aprendí que cuando ponía en sus manos todas mis preocupaciones y lo escuchaba mientras Él me guiaba, esto me llevaba a un día más lleno de paz y más productivo; un día que ya no estaba en manos del azar. Descubrí el poder que quedaba desatado cuando oraba en el nombre de Jesús. Y solo estaba tocando la superficie.

La llave de la confesión también era poderosa para liberar los beneficios que trae consigo la vida en el reino de la luz de Dios después de salir del mundo de las tinieblas. Confesaba en mi corazón todo lo que era pecado. Solía pensar que el pecado significaba fumar, beber, usar drogas y ser sexualmente inmoral, y como ya no estaba involucrada en ninguna de esas cosas y tampoco había matado a nadie ni robado en una tienda de licores, estaba exenta de pertenecer a la categoría de los pecadores. ¡Qué equivocada estaba! Descubrí que «pecar» era un término tomado del uso del arco y la flecha que significaba originalmente «no dar en el blanco». Todo lo que no fuera dar en el mismo centro del blanco era pecado. Darme cuenta de esto abrió todo un mundo nuevo para mí. Todo lo que fuera inferior a la *voluntad perfecta* de Dios para mi vida era pecado.

Bajo esa luz, era mucho lo que tenía que confesar. Desde mi actitud crítica de dudar, odiarme a mí misma, decir pequeñas mentiras y actuar con egoísmo, había muchas cosas que estaba haciendo que ni siquiera me daba cuenta de que eran indebidas. Oraba como oró el rey David en la Biblia: «"Crea en mí, oh Dios, un corazón limpio, y renueva un espíritu recto dentro de mí"³. Señor, muéstrame mis "pecados secretos" y límpiame de todos ellos»⁴. Dios siempre respondía de inmediato esa oración.

Aprendí que era pecado la rabia que llevaba dentro desde mi niñez, aunque comenzó cuando era aún demasiado pequeña para comprenderla y aunque tenía una buena razón para sentirla. El pecado nunca está justificado, sea quien sea el que lo cometa, ni la edad que tenga. Dios nunca aprueba el pecado, pero sí nos proporciona en Jesús la manera de resolverlo. Y la llave que nos proporciona Él a fin de experimentarlo se encuentra en la confesión. Una vez que recibimos a Jesús, tenemos la responsabilidad de vivir a su manera. Cuando no lo hacemos, debemos usar la llave de nuestra confesión y arrepentirnos. Cuando no lo hacía, quedaba amarrada en la culpa y me sentía llena de aflicción.

La llave del perdón, tanto recibido de Él como concedido a otros, también era de suma importancia. Uno de los pecados más persistentes que tenía que confesar era la falta de perdón hacia mi madre. Me tenía que enfrentar a diario a ese pecado. Confesaba mi falta de perdón hacia ella en la oficina de consejería y pensaba que había resuelto el asunto hasta la próxima vez que la viera. Entonces aparecían rodeándome como una inundación los viejos sentimientos de resentimiento, frustración, amargura e ira, y junto con ellos venían sus compañeros: derrota, desaliento y tristeza.

«Dios mío, perdono por completo a mi madre», confesaba todos los días, tanto si lo quería hacer como si no. Sabía, sin lugar a dudas, que albergar la falta de perdón era algo que me mantendría apartada de la integridad y las bendiciones que Dios tenía para mí, y estaba convencida también de que me enfermaría físicamente. Nunca podría estar sana por completo mientras tuviera alguna falta de perdón en mi interior. Tenía que seguir trabajando en ese aspecto. Aun así, me ayudaba el hecho de comprender que *el perdón no hace que la otra persona actuara bien, sino que nos libera a nosotros*. Y tenemos que llegar a ser libres, porque nunca podremos entrar en todo lo que Dios tiene para nosotros si no lo llegamos a ser.

Dios respondió mis oraciones en cuanto a perdonar a mi madre, porque el perdón hacia ella creció en mi corazón hasta el punto de que por fin fui capaz de verla como Dios quería que fuera cuando la creó y no de la forma que era ella. Vi cómo los traumas de su vida la moldearon y cómo ella, al igual que yo, fue víctima de su pasado. La diferencia estaba en que ella nunca encontró una salida. Cada vez que me imaginaba a la niña de once años que perdió a su madre y se sintió culpable de su muerte, creyendo que la vida y Dios mismo la abandonaron, me sentía triste por ella. En lugar de odiarla, sentía lástima y comenzaba a orar para pedir su sanidad.

Leía acerca del tema de las enfermedades mentales y entendía que el cerebro de mi madre no funcionaba como el de una persona normal. Lo supe desde mucho tiempo antes, pero aun así la culpaba siempre por esa situación. Ahora veía que en realidad no la podía evitar. A causa de su enfermedad, se hallaba sometida a unos patrones de pensamiento desvinculados y desorganizados que carecían de sentido. Sus maneras de conducirse ilógicas e inadecuadas, como la de reírse cuando yo me hería, o enfurecerse cuando yo limpiaba mi cuarto, eran consideradas por los expertos en el tema como «normales» para alguien que se hallaba en su estado. En algún punto, tenía un gran cortocircuito. Todo lo que se imaginaba era real por completo para ella, y cosa común para los que tenían la misma enfermedad.

Su mente no tenía la capacidad de organizar las cosas con claridad. Yo sentía lástima por ella y me lamentaba por todas las veces en que fui insensible del todo en mi manera de reaccionar hacia ella. Ahora sentía respeto por lo bien que se manejaba en la vida al considerar todo lo que tenía en su contra.

Mi perdón hacia ella me permitía traer a la mente unos buenos recuerdos suyos que ni siquiera me había dado cuenta de que los tenía. Recordaba a mi madre haciéndome panqueques cuando yo tenía tres años, y haciéndome mi primera y única fiesta de cumpleaños cuando tenía nueve años. Y el día que cumplí doce años, cuando yo pensaba que nadie se había acordado, me dio un vestido de lana color turquesa que halló en una tienda.

En las Navidades, siempre cocinaba la cena, había bolas de palomitas de maíz y compraba pequeños regalos para la familia. Ahora podía ver que se esforzó en gran medida por lograr que esa época fuera algo especial, aunque debe haber sido algo terriblemente difícil para ella. Todas las partes de la vida la deben haber presionado en gran medida, pero nunca antes había visto *su* aflicción, sino solo la *mía*.

Había olvidado esos hechos porque justo después de cada uno de ellos siempre hacía algo horrible y doloroso que anulaba todo lo bueno que hubiera realizado. Ahora, en cambio, debido a que le estaba perdonando sus crueles acciones, me era posible ver sus acciones bondadosas.

No obstante, siempre tenía un gran retroceso cada vez que veía a mi madre en persona, porque a pesar de que aprendí a perdonarla más, el odio que me tenía fue en aumento según iba progresando su enfermedad mental. Yo dependía de la ayuda de Dios a fin de salir bien de cada encuentro. Al final, sin embargo, llegué a un punto en que ya no podía estar más a su lado y llamé a Mary Anne. Ella me indicó que la honrara desde lejos, pero no siguiera permitiendo que abusara de mí. De manera que eso fue lo que hice, escribiéndole tarjetas y cartas que le dieran ánimo y enviándole muchos regalos que yo sabía que quería y necesitaba.

La llave de decirle que sí a Dios era una forma de confiar en Él en todos los aspectos. Cada vez que pensaba que tenía resueltos todos mis problemas, me encontraba en otra encrucijada, donde Él me pedía una entrega más profunda. Me pedía que le entregara mis sueños en cuanto a convertirme en una persona importante. Las cosas que lograba en mi carrera siempre tenían que ver con identificarme a través de esos logros, pero Dios quería que mi identidad estuviera en *Él*. Me hablaba al corazón, diciéndome: «Ya sea que logres algo o no, incluso si eres rechazada ante los ojos del mundo, eres valiosa para mí». Eso me producía un gran consuelo.

De manera que, en el programa de limpieza de Dios, tenía que eliminarse todo equipaje de más, y el mayor de todos era el *yo*. Todos mis deseos de que me distinguieran, de ser alguien, de hacer algo grandioso, se los tenía que entregar al Señor. Mis sueños tenían que ser *sus* sueños, los que *Él* me pusiera en el corazón. No podían ser los que yo pensaba que debía tener.

«Muy bien, Señor», dije por fin con mucha renuencia. «Nunca más voy a considerar como fracaso el hecho de no tener éxito ante los ojos del mundo». Dejé de seguir haciendo todos los programas de televisión y de cantar en los estudios. No hacía otra cosa más que ir a la iglesia, cuidar de mi hogar y de mi esposo, y ver cómo todos mis sueños se estrellaban contra el suelo como parte de lo que era morir un poco cada día. El proceso de esa muerte fue largo y doloroso.

A lo largo de esta situación, Dios me enseñó que me tenía que desprender de todo, depender por completo de Él y vivir a su manera. Leí donde Jesús dijo: «El que me ama, mi palabra guardará; y mi Padre le amará, y vendremos a él, y haremos morada con él»[5]. Entonces reconocí que había un claro enlace entre mi obediencia y el disfrute de la presencia de Dios en una medida mayor. Su presencia era mi luz y mi vida, y no estaba dispuesta a ponerlo en peligro por tener conexión alguna con el mundo de las tinieblas.

Vi cómo el resultado del pecado es la muerte, y no hay nada más tenebroso que esto. Mientras más obedecía a Dios y vivía a su manera, más me adentraba en la luz de sus bendiciones. Aun así, no era fácil enfrentarme a quien era yo con el fin de convertirme en quien Dios quería que fuera cuando me creó. Era necesario que saliera de manera deliberada de las tinieblas y tomara todos los días la decisión de vivir en su luz.

13
La salida de las tinieblas

Pensé en cuántas veces en mi pasado, incluso después de convertirme en creyente, que le rogué a Dios que hiciera lo que *yo* quería que hiciera, pero nunca me tomaba la molestia de averiguar lo que *Él* quería que *hiciera*. ¡Con cuánta frecuencia me enojé con Dios por no darme lo que yo quería, pero nunca me pasó por la mente averiguar lo que *Él* quería de mí!

Me encontré con este pasaje bíblico: «El atleta no recibe la corona de vencedor si no compite según el reglamento»[1]. ¡Qué tonta era yo cuando le exigía a Dios que me dejara ganar en el juego de la vida mientras me negaba a jugar de acuerdo a su reglamento! Mientras más me dedicaba a vivir a la manera de Dios, más veía que la forma en que estuve viviendo no le agradaba a Él. Dios me aceptó tal cual yo era, pero no tenía la intención de dejarme así. Por eso, fue sacando una a una a la superficie las cosas que había en mí que necesitaban desaparecer.

Una mañana temprano me encontré con este pasaje de las Escrituras: «No metas en tu casa nada que sea abominable. Todo eso debe ser destruido»[2]. Sentí un escalofrío y supe que había llegado el día de limpiar mi casa. Entonces comencé una misión de buscar y destruir toda cosa «abominable» que llevé a nuestro hogar. Revisé la casa, centímetro a centímetro y saqué fuera todo lo que no era de Dios o era de una naturaleza dudosa. Entre sesenta y setenta libros costosos de tapa dura sobre diferentes aspectos del ocultismo y de las religiones orientales se fueron a la basura, junto con pinturas, esculturas, adornos de las paredes, bandejas pintadas a mano y artefactos de todo tipo... cualquier cosa que exaltara a otros dioses. Por un momento, estuve pensando en darles esas cosas a algunos de mis antiguos amigos que aún seguían en esas prácticas, pero entré en razón y me di cuenta que era errado por completo ayudar a alguien a meterse más adentro en las tinieblas de las que escapaba yo. Así que los destruí todos, haciéndolos pedazos y tirándolos a la basura. Eso me llevó días.

Regalé cosas que me recordaban mi primer matrimonio, un antiguo novio o un momento triste de mi vida, si podían hacer buen uso de esas cosas otras personas que no tenían los lazos negativos que tuve yo.

También se fueron a la basura las cintas grabadas y los discos de música que contenían una letra impía. Saqué las novelas que exaltaran estilos de vida y patrones de pensamiento que eran opuestos a los caminos de Dios. Todo esto le podría haber parecido una cacería de brujas a todo aquel que no lo comprendiera, pero no era así. Era una decisión tomada en pleno uso de mis facultades mentales para separarme de todo lo que me separara de Dios. Ya había experimentado lo suficiente la presencia y las bendiciones de Dios como para saber que quería tener *todo* lo que Él me quisiera dar. Cuando terminé la limpieza general de la casa, me sentí ligera, limpia y llena de gozo.

Decidí que, puesto que tanto yo como mi casa nacimos de nuevo, ya era hora de que mi guardarropa lo hiciera también. Tiré a la basura los pantalones apretados, los suéteres reveladores, los vestidos muy cortos y los atuendos provocativos que no eran dignos de una hija del Dios del universo. Me maravillaba que usé esas cosas para ir a la iglesia y no recibí ni una sola vez una mirada de condenación de parte del pastor Jack, ni de Anna, su esposa. Nunca me hicieron sentir como si fuera menos que los demás, aunque sabía con certeza que les di razones para pensarlo solo por mi guardarropa. Cuando me aparecía tarde para el culto con mis vaqueros y mi camiseta reveladora, sin maquillaje y con el cabello en desorden, siempre me daban la misma bienvenida que le habrían dado a un conferenciante invitado. Me aceptaban tal como Dios me aceptaba a mí: de la manera que era yo. Y su amor tuvo mucho que ver en mi sanidad. Ellos, en cambio, al igual que Dios, estaban dedicados a verme mover cada vez más cerca del Señor. Y también, al igual que Dios, lo hacían con amor y sin condenación.

Cuando me deshice de todas esas cosas, me di cuenta de que tenía que hacer lo mismo con ciertos hábitos y ciertas relaciones. Dejé de ver los programas de televisión que exaltaban actividades impías y llegué a ser selectiva en cuanto a las películas que iba a ver. Llenarme la mente de violencia, lenguaje obsceno, usos irrespetuosos del nombre de Dios y actos sexuales de otras personas eran cosas que no me hacían sentirme bien en mi espíritu, y sabía que tampoco bendecía al Espíritu de Dios en mí. La Biblia dice que soy templo del Espíritu Santo de Dios; entonces, ¿cómo era posible que disfrutara de la plenitud de su presencia si lo sacaban todas esas cosas opuestas a Él y a sus caminos? A medida que me iba separando de esas cosas, me iba sintiendo cada vez más realizada y más feliz. Experimentaba una mayor luz espiritual en mi vida.

Poco a poco me fui dando cuenta de que algunos de mis amigos no creyentes eran una mala influencia para mí. Tenían un poder de atracción que me alejaba de las cosas de Dios y me llevaba de vuelta a mi viejo estilo de vida. Aunque estimaba a esas personas, sabía que esas relaciones tenían que desaparecer. Mi método para manejar esas amistades en particular era bien sencillo. Todo lo que tenía que hacer era hablarles acerca de mi nueva vida en Jesús e invitarlos a disfrutarla. Los que respondían de manera positiva, seguían siendo mis amigos. Los que no respondían de manera positiva, desaparecían al instante.

Parte de la limpieza espiritual de mi casa se produjo sin que yo hiciera nada. Un día me desperté y me di cuenta de que había desaparecido mi temor a los cuchillos. No sé cómo sucedió, pero supuse que era porque hay una promesa de Dios en la Biblia que dice: «El amor perfecto echa fuera el temor»[3]. También dice que «el amor de Dios se manifiesta plenamente en la vida del que obedece su palabra»[4]. Hay una conexión clara entre *obedecer* y *recibir el amor de Dios*. A través de mi *obediencia* pude *recibir* más del amor de Dios y, a su vez, el amor de Dios sacaba de mí los temores y me daba una sanidad mayor.

A través de los pasos que di en obediencia comencé a ver las cosas con más claridad. Identificaba a los espíritus oscuros del ocultismo con los que antes me identifiqué, como la misma clase de espíritus que inspiraron a los que participaron en los asesinatos de Sharon Tate y sus amigos. Me *sentí* identificada con esa maldad porque me *identificaba* en el mundo espiritual con un espíritu de maldad.

Por vez primera vi el aborto tal cual era: la destrucción de una vida humana. Lo que nunca antes me entró en la mente, ahora llegó a mí con una convicción total. Recordé mi débil trato con Dios antes de mi primer aborto: «Dios mío, por favor, sácame de esto y seré buena». ¡Vaya broma! Ni siquiera sabía lo que era ser buena, e incluso si lo hubiera sabido, me habría sido imposible lograrlo sin el poder de Jesús y de su Espíritu Santo en mí.

En cada uno de los dos abortos, creía firmemente que el alma y el espíritu del bebé entraban en su cuerpo solo en el momento del nacimiento. Era una teoría común que acepté en ese entonces, y nunca se me ocurrió que le quitaba la vida a una persona. «No es un ser humano», razonaba, «sino solo una masa de células». Debido a que creía en eso, mi culpabilidad consciente por lo que hice era muy escasa. Sin embargo, eso no hizo las cosas menos malas, ni las consecuencias menos desastrosas. Aunque confesé con anterioridad mis malas acciones y me liberé de sus consecuencias, aún carecía de una comprensión total sobre lo profundamente que yo violé los caminos de Dios.

Al leer las Escrituras, entendí con claridad que los propósitos y planes de Dios para esos seres humanos estaban definidos desde el momento de su concepción. Ya fuera legal o no, ya me sintiera culpable o no, los hechos eran los mismos. Destruí dos vidas en las que Dios puso dones, talentos y razón de existir. Esas muertes se manifestaban en mi propia vida cuando sentía que me moría por dentro un poquito más cada día. En esa época, nunca establecí la conexión entre ambas cosas. Pensaba que salvaba mi vida al hacerme los abortos, cuando la perdía en realidad.

A medida que fui conociendo mejor los caminos de Dios y obedeciendo mejor sus reglas, pude ver que Dios estableció cada regla y mandamiento para *nuestro* beneficio. No era para afligirnos ni para impedir que nos divirtiéramos, sino para llevarnos al mayor nivel posible de realización y propósito. Y todo porque Él nos ama.

Cada nuevo paso de obediencia que daba, traía también consigo un aumento en mi salud física. El hecho de tener esperanza con respecto a mi futuro me ayudaba a cuidar mejor de mi cuerpo, que ahora reconocía como el templo del Espíritu de Dios.

Mientras más caminaba en obediencia a Dios, más completa era la salud física de la que disfrutaba. Esto le exigía a mi corazón una actitud que decía: «Te amo a ti y amo tus leyes, Señor. Y estoy *decidida* a caminar por tus sendas. Espíritu Santo, *capacítame* para hacer lo que sea conveniente».

Dios es tan bueno que nos da de manera gratuita su amor, su presencia, su sanidad, su liberación y su restauración emocional a todos los que estamos dispuestos a salir de las tinieblas para jugar de acuerdo con las reglas establecidas por Él. Sin embargo, caminar a la luz de la voluntad de Dios no significa que el camino siempre sea fácil. Es más, nunca he hallado fácil mi vida. Ha habido un desafío tras otro, incluso siendo creyente. Aun así, he descubierto que cuando camino con Dios a través de esos momentos, Él saca el bien de ellos.

14

La abusadora inesperada

Nunca quise tener hijos. No es que no me gustaran los niños. Solo que mi meta era salir de la pobreza, y sabía que lo tendría que lograr sola, pues nunca habría nadie que me diera una mano. La pobreza no es tan divertida como ciertos políticos la tratan de presentar. «Aquí tienes, toma esta miseria y serás libre para perseguir tus sueños», te dicen. Notaba que estos abastecedores de la pobreza no siguen su propio consejo. Se hacen ricos proclamando una mentira. En la pobreza no hay libertad. Lo que hay es grilletes y privaciones. Lo sabía por experiencia, y decidí educarme para buscar una salida a esa situación. De haber tenido un hijo, nunca lo habría podido lograr, y no estaba dispuesta a tener un hijo para criarlo en la pobreza.

Entre todos los hombres que conocí antes de Michael, no había uno solo que quisiera o estuviera dispuesto a contribuir con algo en mi vida que hiciera posible quedarme en la casa para criar a un hijo.

Por contraste, cuando Michael y yo nos hicimos novios, me dejó asombrada el grado de generosidad que tenía. Cuando salíamos a cenar, yo no tenía que pagar nada. Nunca lo llegaba a pensar siquiera. Pagar era asunto suyo. No lo podía creer. Era asombrosamente bondadoso.

Antes de casarnos, Michael y yo nunca hablamos de tener hijos. No tuvimos ninguna consejería prematrimonial que sacara a relucir este tema. La razón de esto es que el pastor de nuestra iglesia me dijo con claridad que él nunca estaría dispuesto a oficiar en la boda de dos personas si una de las dos era divorciada. Esto no nos dejó más alternativa que ir a otra parte para casarnos. Años más tarde, el pastor se retractó de su posición sobre ese asunto y pidió perdón por su actitud al respecto.

Ni Michael ni yo hicimos jamás nada normal, como todo el mundo, y esto se debía a que nunca tuvimos el lujo de *ser* normales. Siempre teníamos que compensar por alguna otra cosa con la que batallábamos. Teníamos unos padres que no tenían la menor idea de cuáles eran nuestros problemas, y por qué existían, de manera que los dos luchábamos por ser normales, pero no podíamos serlo.

Cuando nos casamos, le sometimos nuestras vidas al Señor en todos los niveles, incluso en el posible nivel de que llegáramos a ser padres. El primer año, no estábamos interesados en tener niños, de manera que no orábamos acerca de tener alguno. En el segundo año oramos por esto, y Dios nos cambió el corazón al darnos una paz inesperada. Yo tenía miedo de dar a luz porque la madre de mi madre murió en el parto, junto con el hijo. Y había oído esa historia una y otra vez un número incontable de veces cuando mi madre me pintaba de manera gráfica sobre cómo tener un hijo «le arruina a uno la vida si no te mata».

Me asustó cuando, después que Michael y yo tomamos la decisión de tener nuestro primer hijo, no quedé embarazada de inmediato. A juzgar por mi pasado, pensaba que concebir un hijo no sería un problema para mí. Sin embargo, cuando fueron pasando los meses uno tras otro, empecé a temer que se tratara de un castigo por los abortos que me practiqué. Todavía no comprendía a plenitud la misericordia y la gracia de Dios, y no podía comprender un amor tan grande que iba más allá de los confines de mi fallo para recuperar todo lo perdido. Tampoco podía sondear la profundidad de un Dios que no me castigaba como yo me merecía. Entonces, comencé a creer que Él no nos querría dar paz con respecto a tener un hijo ni darnos la capacidad de tenerlo.

Michael llevaba algún tiempo recibiendo consejería con respecto al temor a los viajes, la agorafobia, el mismo temor que tenía mi amiga Diana, que lo pudo superar. No era el temor a que se cayeran los aviones, sino más bien a una intensa ansiedad en cuanto a salir de la seguridad y la familiaridad del hogar. Era algo que sabía que se tenía que liberar, y se estaba concentrando en ese problema en particular. Así que el hecho de que yo no saliera embarazada no le preocupaba tanto como a mí.

Una mañana, mientras oraba de nuevo para concebir un hijo, Dios me habló con claridad al corazón. Me dijo: «Vas a tener un hijo varón, y se concebirá en Jerusalén».

Yo sacudí la cabeza y dije: «Señor, ¿me querrías repetir eso, por favor?».

No hubo repetición, pero las palabras originales siguieron resonando con claridad en mi corazón.

De seguro que soy yo la que lo está inventando, pensé. *Aunque, pensándolo bien, ¿por qué habría de inventar algo tan absurdo como eso?* Me estuvo viniendo a la mente de vez en cuando durante unas cuantas semanas y después me lo saqué de la cabeza.

Unos meses más tarde, llegué a casa después de una reunión en la iglesia con un folleto que el pastor Jack le dio a nuestro grupo de estudio bíblico acerca de una gira de tres semanas que él y Anna darían por Tierra Santa. Estaban pidiendo que los acompañaran solo treinta personas, así que todo el que quisiera ir, tenía que inscribirse en seguida. Yo se lo mencioné de manera informal a Michael, hablándole de lo divertido que sería, y él me dijo de repente:

—¡Hagámoslo!

—¿Hacer qué? —le pregunté, sin esperar en absoluto lo que dijo después.

—Vayamos con el pastor Jack y con Anna a visitar la Tierra Santa.

—¿Qué? —exclamé—. ¡Tienes que estar bromeando! A ti no te gusta siquiera ir conduciendo hasta San Diego, mucho menos subirte a un avión para atravesar el mundo y estar fuera de aquí durante tres semanas. ¿Estás bromeando?

Él no bromeaba, y en los pocos meses que quedaban, nos estuvimos preparando para el viaje. Durante las dos semanas anteriores a nuestra partida, me puse muy enferma con una infección en los pulmones.

Por un tiempo, pareció que no íbamos a poder ir, pero me recuperé lo suficiente y justo a tiempo, así que nos fuimos.

Al principio de la gira, en Roma y Grecia, a Michael le fue bastante bien con su problema de ansiedad en los viajes, pero ya en el cuarto día, estando en Israel, sufría muchísimo. Una noche ya tarde, se quebrantó y dijo: «La verdad es que no lo voy a lograr. ¿Te importaría que nos olvidáramos del viaje y volviéramos a casa?».

«No», le dije preocupada. «Haz todo lo que tengas que hacer, pero necesitamos llamar al pastor Jack. No nos podemos ir sin decírselo».

Dudamos sobre si debíamos llamar entonces, porque era casi medianoche, y la gira tenía un calendario agotador, pero Michael estaba decidido a tomar el primer vuelo que saliera al día siguiente. El pastor Jack vino de inmediato a nuestro cuarto, habló con Michael durante largo tiempo, y después oró por él para que quedara libre del temor y la inseguridad que lo atormentaban. Rodeó a Michael con los brazos y lo sostuvo como lo hubiera hecho un padre con su hijo, mientras Michael sollozaba. Fui testigo de la forma en que el amor de Dios obraba a través de un pastor compasivo y un hijo obediente, y vi que se produjeron una liberación y una sanidad en mi esposo a causa de ese amor.

Como consecuencia de lo sucedido esa noche, nos quedamos en la gira, y Michael cambió por completo. Cinco días más tarde, tuvimos por fin un día libre en Jerusalén y, debido a la intensidad de la gira, fue la primera oportunidad que tuvimos Michael y yo de pasar un tiempo solos nosotros dos. Después de ese día, volvió a comenzar aquel agitado programa de visitas. Nos levantábamos antes que amaneciera, íbamos a toda velocidad y caíamos exhaustos en la cama por la noche.

Cuando llegamos al mar de Galilea, cerca del final de nuestra gira, yo me puse muy enferma. Estaba mareada y tenía náuseas todos los días, y no podía mantener ningún alimento en el estómago. Eso se fue poniendo cada vez peor, y tratamos de conseguir antes un vuelo de Israel a California, aunque no lo logramos. La única solución era enviarme a Tel Aviv, a fin de que me quedara en nuestro hotel allí y esperara a que llegara el resto del grupo.

Cuando salimos por fin de Tel Aviv, nuestro avión hizo una parada de emergencia en París por razones mecánicas. Me llevaron al hospital y me pusieron una inyección para controlar las náuseas y los vómitos, y para mantener a raya la deshidratación lo suficiente para que pudiera regresar a California. Aun así, el viaje fue un desastre. Mi enfermedad era tan violenta que todo el mundo, incluyéndome a mí misma, pensaba que yo debía tener un envenenamiento por la comida.

No se me ocurrió que estuviera embarazada, porque asociaba la violenta enfermedad de mis dos primeros embarazos con el rechazo que sentía hacia ellos. Entonces, una vez que estuvimos de vuelta en California, descubrí muy pronto que era cierto que estaba embarazada y que mi enfermedad extrema durante el embarazo era un estado que se llamaba hiperémesis gravídica. Les tenía temor a las violentas náuseas y a los dolores que sentía en el cuerpo de día y de noche, temor a morir dando a luz como mi abuela, y temor de que en realidad mi vida hubiera terminado, como me había advertido mi madre.

La reacción de mi madre ante mi embarazo fue difícil de saber. Estaba más interesada en todas las personas que la seguían. Decía que el presidente de los Estados Unidos ordenó que la vigilaran, y que los comunistas querían matarla porque ella sabía demasiado. Había momentos en que parecía muy normal, y su historia parecía tan convincente que yo me preguntaba: *¿Acaso no se sentiría terriblemente mal si lo que ha estado diciendo fuera cierto y todo este tiempo ninguno de nosotros la ha creído?* Entonces, se descubría ella misma al decir que Frank Sinatra y el papa conspiraban para hacer que la mataran a tiros. Supongo que si yo estuviera convencida de que ellos estaban tratando de hacer que me mataran *a mí*, estaría más preocupada con eso que con el nacimiento de mi primer nieto. Es difícil decirlo. De todas formas, me sentía desanimada porque mi estado no parecía preocuparle.

Papá, en cambio, estaba muy emocionado, pero también se sentía preocupado. Yo estaba tan enferma que al llegar el final del cuarto mes ya había perdido seis kilos. En un cuerpo que aún era demasiado delgado, esto no se veía atractivo. Papá era muy consciente de la historia de serias complicaciones de los embarazos que había en mi familia y su preocupación era evidente.

Llamé a Mary Anne para contarle el problema. Sabía que mis temores tenían que desaparecer, y pensaba que las náuseas y los dolores quizá se debieran a ellos. Me aseguró que yo no era ni mi abuela ni mi madre, y que también los tiempos eran diferentes, así que no iba a morir dando a luz. También me señaló que lo que me enseñó mi madre sobre ese tema era un reflejo de sus propios sentimientos, y totalmente opuesto a la Palabra de Dios, la cual dice que los hijos son un don y una bendición del Señor. Entonces, oró conmigo para que quedara libre de mis temores. Cuando lo hizo, sentí de inmediato que se me quitaba de encima una pesada carga. Lo lamentable es que permanecieron las náuseas y los dolores.

Mi obstetra me dijo casi lo mismo cuando le pregunté si podía heredar la enfermedad de mi abuela. Me dijo: «Tú no eres tu abuela, Stormie, y los tiempos son diferentes. Hoy en día sabemos mucho más».

Cuando nada me ayudó en mi estado, me comencé a preocupar cada vez más de que podía perder al bebé. Una noche, mientras estaba clamando a Dios por esto, me inundaron la memoria las palabras que Él me dijo cerca de seis meses antes.

«Vas a tener un hijo varón, y se concebirá en Jerusalén».

Entonces me puse a pensar. Michael y yo estuvimos juntos en el día libre que tuvimos en Jerusalén. Primero, debido a mi infección pulmonar, y después a causa de lo agitado que era el calendario de los viajes, ese fue el único momento en que fue posible que concibiera al bebé. Cuando reuní todos los hechos, me sentí asombrada. «Dios mío», le dije, revelando la magnitud de mi fe, «si tengo un niño varón, sabré que te oí en realidad». En esa época, todavía no se podía saber el sexo de un niño antes que naciera, a menos que se usara un procedimiento que tenía elementos de riesgo para la criatura. Nosotros decidimos que no lo haríamos.

Cuando le conté a Michael todo lo que Dios me dijo al corazón, se sintió aliviado. A lo largo de los siguientes meses tan difíciles de mi embarazo, estuve enferma todo el tiempo, y muy preocupada por la salud de mi hijo. Me aferré a las palabras de Dios, repitiéndomelas una y otra vez: «Dios es el que dispuso este embarazo, y Él va a sacar adelante a este niño». Mi esposo perdió la paciencia con respecto a la situación cuando vio que orábamos todos los días, y aun así, no sucedía nada.

Cuatro semanas antes de lo planeado, me comenzaron de repente unos fuertes dolores de parto. El bebé estaba situado de lado, y no era capaz de nacer de manera natural, así que me tuvieron que hacer una cesárea de emergencia. Nosotros estábamos asustados, pero aún yo seguía escuchando las palabras que me dijo Dios. Tal como Él lo predijo, nació un saludable varoncito el 25 de junio de 1976... ¡precisamente en el día del cumpleaños del pastor Jack! Le pusimos por nombre Christopher, y así, Christopher Omartian se convirtió de inmediato en nuestro recuerdo más memorable de Tierra Santa.

Muy pronto, después de llevar al niño a casa, unos viejos sentimientos que yo pensaba muertos comenzaron a levantarse dentro de mí. Toda la rabia y todo el odio que había tenido por mi madre regresaron en plena fuerza. Miraba a mi hermoso niño y pensaba: «¿Cómo es posible que alguien trate a un niño tan precioso de la forma en que mi madre me trataba a mí?».

«Dios mío, ¿por qué estoy sintiendo todo esto?», le preguntaba. «¿Es que acaso no la he perdonado?». Aún no me había dado cuenta de que Dios, cuando comienza una obra, la sigue perfeccionando. Todos esos sentimientos negativos afloraban porque Él quería llevarme a un nuevo nivel de liberación. Yo sentía que caminaba hacia atrás y que había perdido la liberación que ya había recibido, pero la verdad de Dios era que mientras lo siguiera a Él, iría «de gloria en gloria» y «de poder en poder»[1]. Dios tenía el deseo de darme más libertad en este aspecto que nunca antes, y ahora era el momento para que lo recibiera. No tenía idea de que lo que salió a la superficie se encontrara dentro de mí. Solo el hecho de tener mi propio hijo lo revelaría por completo.

Estaba decidida a ser una buena madre; es más, la mejor madre que fuera posible. Al fin y al cabo, era muy consciente de los inconvenientes que creaba una mala maternidad. *Nunca seré como mi madre*, me decía convencida. *Mi hijo va a recibir el mejor cuidado que yo le pueda dar.*

Una noche, cuando Christopher solo tenía unos meses, no podía lograr que parara de llorar. Michael estaba trabajando hasta tarde y me encontraba sola en la casa. Traté de alimentarlo, pero no ayudó. Le cambié el pañal. Le puse ropa de más abrigo y después ropa más fresca. Lo cargué y lo mecí. Intenté todo lo que una madre puede hacer, pero nada ayudaba. Lloraba mucho más. En medio de su llanto, yo también estaba a punto de llorar.

La frustración fue creciendo hasta que terminé por perder el control. Le di unas palmadas a mi hijo en la espalda, en el hombro y en la cabeza. El corazón me latía con fuerza, el rostro me ardía, los ojos se me cegaron con unas calientes lágrimas y la respiración se me volvió superficial y dificultosa. Estaba fuera de control.

El bebé gritaba más y, de repente, eso se convirtió en un rechazo con respecto a mí. «Mi hijo no me ama porque no soy una buena madre», era la mentira que oía en la cabeza. Puesto que el rechazo era tan fundamental para mí, esto me llevó hasta mis límites.

«¡Deja de llorar!», le gritaba. «¡Deja de llorar!».

Me di cuenta de que estaba a un paso de lanzarlo hasta el otro extremo del cuarto. La energía que sentía en mi interior no tenía límites, y sabía que si me sometía a ella, lo podría lesionar de gravedad; tal vez matarlo incluso.

La única alternativa era apartarme del bebé. Lo puse en su cuna, salí corriendo hacia mi cuarto y caí de rodillas junto a la cama. «¡Señor, ayúdame!», grité. «Hay algo horrible en mí. Necesito que te lo lleves. Yo no sé lo que es. Amo a mi bebé más que a ninguna otra cosa en el mundo. ¿Qué le sucede a una madre que hiere al hijo que ama? Por favor, llévate todo lo que haya de malo en mí». Sollocé sobre el cubrecama.

Estuve de rodillas ante Dios durante cerca de una hora. El llanto de Christopher fue menguando hasta que se quedó dormido llorando.

Michael llegó a casa antes que el bebé se despertara de nuevo, pero yo no le dije nada. No podía. No sabía qué decirle. Era demasiado mortificante para pensar siquiera en ello, mucho menos para confesárselo a mi esposo. Cuando el bebé se despertó, parecía bien por completo. Actuaba como si nada hubiera sucedido, y yo hice lo mismo.

Cuatro o cinco días más tarde, volvió a suceder lo mismo: el bebé llorando sin parar, mis sentimientos de rechazo, algo que se quebraba dentro de mí, mis emociones fuera de control, el deseo de golpearlo y pararme a tiempo para poner a Christopher en la cuna, entrar a mi cuarto, caer de rodillas ante Dios y clamar a Él en busca de ayuda.

La culpa me inundaba. ¿Qué clase de madre era yo? Todas mis buenas intenciones se destruyeron con el fuego de la rabia que ardía en mi interior. De nuevo, permanecí de rodillas hasta sentir que la intensidad de lo que me tenía controlada desaparecía, y el perdón de Dios llegaba hasta inundarme para lavar mi culpa. El amor de Dios me sostuvo en la terrible soledad que experimentaba a causa del secreto que no soportaba revelar a nadie.

Al cabo de las siguientes semanas, comencé a comprender algo de lo que sucedía y su motivo. Pude ver con claridad el rostro de una abusadora. Toda mi vida yo había visto mi situación desde el punto de vista de alguien a quien maltrataron. Era sorprendente descubrir que yo tenía dentro de mí todo el potencial necesario para ser *abusadora* también. Esto fue tomando forma en mí desde mi niñez. Esa conducta violenta y descontrolada la había visto antes... en mi madre. Sabía que no era a mi bebé al que yo odiaba. Me odiaba a mí misma. Y ahora también era capaz de ver que no era a *mí* a la que odiaba mi madre, sino a sí misma. De ese modo creció mi compasión hacia ella.

Al final, le confesé todo esto a mi esposo y, para alivio mío, no se sintió horrorizado. Sorprendido, sí. En cambio, no con temor, repugnancia ni rechazo hacia mí en forma alguna. Me ofreció orar conmigo en cualquier momento que lo necesitara, y añadió: «¿Sabes? Yo también me siento irritado cuando el bebé no deja de llorar».

«Es más que eso», le dije yo, tratando de hacer que comprendiera. «Entre los momentos en que pierdo el control, experimento lo que creo que es una irritación y una frustración normales. De lo que estoy hablando es de algo diferente. Está totalmente fuera de proporción con el comportamiento del niño».

Con el apoyo de Michael, llamé a Mary Anne y le hablé de la situación. Ella oró conmigo, y ambas creímos que, mientras el bebé estuviera seguro, yo era lo bastante madura en el Señor para resolver el problema con Él. Me dijo que eso no se resolvería mediante una liberación instantánea. Era un proceso paso a paso, poco a poco. Y tenía razón. El proceso de sanidad fue largo y lento. Oré por él casi todos los días en los años siguientes, y lo que el Señor me mostró a través de todo eso fue lo mucho que me amaba Él.

Al principio, me pareció sorprendente saber que la capacidad para abusar de mi bebé estuvo oculta en mi personalidad. Lo que enfrentaba era un problema muy poco comprendido en esos momentos. Siempre había pensado en los que maltrataban a los niños como la escoria de la tierra, gente insensible, sin educación, despreciable, de mala vida. Al mirar su imagen y después examinarme a mí misma, no sentía que cabía en ninguna de esas categorías. Mi esposo y yo teníamos un ministerio de música, teníamos puestos de liderazgo en nuestra iglesia, y dirigíamos un grupo de oración y estudio de la Biblia que se reunía en nuestro hogar. Nadie se habría podido imaginar jamás que yo batallaba con ese problema.

¿Sería posible que el común denominador entre todos los padres abusivos sea que también recibieron maltratos en algún momento de su pasado? Si así fuera, ¿qué decir de mi madre? Siendo niña, nadie la maltrató. Sin embargo, mientras más analizaba esta situación, más veía que existían otros factores que se debían tener en cuenta.

Las personas que maltratan a sus hijos tienen emociones que no se han alimentado nunca. Los niños necesitan amor y afecto, y si no los reciben, no se desarrollan y quedan lisiados en ese aspecto. Sus emociones, ya sea a causa de un trauma, o de que no se les haya dado amor, o de que hayan recibido maltratos verbales o físicos, o que hayan sido objeto de abusos de tipo sexual, se encierran en sí mismas y dejan de crecer. El cuerpo crece porque recibe alimentos, y la mente crece porque recibe estímulos, pero las emociones nunca crecen. Muy dentro de cada persona abusadora hay un niño que necesita que lo amen hasta que quede sano. Mi madre no fue objeto de maltratos, pero a causa de los grandes traumas y tragedias que sufrió, se sentía rechazada y creía que nadie la amaba. Ya fuera algo real o imaginario, lo cierto es que sufría esas mismas consecuencias.

Esto me inspiró una mayor compasión por los padres que abusan de sus hijos. Al igual que yo, estaban metidos en una trampa. El abuso con los niños, una vez que comienza, es algo que puede ir pasando de una generación a otra, a menos que se lo detenga. Por fortuna, a pesar de lo fuertemente que sentía el rechazo, me detuve antes de llegar a maltratar a mi hijo, gracias a la sanidad que ya había recibido. Sin ella, yo también habría sido una madre abusadora.

Yo le pedía a Dios a diario que me ayudara a criar a mi hijo, porque sabía que no lo podía lograr yo sola. Aquel pequeñito era el regalo más maravilloso que Dios me había dado en toda mi vida, y la idea de hacerle daño de cualquier forma era demasiado dolorosa para pensar siquiera en ella. Esta era mi oración: «Dios mío, no permitas que Christopher sufra de la forma que sufrí yo. No permitas que sienta que nadie lo ama, o que lo rechazan, como me pasó a mí. No permitas que yo le haga daño en ningún sentido».

Me hicieron falta varios años para quedar sanada por completo; lo suficiente como para contar mi historia acerca de esa situación, pero cuando la conté en público, no estaba preparada para la reacción que produjo. El número de personas que habían pasado por experiencias similares era increíble. No tenía idea alguna de lo grande que era la necesidad de sanidad emocional para quienes fueron víctimas de maltratos en su niñez y seguían adelante, en la misma tradición, con sus propios hijos. Dondequiera que iba, la respuesta era abrumadora. Recibía un número incalculable de cartas procedentes de personas que clamaban pidiendo ayuda, porque fueron víctimas en el pasado, y ahora estaban atrapadas en sus circunstancias del presente sin visión alguna de esperanza para su futuro.

«Si yo he podido recibir liberación y sanidad, tú también las puedes recibir», les decía. «Tú *puedes* liberarte del pasado y del paralizante dominio que tiene sobre tu vida. Las cosas *pueden* ser distintas. Aun así, todo esto solo puede suceder por medio del poder y el amor de Jesús». La Biblia dice: «Tuya es, Señor, la salvación»[2]. Él es nuestro liberador. Él es nuestro sanador. Sin *Él*, nunca podremos sanarnos a nosotros mismos por completo.

«La forma en que sucedieron las cosas para mí fue solo pasando cada vez más momentos en la presencia de Dios», les seguía explicando. «Él nos pide que lo convirtamos en el centro de nuestra vida y que busquemos su presencia a cada momento. Cuando hacemos esto, su presencia responde a todas nuestras necesidades. La Biblia dice: "El Señor es el Espíritu; y donde está el Espíritu del Señor, allí hay libertad"[3]. También dice: "Él librará al menesteroso que clamare, y al afligido que no tuviere quien le socorra"[4]. Cada vez que clamo a Dios por esto, Él satisface mi necesidad. Dios está a la disposición de los que no tienen quién les aconseje, los que no tienen con quién hablar, los que no tienen ninguna otra persona que los comprenda».

La liberación de mis tendencias hacia el maltrato con el niño se tomó su tiempo, porque yo necesitaba aprender una nueva manera de pensar. Tenía que buscar la presencia de Dios y permanecer en ella el tiempo suficiente para que se produjera un cambio en mi corazón. Aunque es bueno buscar consejería, sabía que no podía vivir en la oficina de una consejera. Me tenía que familiarizar más con el *Consejero*. Tenía que permitir que Él me llevara con amor hasta la sanidad.

Mi primera liberación en cuanto a la depresión suicida, la ansiedad y los sentimientos de inutilidad fue instantánea. La liberación en cuanto a las tendencias a maltratar a mi hijo fueron un proceso que fue adelantando paso a paso mientras el amor de Dios me sanaba poco a poco.

En esa época, la iglesia crecía con mayor rapidez que el espacio que teníamos para las personas. Así que, mientras se construía un nuevo edificio, el pastor nos pidió que fuéramos una de las numerosas parejas que celebraran reuniones de grupo en sus casas una vez al mes, un domingo por la mañana. Comenzamos con dieciocho personas. Michael dirigía el momento de adoración desde el piano, y daba una pequeña enseñanza sobre la Biblia que se preparaba para todos los grupos que se reunían en los hogares en ese día. Esto permitía que los grupos en los hogares atendieran a más o menos un veinticinco por ciento de la gente de la congregación cada semana, con el propósito de que hubiera más espacio para la gente en la iglesia.

Los grupos en los hogares proporcionaban un ambiente en el que las personas se podían llegar a conocer y oraban juntas. Yo dirigía la oración y les pedía a todos los que tuvieran peticiones de oración que nos las comunicaran al resto de nosotros, de manera que pudiéramos orar al respecto. Para mi sorpresa, *todos* tenían una petición de oración importante, y no sentían timidez alguna a la hora de expresarla. Teníamos que terminar el culto a una hora fijada, antes de poder atender a todos los que necesitaban oración, así que invitaba a los que quisieran quedarse para orar, y muchos lo hacían.

Muy pronto se hizo evidente que necesitábamos disponer de otra noche una vez al mes, solo para orar. Cuando la programamos, unas veinte personas llegaron a la primera reunión. Michael se llevó a los hombres para la sala, y yo llevé a las damas a nuestro dormitorio, donde todas nos sentamos con las piernas cruzadas haciendo un círculo en nuestra cama de tamaño grande. En ese círculo íntimo en un cuarto privado se creaba un ambiente que permitía que todas las mujeres se franquearan y hablaran acerca de sus necesidades más profundas, sus luchas y sus deseos más íntimos. Todas contamos cosas acerca de las que ninguna habría soñado siquiera que estábamos sufriendo o luchando. Aún recuerdo a cada mujer y cada petición de oración como si hubiera sido ayer. Yo había visto cómo se movía el poder de Dios en *mi* vida de muchas maneras poderosas. Ahora lo veía moverse también en la vida de esas mujeres.

A lo largo de ese año, nuestro grupo en el hogar creció hasta tener setenta y cinco personas, lo cual era una gran cantidad para nuestra casa. Aun así, sobre todo se convirtió en un gran número de gente por la cual orar una noche al mes. Al final, todo el grupo era demasiado grande y tuvimos que dividirlo en grupos más pequeños. Nosotros dejamos la posición de líderes del grupo en el hogar cuando nos mudamos a otra ciudad. Permanecimos en la misma iglesia y comenzamos a tener grupos de oración en nuestro hogar. Teníamos un grupo de oración para orar por todos nuestros niños. También teníamos otro grupo de oración formado por parejas para orar por nuestros matrimonios. Y otro grupo de oración para orar por los trabajos, las profesiones y los ministerios. Más adelante, tuve un grupo de mujeres que nos reuníamos cada semana para orar por nuestras necesidades específicas.

Era emocionante ver cómo Dios respondía una oración tras otra en todas esas categorías. Aprendimos mucho acerca del beneficio que produce la oración y de su poder al orar junto a otras personas. Transformaba las vidas y se formaron unos lazos de amistad que sé que durarán para siempre.

A través de todo esto, veía el asombroso poder de la oración cuando acudíamos con humildad a Dios para decirle a Él lo que teníamos en el corazón y buscar en Él la satisfacción de nuestras necesidades. En todos los momentos de oración leíamos la Palabra de Dios y lo adorábamos antes de hablar de nuestras peticiones y orar.

Nuestros grupos de oración se convirtieron en una especie de resguardos protectores que ofrecían seguridad. Todos lo sentíamos. Cada vez que orábamos, sucedían cosas en el mundo espiritual, y el mundo de las tinieblas tenía que retroceder en cada una de nuestras vidas.

15
Milagros inimaginables

A la luz de toda la restauración que Dios estaba obrando en mi vida, le pedí una y otra vez que sanara a mi madre y restaurara la relación entre nosotras. Sin embargo, tal parecía que mientras más oraba por ella, peor se ponía.

Papá se retiró de su trabajo, y él y mi madre se mudaron a una granja de dos hectáreas en el centro de California. Era perfecto para él, siendo agricultor de corazón. Le encantaba criar vacas y caballos, y sembrar un gran huerto. Cuando dejó de estar en medio del estrés y la contaminación de la ciudad, para trabajar sin prisas al aire libre y comer frutas y vegetales frescos de su propio huerto, pude ver que esta manera de vivir le extendía su tiempo de vida.

Al principio, la mudada pareció ser buena también para mi madre, pero como siempre, sus momentos de normalidad solo eran temporales. Esta vez se hundió en su mundo de fantasía con mucha más rapidez y profundidad que antes. Ahora, todo su odio y amargura iban dirigidos directos hacia mi padre. En sus momentos de histeria, el método que usaba papá para superar la situación era salir con calma de la casa y dejarla que peleara sola. Era un pacifista de corazón. Esto la enfurecía tanto, que un día recogió una rama de un árbol muerto, se deslizó hasta detrás de él mientras estaba inclinado sacando malas hierbas del huerto y le pegó con todas sus fuerzas con la rama en la espalda. Su fortaleza era asombrosa cuando estaba llena de rabia. En otra ocasión, estando él fuera de la casa en un día muy frío de invierno, ella abrió el agua de la manguera del huerto y lo empapó con esa agua helada.

A medida que sus acciones se iban volviendo más abiertamente hostiles y violentas, yo me iba preocupando más por papá. En uno de los cultos le pedí a la iglesia que orara por el estado mental de ella. Miles de personas oraron, y yo tuve la esperanza de que Dios las respondiera y mi madre quedara sana. Sin embargo, aprendí que orar no es decirle a Dios lo que tiene que hacer. Es asociarnos con Él para hacer lo que quiere Él. Así que, en lugar de mejorar, ella siguió empeorando, esta vez con un nuevo giro.

Era normal que mi madre durmiera durante todo el día y deambulara por la casa durante la noche, peleando con unos enemigos imaginarios. Una mañana, despertó a papá a las tres de la madrugada. Había estado cocinando desde la medianoche, tenía una cena completa preparada y la mesa puesta para seis personas. A papá le dijo que sus voces le informaron que yo llegaría a cenar. Ahora le dijeron que yo estaba perdida en algún lugar de la ciudad. Quería que papá la llevara en el auto para buscarme.

Él la complació, como siempre hacía; era su manera de operar para conseguir la paz al precio que fuera necesario. Cualquier otra persona le habría dicho que se volviera a acostar o la habría mandado a encerrar en un psiquiátrico, pero papá no. Se acomodaba a la demencia de ella por razones que solo él mismo podía comprender.

A las cuatro y media de la mañana, recibí una llamada.

—¿Stormie? —oí cansancio en la voz de mi padre.

—¿Papá? ¿Sucede algo? —le pregunté, acabándome de despertar.

—Tu madre me dijo que ibas a venir a cenar y que estabas perdida en la ciudad. Te hemos estado buscando desde las tres de la mañana. ¿Vas a venir?

—Por supuesto que no, papá. Estoy acostada.

—Quiero que se lo digas a tu madre para que lo sepa —me dijo y le entregó el teléfono a ella.

—¿Dónde estás? —me dijo con brusquedad.

—En mi casa, acostada. ¿Dónde más habría de estar?

—Tú me dijiste que ibas a venir a cenar —su ira iba en aumento. Hacía semanas que no hablábamos y no nos habíamos visto en meses. Para ir en auto a la granja había que conducir durante cuatro horas, así que aquel no era la clase de viaje que nadie habría hecho solo para cenar.

—Yo nunca te he dicho eso. Ni siquiera he hablado contigo. ¿Dónde estás oyendo esas cosas? —le dije, sabiendo muy bien dónde las oía.

Por mucho tiempo, había sospechado que ella escuchaba voces de demonios y que estos controlaban su personalidad. Trataba de ayudarla a comprender que escuchaba mentiras, pero ella se negaba a hacerme caso. Estaba cegada ante la verdad y *no la podía* ver. Su propia personalidad estaba asfixiada debajo de unas gruesas ataduras y era incapaz de tener pensamientos razonables. Me colgó el teléfono indignada por completo.

En toda mi vida, nunca vi a mi madre perdonar a algo o alguien. Era una recolectora de injusticias de primer orden. Siempre tenía en la punta de la lengua el nombre de alguien que le hizo daño en alguna ocasión y podía relatar todo el incidente de manera detallada. Lo podía volver a vivir con la misma intensidad de sentimientos que cuando sucedió. Y así, de la misma manera que nunca perdonó a papá por sugerirle que ingresara en un hospital psiquiátrico, nunca me perdonó a mí por no acudir a su cena a las tres de la mañana.

Varios meses más tarde, Michael y yo llevamos a Christopher a visitar a mis padres. Cuando entré en su casa, noté que la mesa estaba puesta y había por lo menos medio centímetro de polvo en todas las cosas, y telarañas sobre los vasos.

«¿Por qué está tan sucia la mesa?», le susurré a papá. «Los platos están asquerosos».

«Tu mamá puso la mesa en algún momento alrededor de la medianoche en la noche antes a cuando te llamamos a las cuatro y media de la mañana y tú dijiste que no ibas a venir. Se enojó tanto, que se negó a quitar nada de allí. *A mí* tampoco me dejó tocar siquiera nada».

Cuando me tropecé con la fría mirada de mi madre, esa venenosa mirada que me era tan conocida, estaba claro que había vuelto a ocupar el primer puesto en su lista. Apenas me hablaba, aunque trataba de actuar con educación cuando Michael estaba con nosotras en la misma habitación.

Cuando mi esposo conoció a mi madre, como muchas otras personas, pensó que era «una mujer muy amable». Sin embargo, la primera vez que nos quedamos con mis padres un par de días en una Navidad, poco después de habernos casado, mi madre no pudo fingir más. Se tenía que comunicar con sus voces, así que se pasó toda la noche caminando por la casa, diciéndoles cosas odiosas a los que la trataban de matar. Se quejaba de la gente que le disparaba con pistolas de rayos láser y electrónicos, y la observaba a través de las ventanas, de los espejos y de la televisión. Según decía, el FBI la torturaba sexualmente. Yo no podía creer lo que escuchaba. Nunca la oí decir la palabra «sexualmente» en toda mi vida, y allí estaba ella, ¡mientras el FBI la torturaba sexualmente! *Imagínate lo sorprendidos que habrían estado si la hubieran oído*, pensaba yo.

Aunque Michael admitió muy pronto la demencia de mi madre, nunca la había visto en un arranque de cólera. Solo unas pocas personas escogidas la habían visto así, una de ellas mi tía, cuando llegó para ingresarla, y de seguro que fue algo que nunca olvidarían. Yo lo vi repetidas veces en mi niñez, mucho más que ninguna otra persona. A Michael se lo había evitado.

El odio que me tenía mi madre persistió a lo largo de todo el día que estuvimos allí. Yo traté de pasarlo por alto, pero era imposible. Cuando llegó el momento de la cena, dije:

—Voy a poner la mesa.

—¡La mesa ya está puesta! —me dijo, casi escupiéndome las palabras—. Ha estado puesta durante cuatro meses y vas a comer en ella tal como está.

—Pero está sucia —protesté como una niña pequeña, tratando de esconder mi amargura tras la inocencia.

¿Qué me sucedía que después de todos esos años, y toda mi sanidad y mi liberación todavía era capaz de reducirme a las emociones más bajas? Se suponía que yo era una cristiana adulta y líder de mi iglesia, pero me sentía como si estuviera golpeando a esa perversa anciana. Al parecer, los únicos momentos en los que podía sentir lástima por esa pobre persona deforme en lo emocional era cuando no estábamos en la misma habitación. No podía, ni nunca podría soportar en persona el odio que me tenía. Michael y yo limpiamos la mesa, lavamos todos los platos y pusimos la mesa de nuevo. Entonces, todos nos sentamos para servirnos una comida muy solemne y llena de tensión. Nos marchamos a la mañana siguiente, después de darnos cuenta de que no nos podíamos quedar por más tiempo, ni siquiera por papá. En el auto, le dije a mi esposo: «Yo no puedo regresar aquí jamás».

Quería obedecer a Dios, y honrar padre y madre, pero me costaba muchísimo trabajo la parte relacionada con la madre.

«Tú no tienes por qué ir allí para que te destruya», me aconsejó Mary Anne. «Hónrala desde lejos. No te sientas culpable si quedas libre para mantenerte alejada por un buen tiempo. Date tiempo para sanarte».

Se lo traté de explicar a papá, pero me dijo: «¿Por qué no te limitas a salir de la casa y no hacerle caso al igual que lo hago yo?».

«Papá, quisiera poder hacerlo, pero las cosas no funcionan de esa manera para mí. Aquí estoy, ya una mujer adulta y con mi propia familia, pero cuando estoy cerca de ella me siento de la misma manera que en mi niñez».

Él entendía por qué a mí se me hacía tan incómodo estar cerca de ella, y acordamos que iría solo a *nuestra* casa para visitarnos.

Ahora se intensificaron mis oraciones por mi madre.

«Tú eres un Redentor», le recordé a Dios. «Tú redimes todas las cosas, Señor. Te pido que redimas esta relación con mi madre. Yo nunca he tenido una relación de madre e hija. Sánala para que se pueda restaurar esa parte de mi vida».

Entonces, más claro que nunca en toda mi vida, oí que Dios me hablaba al corazón. Me dijo: «Yo voy a redimir esa relación, pero lo haré por medio de tu propia hija».

Parpadeé, tragué saliva y le dije con docilidad al Dios de la creación, el que todo lo sabe. «Pero Señor, si yo no tengo una hija».

El silencio era ensordecedor. Mientras esperaba la respuesta de Dios, pensaba: *Si tengo otro hijo, lo tendré cerca de los cuarenta años. Mi primer embarazo fue horroroso. No creo que logre sobrevivir a otro más. Siempre he estado a la defensiva cuando alguien nos ha sugerido que tengamos otro bebé. Dios no me exige nada que esté más allá de lo que soy capaz.*

Seguí batallando con la idea durante un largo tiempo, hasta que por fin me di cuenta de que peleaba en contra de la voluntad de Dios. Sabía que Él me amaría tanto si tenía otro hijo como si no, pero si yo quería toda la sanidad, la integridad y las bendiciones que Él tenía planeadas para mí, tenía que entregarle de nuevo mi vida y someter mi voluntad a la suya. Una vez que Michael y yo tomamos la decisión de obedecer a Dios, en realidad me sentí aliviada.

Mi alivio se convirtió en gozo cuando le pedí a Dios que no dejara que este embarazo fuera como el primero, y Él me respondió consolándome con las palabras: «Yo haré que salgas bien de él». Pensé que eso quería decir que iba a ser mejor.

Sin embargo, me quedé sorprendida, destrozada, abrumada y abatida cuando ese segundo embarazo resultó ser físicamente más difícil aún que el primero. De nuevo, se apoderaron de mi cuerpo unas náuseas violentas y comencé a perder peso. Mi dolor era como si alguien me hubiera echado agua hirviendo en las venas. Incapaz de ponerme de pie o de sentarme, tenía que quedarme boca arriba.

«Dios mío, ¿por qué?», clamaba. «¿Por qué esto de nuevo? ¿Me has abandonado?». Entonces, volví a escuchar sus palabras con claridad: «Yo haré que salgas bien de él». Me di cuenta de que nunca me dijo que esta vez las cosas serían diferentes; Él nunca ha dicho que en este mundo no vamos a tener problemas. Lo que dijo es que en el mundo tendremos problemas, pero «Yo haré que salgan bien de ellos».

Mi estado empeoró, y me ingresaron en el hospital para alimentarme por vía intravenosa. Mi mismo médico, uno de los mejores obstetras de la ciudad, intentó todas las cosas posibles. Se negaba a darme medicamentos para los dolores o las náuseas, por temor de poner en peligro al bebé. Yo agradecí su decisión, porque me sentía tan mal que habría tomado cualquier cosa con tal de aliviarme. Por último, mis venas fallaron y, en cuanto me quitaron la terapia intravenosa, mi estado empeoró. Sabía que necesitaba un milagro, pero ya estaba demasiado enferma para orar. Todo lo que podía decir era: «Jesús, ayúdame».

Cada hora que pasaba me parecía una semana a causa del sufrimiento y de las fuertes náuseas. No me podía sentar. No podía leer, ni ver televisión. No podía dormir. No podía hacer otra cosa más que estar allí acostada en mi cama de hospital y llorar. No tenía alivio alguno.

Mary Anne me visitaba con frecuencia y me leía las Escrituras hora tras hora. Me daba masajes en las piernas, la única parte de mi cuerpo que podía soportar que me tocaran, y sus ojos desbordaban compasión mientras veía cómo iba empeorando.

—Fui una tonta al embarazarme después de lo que me sucedió la última vez —le dije un día llorando—. ¿Por qué hice esto?

Ella me recordó la verdad a la que me cegaba el dolor.

—Tú lo hiciste como un paso de obediencia a Dios, ¿recuerdas? ¿Sabes? Hay una gran recompensa para la obediencia.

—Lo siento —le dije sollozando—. Lo que pasa es que en estos momentos no la puedo ver.

Entonces, volví a oír que Dios me decía: «Yo haré que salgas bien de esto». No sabía si esas palabras querían decir que iba a morir para estar con el Señor, o que los médicos iban a tenerme que sacar el bebé para salvarme la vida. Me parecía que esas eran las únicas dos alternativas, y ninguna era mi preferida. No podía soportar la idea de dejar atrás a mi pequeño niño, y sabía que si perdía a esta niña, era probable que nunca volviera a poder quedar embarazada.

Esa noche me vi en mi sueño cargando a una hermosa bebé de cabello oscuro, ojos castaños centelleantes, y pestañas largas y de color oscuro. Su imagen era tan vívida y clara que me daba felicidad solo pensar en ella. Nosotros aún no sabríamos el sexo del bebé hasta el nacimiento.

Cuando mi médico decidió que en el hospital no podían hacer nada más por mí, se hicieron arreglos para llevarme a casa. El pastor Jack me llamó esa noche antes que me dieran de alta en el hospital. Estaba desilusionado porque yo había llegado a un punto tal que era posible que tuvieran que sacarme el bebé.

Le dije: «No lo entiendo. Sé que Dios me puede sanar. Sé que se supone que tenga este bebé, pero los dolores y las náuseas nunca paran, y me siento demasiado débil para seguir orando».

En la voz de mi pastor había amor, compasión y preocupación cuando levantó una oración por mí una vez más.

El domingo por la mañana me dieron de alta del hospital. Los dolores y las náuseas eran peores que nunca, y yo estaba desanimada, por decirlo de la manera más sencilla. Estaba decidida a que, si no había cambio alguno a más tardar el martes siguiente, sacar a la criatura sería el próximo paso. No se podía hacer nada más y se estaba acabando el tiempo.

En casa, en mi propia cama, mi pequeño Christopher entró para ver a su mamá. No entró corriendo feliz para verme, como lo hacía siempre. Entró con cautela y mantuvo su distancia. Yo no había sido madre para él durante cuatro meses, y ahora éramos extraños. No lo podía cargar, ni leerle nada, ni jugar con él. En lo emocional, me estaba dejando atrás. Me dijo de manera cortés: «Hola, mamá», y después salió corriendo del cuarto para seguir su vida. Eso me partió el corazón.

Bob y Sally, dos amigos muy cercanos, llegaron a nuestra casa con sus hijos para aliviar por un tiempo a Michael de la carga que significaba toda esa dura experiencia. Prepararon las comidas para el día y acompañaron a Michael y a Christopher. No había nada que pudieran hacer por mí, así que me dejaron sola, y yo les estuve agradecida.

Esa tarde, poco después de las seis, casi pego un salto en la cama. Me senté y me dije: «¿Qué acaba de suceder?». Me tomó un momento darme cuenta de que repentinamente ya no sentía dolores, ni náuseas.

Me senté en el borde de la cama por unos minutos para ver si regresaban esas cosas. Cuando nada cambió, me levanté poco a poco y caminé hasta el cuarto de baño que estaba junto a nuestro dormitorio. Me miré en el espejo y vi mi delgada cara y mis ojos hundidos, y entonces regresé caminando con sumo cuidado para sentarme en la cama por un momento. Sintiendo aún que no tenía náuseas ni dolores, me levanté y me fui caminando hasta el cuarto de estar, donde mi esposo veía televisión. Faltó poco para que se cayera del sofá cuando se levantó de un golpe y me dijo:

—¿Qué haces levantada?

—No lo sé —le dije incrédula—. De repente, me sentí distinta. Los dolores desaparecieron y las náuseas también. Quizá vuelvan en cualquier instante —añadí, revelando la amplitud de mi profunda fe.

Después de meses de agonía, temía esperar que ese sentimiento de alivio físico fuera a perdurar. Michael me miró asombrado y dijo en voz baja:

—¡Alabado sea Dios!

Yo salí caminando poco a poco del estudio y recorrí el largo pasillo para entrar en la cocina, donde Sally lavaba los platos de la cena. No había comido mucho durante meses, y hasta con la alimentación intravenosa me sentía muy débil.

—¿Qué haces *tú* aquí? —me dijo asustada al volverse a mí.

—No sé lo que sucedió, Sally. De repente, me sentí mejor.

—Bueno, ¡aleluya! —exclamó, levantando la voz—. ¿Quieres comer algo solo para demostrar que es cierto lo que dices?

—¡Sí, pronto, antes que vuelvan esas cosas!

Ella me dio un tazón con pedazos de pera y un poco de pan tostado seco. Eso me supo como si fuera una cena *gourmet*. Me lo comí todo, dándole gracias a Dios por mi alivio. Aunque las dolencias regresaran, poder masticar y tragar algo era como estar en el cielo.

Esperamos, pero no volvieron las náuseas ni los dolores. Exhausta, me fui a la cama y dormí durante toda la noche.

A la mañana siguiente, todavía me sentía mucho mejor, pero decidí esperar uno o dos días antes de llamar al pastor Jack para decirle lo sucedido, en caso de que todo regresara. Cuando por fin lo llamé, le describí en detalle los sucesos que rodearon la noche del domingo.

—Alabado sea Dios, ¡te sanaste! —me dijo en seguida.

—¿De veras? ¿Usted lo cree en realidad?

—Stormie —me dijo, suspirando con paciencia—. *Lo sé*. Ese fue el mismo momento en que la congregación oraba por ti en el culto del domingo por la noche.

Me quedé atónita.

—¿Todos ustedes oraron por mí? ¿Me quiere decir que no volveré atrás?

—No, estás sanada —me dijo con firmeza.

Tenía razón.

Solo a semanas de la fecha en que debía dar a luz, volé a Nueva York para estar con mi esposo en la ceremonia de los Premios Grammy, donde ganó tres Grammys por producir un álbum llamado *Christopher Cross*. Era el primer artista que ganaba los cuatro premios principales: Álbum del Año, Disco del Año, Canción del Año y Mejor Artista Nuevo... todos en la misma noche. Fue un momento emocionante, y le di gracias a Dios porque hizo posible que yo participara en una noche tan importante para mi esposo. Nunca lo habría podido hacer si Dios no hubiera hecho un milagro.

Poco después de regresar a casa, nació la bella niña de cabello oscuro, con los ojos castaños y las largas pestañas de color oscuro. Le pusimos el nombre de Amanda, que significa «digna de ser amada», De inmediato pude ver que todo era diferente en esta oportunidad. No sentía el impulso de ser abusiva. No perdía nunca el control. No sentía rabia, ni ira, ni había indicio alguno del problema anterior. Dios me liberó y me sanó de todo eso.

Tan pronto como me recuperé lo suficiente de otra cesárea, me concentré en rescatar el tiempo perdido con Christopher. Todas las tardes, cuando Amanda dormía, le pedía a alguna amiga que la vigilara mientras yo lo llevaba a algún lugar especial; solos nosotros dos. Aunque él se sentía muy orgulloso de su hermanita, yo hice que se sintiera importante y mayor, dándole un beso de despedida e informándole que ella era demasiado pequeña para que fuera a donde iríamos nosotros. En las tres horas que estábamos juntos, Christopher y yo volvimos a establecer los lazos entre nosotros. Caminábamos y conversábamos. Íbamos al parque, a ver una película para niños, a un minigolf o a la juguetería. Este era *nuestro* tiempo, y al cabo de dos semanas, se reparó todo lo que se dañó durante esos meses de mi enfermedad.

Desde el momento en que nació Amanda, comenzó la sanidad. Así como una herida abierta se va sanando con lentitud día a día, yo sentía que una herida en mis emociones, en algún lugar de mi corazón, comenzaba a sanar. Fui a mi primer té entre madres e hijas en la escuela de Amanda el Día de las Madres. Fue más emocionante de lo que pueda describir. Sentí compasión por las dos niñitas cuyas madres no asistieron. Antes siempre era yo. Nunca tuve una madre que asistiera. Ahora iba como mamá.

Los hermosos ojos castaños de Amanda brillaban cuando subió a la plataforma con sus amigos para entonar los cantos y recitar el poema que estuvieron ensayando para sus madres. Cada vez que pasaban unos segundos, ella se las arreglaba para mirar un instante en mi dirección para ver si yo la observaba.

Y lo estaba.

Dios cumplió su promesa de restaurar mi perdida relación de madre e hija, y lo hizo durante los años siguientes por medio de mi propia hija. ¿Quién se lo habría podido imaginar jamás?

16
La falta de perdón oculta

A partir de entonces, muchos grupos diferentes de personas me pidieron que hablara en sus reuniones. Cuando mis hijos eran pequeños, no aceptaba más que una vez al mes en un sábado cuando mi esposo se podía quedar en casa para cuidarlos. Era bueno que viera la cantidad de tiempo y de esfuerzo que se necesitaba. Era bueno para ellos que pasaran un tiempo con su papá. Y también era bueno para mí alejarme por un día.

Cada vez que hablaba, siempre incluía mi historia sobre la forma en que Dios me restauró en su totalidad. Él me indicó en específico que incluyera por lo menos una parte de mi testimonio en todas las charlas que diera, sin importar de qué se tratara el tema. Me habló al corazón para decirme: «Relata la historia de lo que yo he hecho en tu vida. No te preocupes de quién ya la escuchó ni de quién no. Estoy usando para bien lo que el enemigo quería usar para mal». Las dos veces que no lo incluí, la gente se me acercaba después para expresarme su desilusión, diciéndome algo así: «Traje aquí a mi amiga para que escuchara su historia y usted ni siquiera la mencionó. Estoy muy molesta. Sé que habría significado mucho para su vida». Me sentía mal por lo sucedido y por eso decidí no volver a dejar de hacerlo nunca más.

Cada vez que relataba mi historia, había sin falta un número sorprendente de personas que me decía que sufría de las mismas heridas y cicatrices que tuve yo en el pasado. Se sentían morir por dentro y necesitaban saber que había vida para ellas después de la muerte. Yo me sorprendía ante esa respuesta.

Otra cosa que oía decir con frecuencia después que hablaba era: «¿Se llega uno a liberar alguna vez del sufrimiento?». Esta pregunta era frecuente entre las personas que hirieron de manera profunda o maltrataron en su infancia. Sabía de inmediato a qué sufrimiento se referían.

«No lo sé», les contestaba. «Yo recibí una sanidad y una libertad inmensas, más allá de todo lo que creí posible, pero no sé si alguna vez llegará a desaparecer ese sufrimiento».

El sufrimiento que procede de un fundamento de rechazo es un constante «sufrimiento en las entrañas», y muchas personas, como yo, lo aceptan como parte de la vida. Nos acompaña a cualquier parte que vayamos. Antes de conocer a Jesús, silenciaba mi sufrimiento con métodos que, a la larga, solo servían para hacerlo peor. Hasta en mis momentos de mayor felicidad, el sufrimiento siempre estaba presente, esperando la más mínima insinuación de rechazo para hacérnoslo sentir de inmediato, reafirmando todos los sentimientos negativos que había tenido acerca de mí misma. Después de establecer mi relación con Dios por medio de Jesús, fui capaz de llevarle a Él mi dolor en oración de manera continua. De seguro que las cosas habían mejorado mucho y eran más controlables, pero seguía presente.

Un día, Mary Anne me llamó a su oficina para hablarme acerca de un sueño que tuvo y en el que creía que Dios le reveló por qué todavía parecía tener esa intranquilidad en mi alma.

—Tienes una falta de perdón sin confesar hacia tu padre.

—¿Qué dices? —exclamé con indignación—. De ninguna manera, Mary Anne. Esta vez te equivocaste.

—Para serte sincera, Stormie, eso no lo habría pensado por mí misma. A decir verdad, creo que el sueño que tuve fue de Dios.

Me quedé callada.

—Ora por esto a ver lo que Él te dice a ti.

—Tú no comprendes. Mi papá es un hombre excelente y nunca me ha hecho nada malo. Nunca me ha puesto la mano encima, con la excepción de una ocasión en la que mi madre lo empujó a hacerlo. ¿Por qué necesitaría perdonarlo?

—Pídele a Dios que te hable de esto —me repitió con delicadeza.

Cuando iba de vuelta a casa, oré diciendo: «Dios mío, ¿de qué está hablando Mary Anne? ¿Hay alguna verdad en todo esto?».

Entonces, de repente, como si un acero me penetrara en el corazón, casi me doblo de dolor. Me vi de nuevo en el clóset, llorando en silencio. *¿Por qué papá nunca abre la puerta para dejarme salir?* Ese pensamiento era tan doloroso que comencé a sollozar de manera histérica. Cegada por las lágrimas, tuve que sacar el auto hasta el borde de la autopista.

«¡Dios mío, ayúdame!». Luché para controlarme. En esos momentos, vi con claridad que era cierto que albergaba en mi interior una falta de perdón contra mi padre por no haber acudido ni una sola vez a rescatarme cuando era niña. Nunca me sacó del clóset. Ni una sola vez me salvó de la locura de mi madre. Mi único protector me decepcionó. La falta de perdón que llevaba dentro no se había confesado porque nunca me había permitido pensar de manera consciente con ira hacia él.

Solo un par de años antes de esto, me enteré para mi sorpresa, al enfrentar a mi papá acerca de mi niñez, que él no sabía todas las veces que mi madre me encerró en el clóset. Aunque alivió mi mente saberlo, no sanaba la herida. Y no me liberaba de la esclavitud de toda una vida de falta de perdón escondida hacia él. Sentía que si hubiera estado colgando del borde de un precipicio con las puntas de los dedos, cualquier autoridad masculina en mi vida hubiera seguido caminando y me hubiera dejado caer. No podía depender de ninguna persona que viniera a socorrerme, así que tenía que usar siempre mi energía para mantenerme firme y nunca podía descansar.

Mary Anne y su esposo nos pidieron a Michael y a mí que nos reuniéramos con ellos después del culto de un Viernes Santo para orar por mí a fin de que me liberara de toda esta falta de perdón escondida. Una vez más, acepté ayunar durante tres días antes de hacerlo.

Por raro que parezca, junto con todo esto comencé a sentir que me estaba volviendo loca. Había oído decir que existía una línea muy fina entre la salud mental y la locura, y sentí de repente como si la estuviera atravesando. Después de unos años de *no* sentirme de esa manera, no podía comprender por qué de repente tenía una clara sensación de estar perdiendo la mente. Era mucho más fuerte de lo que experimenté antes. Muchas veces me había preocupado que fuera a terminar como mi madre, pero nunca me había sentido ni cerca siquiera de esa situación hasta ahora.

Llegó el Viernes Santo y todos nos reunimos como planeamos en la oficina de consejería. Yo confesé mi falta de perdón hacia mi papá, y cuando lo hice, de nuevo fue como si me penetrara una hoja de acero hasta el corazón, solo que esta vez desató un torrente de emociones que no se parecían en nada a cuanto había sentido en mi vida adulta. Lo reconocí como el sufrimiento que sentí siendo una niña pequeña, mientras estaba encerrada en un clóset sin nadie que me ayudara. Era el mismo sufrimiento que de vez en cuando se desbordaba con tanta fuerza dentro de mí que me tenía que apartar de mis amistades de la escuela o irme a doblar contra un cubículo del baño en la CBS.

El dolor salió a la superficie con toda su fuerza. Sollocé con una profunda aflicción que me salía de lo más profundo de mi ser. Eran unos sollozos que había estado reprimiendo con rigidez en la garganta durante años, porque mi madre me amenazaba con darme una golpiza si lloraba. Sentía aquel dolor como si estuviera dando a luz a algo mayor de lo que mi cuerpo podía sacar de sí; algo tangible, algo inconmensurable.

Mary Anne y su esposo me ungieron con aceite, me impusieron las manos sobre la cabeza y ordenaron en el nombre de Jesús que quedara roto todo el dominio que pudiera tener sobre mi vida cualquier espíritu de opresión. Un último estremecimiento de dolor me sacudió el cuerpo y todo terminó. Sobre mi ser se asentó una nueva paz interior.

Con la expulsión de esa falta de perdón y esa rabia sepultadas en lo profundo, quedó destruida la última fortaleza que mantenía el diablo sobre mi vida. Ahora podía ver con claridad que la falta de perdón reprimida me llevó a un tipo de desequilibrio mental. ¿Acaso podría ser eso lo que le sucedió a mi madre? ¿Que toda su falta de perdón la interiorizara hasta el punto de que su manera de ver la vida llegara a deformarse por su causa? Aunque estaba segura de que no era lo único que la llevó a su desequilibrio mental, tenía la certeza de que una mente sana no puede coexistir con una falta de perdón y una rabia profundas. Hay un enlace directo entre el perdón y la integridad.

Vi también que la liberación es un proceso que tiene lugar de diferentes formas y en distintos momentos. Algunas veces solo se produce al pasar tiempo en la presencia de Dios y caminar en obediencia a Él, como la forma en que me liberé de mi temor a los cuchillos. Otras veces, se produce al clamar a Dios en oración y exaltarlo en alabanza, como me sucedió cuando descubrí mi potencial para maltratar a los niños. Otras tienen lugar en la oficina de consejería con la dirección de consejeros cristianos preparados y calificados, como sucedió cuando me liberé de las depresiones que me tenían paralizada. Sin embargo, suceda como suceda, solo es Jesús, el Liberador, quien nos puede liberar de veras. Él es la única luz verdadera que viene para quemar y destruir las tinieblas que tratan de separarnos de todo lo que Dios tiene para nosotros.

A la mañana siguiente, noté con toda claridad que no tenía sensación alguna de estarme volviendo loca. Me sentí normal por completo, y nunca regresó la sensación de ir rumbo a la demencia. Creo que me liberé de un espíritu de locura. Ese espíritu no me poseía porque yo tenía a Jesús y al Espíritu de Cristo dentro de mí, y Él saca fuera todo lo demás. No obstante, el enemigo conoce nuestras debilidades, y viene para oprimirnos al recordárnoslas. Mi temor de largo tiempo en cuanto a llegar a ser como mi madre era el estado perfecto para oprimirme con esos pensamientos.

Entendí que el mundo de las tinieblas nunca deja de atacarnos. A nosotros nos corresponde desprendernos de todo a lo que nos hayamos aferrado que no proceda de Dios. Me di cuenta de esto: *Nuestra responsabilidad es la de conocer más cada día a Dios.*

Eso se debe a que el enemigo de nuestra alma utilizará en nuestra contra todo lo que no sabemos acerca de Dios.

Por vez primera en mi vida, vi lo poco que sabía acerca de mi padre. Nunca nadie me ofreció información acerca de él, y a mí nunca se me ocurrió pedirla. En mi subconsciente, siempre lo había considerado como una unidimensional figura de palo, pero ahora que era libre de toda mi falta de perdón, descubrí aspectos de su personalidad y cualidades de su carácter que nunca antes había reconocido. Era el mayor de ocho hermanos, tres niños y cinco niñas, y por eso tenía una gran responsabilidad en su hogar. Creció en una granja de Pensilvania y sus padres eran cristianos consagrados, aunque su papá era demasiado estricto y no era afectuoso. Su padre era el superintendente de la iglesia y su madre era la organista. Esto me sorprendió porque nunca en mi vida había oído a papá mencionar las palabras «iglesia» o «Dios».

«Papá, ¿por qué tú nunca fuiste a la iglesia ni una sola vez desde que dejaste la casa paterna?», le pregunté después que me sorprendió con esta nueva información.

«Para llegar a una iglesia, teníamos que caminar dos kilómetros y medio atravesando los campos», me respondió. «Íbamos dos veces, los domingos y todos los jueves por la noche, sin importarnos si granizaba, llovía o nevaba. Cuando llegábamos allí, nos sentábamos cerca de cuatro horas seguidas en unos incómodos bancos de madera, mientras el predicador despotricaba y desvariaba hablando del fuego y del azufre del infierno. Era lo más aburrido del mundo, y a los niños no se nos permitía movernos, ni hacer un solo sonido. Yo siempre he creído en Dios, pero decidí que, una vez que me marchara de casa, *nunca* me volvería a someter a una tortura así».

Por otros parientes supe que papá fue un joven muy bien parecido y que lo persiguieron muchas mujeres. Sin embargo, él era tímido y no le prestaba atención a ninguna, hasta que conoció a mi madre cuando tenía algo más de treinta años. Ella tenía veinticuatro, y se quedó prendado de su belleza y su encantadora personalidad en las fiestas. Se enamoró de ella y siempre permaneció enamorado de la primera impresión que tuvo de su persona, incluso después que ya no quedaba rasgo alguno en la realidad. Era evidente que la esperanza de que «algún día saliera de eso» y volviera a la normalidad era la que lo mantenía vivo.

Después que perdoné a papá, pude ver lo mucho que *me* amaba en realidad. Nunca lo mostraba abiertamente porque se habría sentido incómodo al hacerlo, pero su amor estaba presente de todas formas. Descubrí que aunque un padre o una madre ame mucho a un hijo, a menos que ese hijo *perciba* ese amor, no se va a *sentir* amado. El hecho de darme cuenta de esto hizo que me volviera más afectuosa de forma deliberada con mis propios hijos.

Seis meses después de esa sesión de consejería del Viernes Santo, yo había llegado a un nuevo nivel de paz y reposo que nunca antes me había imaginado. Hablé ante un grupo numeroso de personas y les relaté la historia de mi restauración total. Cuando terminé, tuvimos un tiempo de preguntas y respuestas, donde una dama se puso de pie y me preguntó: «¿Se llega una a liberar alguna vez del dolor?».

Llena de gozo, sonreí y le respondí: «¡Sí! Por primera vez en mi vida puedo decir que es posible liberarse de veras del dolor. No es algo que suceda de la noche a la mañana, pero sucede».

17

La paz que sobrepasa todo entendimiento

Mi madre no había salido de la casa en cinco años, así que pasarnos otras Navidades sin ella no era nada extraño. Papá vino a nuestro hogar, junto con mi hermana y su familia, y todos celebramos juntos. Parte del regalo que le dimos Michael y yo a papá ese año fue un viaje al este del país para visitar a sus parientes. Se lo entregamos temprano, para que pudiera ir y regresar a tiempo para pasar el día de Navidad en nuestra casa. Tenía planes de regresar a su granja el día siguiente al de Navidad.

Durante ese tiempo, nadie se preocupó de mi madre porque a ella siempre le encantaba estar sola. Era su oportunidad para hablar con las voces que tenía en la cabeza y hacer lo que quisiera sin que nadie la limitara. En el garaje había un gigantesco congelador lleno por completo de comida, así que no le iba a faltar nada de comer tampoco.

Cuando papá regresó a su casa después de Navidad, se encontró con que ella no había lavado ningún plato durante las dos semanas en que él estuvo fuera, ni había comido gran cosa durante los últimos días. Lo primero que pensamos fue que su característica negación a realizar las tareas de la casa había hecho que dejara de comer cuando se le acabaron los platos limpios. Cuando le dio la impresión de que quería comer, pero no podía, papá llegó a la conclusión de que debía tener gripe. Su estado mental se había deteriorado a pasos acelerados durante los dos últimos años, así que era difícil comunicarse con ella. Era imposible lograr que diera una respuesta que tuviera sentido. Según iba perdiendo el contacto con la realidad, apenas seguía teniendo el aspecto de un ser humano.

Solo unos meses antes, la perrita de mi madre y de papá se enfermó y murió. Mi madre se negó a creer que la perra estaba muerta. Puso el cuerpo en medio de su propia cama, y todos los días le ponía comida en la boca, le echaba agua por la garganta y le hablaba a ese cuerpo muerto como si fuera un animal vivo. Cada vez que papá se acercaba a la perra y hablaba de enterrarla, mi madre se ponía histérica. Por fin, esto convenció a mi papá de que era hora de ver cómo la podía ingresar en un hospital psiquiátrico. Fue en busca de ayuda, pero descubrió que había unas nuevas leyes que hacían mucho más difícil ingresarla. Tenía que demostrar que ella se podía hacer algún daño físico a sí misma o hacérselo a otra persona. Puesto que no podía probarlo, tenía las manos atadas.

Después que la perra llevaba muerta sobre la cama de ella más de una semana, el mal olor era lo bastante fuerte como para mantener a papá despierto por la noche en su cuarto, que estaba al otro lado del vestíbulo. Sabía que tenía que actuar. Puesto que mi madre dormía el día entero y se pasaba toda la noche deambulando por la casa y hablando con las voces, papá esperó a que estuviera profundamente dormida. Alrededor de la media mañana entró sin hacer ruido, sacó de la cama el pequeño cadáver y lo enterró en el campo detrás de la casa. Sabiendo lo que sucedería cuando se despertara, hizo muy profundo el hoyo y lo cubrió bien.

Cuando mi madre se despertó y vio que la perra no estaba allí, se puso enojada e histérica.

—¿Dónde está la perra? —le exigió a mi padre que le dijera.

—Yo la enterré. Estaba muerta —le contestó de una manera rotunda.

—No está muerta. ¡La enterraste viva! —gritaba una y otra vez mientras corría en busca de la pala.

Cavó por todas partes en busca de la perra. Hasta cavó en el mismo lugar donde papá la enterró, pero el hoyo era lo suficiente hondo como para que mi madre no la encontrara jamás. Por fin se dio por vencida y dejó de buscarla.

Después de eso, fueron en aumento las quejas de mi madre acerca de que había gente que le disparaba. «Me están disparando con rayos láser al estómago y al pecho. Me están lanzando rayos al cerebro. Quieren información, pero no se las voy a dar», me decía cuando la llamaba.

Le tenía lástima, pero no la suficiente como para visitarla. Ya no la odiaba, pero sus ataques verbales en mi contra iban en aumento también. Actuaba como si me despreciara, y aunque comprendía que se trataba de su odio a sí misma dirigido hacia fuera, no podía soportar su compañía.

Mi hermana siempre se entendía bastante bien con mi madre, y la visitaba con regularidad. Después de las Navidades me dijo que nuestra madre tenía muy mal aspecto; había perdido mucho peso, tenía el rostro hinchado y la piel amarillenta. Mi papá se mantenía firme en su creencia de que solo tenía una gripe.

Antes de que Michael y yo lleváramos a los niños a unas vacaciones de familia en Hawái, llamé a papá para saber de mi madre.

—Está mejor —me dijo—. Se está quedando en la cama y yo le estoy llevando allí las comidas. Ahora está comiendo mejor; ya no está vomitando.

—¿Quieres que vaya para ayudarte con ella?

—No, no. Ahora ya está mucho mejor —me aseguró.

En la mañana siguiente a nuestra llegada a Hawái, me levanté antes que todos los demás y me fui a caminar por la playa. Ese era mi tiempo a solas para hablar con Dios. Me parecía que siempre lo podía escuchar con mayor claridad cuando estaba lejos de los teléfonos, las obligaciones, las fechas límite y la gente, y cerca de las bellezas de su creación. Cuando regresé a nuestro cuarto en el hotel, en ese mismo momento se estaba levantando todo el mundo. Nos vestimos y salimos a comer. Después de desayunar, regresamos al cuarto del hotel y al llegar, vi que en el teléfono parpadeaba una luz roja indicando que alguien llamó y dejó un mensaje. En seguida sentí que era algo serio. Llamé a la recepción y recibí el mensaje de que me comunicara con mi hermana en la casa de mis padres. Marqué el número en seguida, segura de que iba a recibir una mala noticia, porque ni mi hermana ni papá me llamaron antes en medio de unas vacaciones.

Mi papá fue el que respondió. «Tu madre está muy enferma, Stormie», me dijo con una voz que indicaba preocupación.

—Estamos tratando de llevarla a un médico, pero ella no quiere ir. Hay una ambulancia aquí ahora, pero se encerró en el baño y nadie ha logrado hacerla salir.

—¿Dónde está Suzy?

—Está hablando con ella a través de la puerta del baño.

¿Hasta qué punto puede estar tan enferma, me pregunté, *si está lo bastante fuerte como para encerrarse en el baño?*

Entonces oí que papá gritaba: «¡Suzy, Stormie está al teléfono!».

Cuando Suzy me habló, el tono de su voz me hizo ver lo grave que era la situación.

—Mamá está enferma de verdad. Tú no la podrías reconocer. Debe haber perdido como veintisiete kilos de peso. Es solo piel y huesos, y su aspecto es terrible. Creo que se está muriendo —dijo.

De repente, su voz mostró su madurez.

—¿Estás segura? —le pregunté incrédula.

Pensé: *¿Cómo puede ser posible si hace solo unos días papá me dijo que estaba mejorando y ahora se está muriendo?*

—Se niega a salir del baño para irse con los asistentes de la ambulancia que están esperando aquí. ¿Qué debo hacer? Ella tiene dolor. Necesita ayuda —dijo y se le quebrantó la voz.

—Suzy, es probable que les tenga miedo a esos hombres. Tal vez piense que la van a matar. Si no puedes lograr que se vaya con ellos, deja que se marchen. Después que se vayan y ella salga del baño, pregúntale si te deja que la lleves al hospital. Tú eres la única persona a la que va a escuchar. Dile que no puedes soportar verla sufrir y que le van a dar algo para ayudarla. Dile que no la vas a dejar sola, que te quedarás con ella.

—Muy bien —dijo con convicción y seguridad en la voz.

—Nosotros vamos a ir en el primer vuelo que salga. Te llamaré para decirte a qué hora llegaremos —le dije y colgué el teléfono.

En mi interior sentí una urgencia repentina. Tenía que llegar a casa. «Dios mío, te ruego que me ayudes a llegar allí antes que ella muera», oré mientras llamaba a la compañía de aviación.

No había vuelos con asientos para cuatro personas hasta la medianoche, y yo no estaba dispuesta a ir sin mi familia. Temía ver a mi madre sola, sin Michael y mis hijos.

Nos tomó el resto del día empacar, devolver el auto alquilado, salir del hotel y hacer una llamada tras otra para ver si podíamos tomar un vuelo que saliera más temprano.

Antes de marcharnos para el aeropuerto, hablé de nuevo con Suzy. Ella siguió mis sugerencias y nuestra madre aceptó ir al hospital. Suzy y papá la llevaron hasta el auto y se fueron con ella hasta la entrada de urgencia. Suzy se quedó con ella hasta que la ingresaron en el hospital, le dieron algo para el dolor y se quedó dormida.

—¿Qué dijo el médico? —le pregunté.

—Es un cáncer. No lo va a superar. Solo se van a mantener dándole algo para el dolor.

—¡Ay, no! —dije llena de culpa por no haber estado allí, y también de tristeza por los intensos sufrimientos de mi madre.

—Stormie —me dijo Suzy después de una breve pausa—, no te sientas culpable si no llegas antes que ella muera. Está tan mal que es preferible que no la veas en ese estado.

Hubo un silencio mientras yo contenía las lágrimas y trataba de tragar saliva para hablar.

—Gracias, Suzy. No te imaginas lo mucho que te agradezco que me dijeras eso.

Aunque tenía un gran deseo de ver a mi madre antes que muriera, también temía que mi hermana y mi padre estuvieran enojados conmigo por el resto de mi vida por no haber estado allí.

Abordamos el avión alrededor de la medianoche y llegamos a Los Ángeles a las ocho de la mañana. Fuimos a casa, tiramos al suelo el contenido de las maletas y las volvimos a llenar con ropa de abrigo, mientras Michael nos preparaba a todos algo para comer rápido e improvisaba unas camas en la parte trasera del auto para que los niños pudieran dormir.

Llamé a la casa de mis padres y nadie me respondió. Entonces, llamé al hospital y pedí que me transfirieran la llamada a la habitación de mi madre.

—Ella está en una condición muy crítica —protestó la recepcionista.

—Yo soy su hija —insistí.

Louis, el esposo de Suzy, respondió al teléfono.

—Louie, vamos a salir de casa en este mismo instante. ¿Cómo está ella?

—No sé si vas a llegar a tiempo —me dijo, con la voz notablemente temblorosa.

—No puedes hablar en serio. ¿Quieres decir que no va a durar cuatro horas más? —le pregunté horrorizada.

No lo podía creer. Todo estaba sucediendo con demasiada rapidez.

—Tú no sabes en qué estado se encuentra —le tembló la voz—. Ya no parece tu madre, Stormie. Ya no es la misma persona.

—Nosotros estaremos allí tan pronto como podamos, Lou. Vamos a ir directo al hospital.

Él me dijo cómo llegar, y detrás de él pude escuchar que mi papá y mi hermana hablaban, mientras mi madre gemía en el fondo.

Nos metimos en el auto, y casi volamos hasta allí, acelerando cada vez que encontrábamos una luz verde sin tránsito. En el auto, yo me quebranté y comencé a sollozar. «Señor, por favor, permíteme llegar allí antes que ella muera. Por favor, Dios mío, no dejes que muera antes que la vea».

Miré al asiento trasero y me encontré con dos pares de ojitos muy preocupados que me devolvieron la mirada.

—Estoy bien —dije para tranquilizar a Christopher y Amanda—. Mamá solo teme que abuela se muera antes que lleguemos allí.

—Eso sería muy triste —me dijo Christopher, el de siete años.

—Yo también me voy a poner triste —dijo Amanda, de casi tres años de edad, sin comprender del todo, pero con el deseo de ser como su hermano mayor.

Yo siempre había sido sincera con mis hijos, y había hablado con ellos de una manera veraz tanto como pensaba que podían comprender. Christopher sabía que mi madre me trató mal en mi niñez, pero comprendía que eso se debía a que estaba enferma.

—Abuela siempre los ha amado a *ustedes* —les aseguré a los dos.

Oré en silencio durante todo el camino. Algo había en mi interior que tenía la esperanza de que mi madre y yo nos viéramos, y las cosas serían diferentes. Tal vez hubiera recobrado la sanidad mental y pudiera desprenderse por unos minutos del odio que me tenía, de manera que nos pudiéramos comunicar como madre e hija. Hasta tenía sueños locos en los que veía que nos pedíamos perdón la una a la otra por la forma en que ambas nos hicimos daño, y tal vez hasta nos podríamos decir: «Te amo».

Mientras íbamos para allá, recordaba todas las veces que mi madre se quejaba de que había una gente que le disparaba en el pecho, la cabeza y el estómago. Nunca se le ocurrió a ninguno de nosotros que hablaba de un dolor verdadero.

Pensé en mis llamadas periódicas para hablar con papá y de cómo a menudo le daba el teléfono a mi madre. Ella respondía siempre con el mismo tono poco amistoso.

—Hola, mamá. ¿Cómo estás? —le decía fingiendo lo más posible una voz alegre.

—¿Cómo crees que puedo estar? —comenzaba con ira, y después procedía a vomitar toda la basura que rodeaba sus días.

A partir de ese momento, no podía decir ni una sola palabra, así que dejaba el teléfono sobre la cama y lo controlaba cada cinco minutos más o menos. Ella seguía hablando, sin molestarse siquiera porque yo no había contribuido en nada a la conversación. Treinta o cuarenta minutos más tarde, tomaba el teléfono y le decía en voz muy alta:

—Madre, te tengo que dejar. Adiós.

Mi padre decía que después de hablar conmigo, mi madre siempre se sentía un poco mejor y no le tenía que dar tantas quejas a él. Yo consideraba que esos momentos de teléfono con mi madre le salvaban la vida a mi papá.

Pensé en la última vez que visité a mi madre y a papá. Sin saber por qué, ni de dónde venía, ella se presentó en el cuarto de estar, donde yo estaba sentada, y me dijo:

—Todas esas veces que te encerré en un clóset... Eso nunca te molestó, ¿no es cierto?

El tono de su voz descendió al final, lo que implicaba que, por supuesto, nunca me molestó, en lugar de hacer una verdadera pregunta y buscar una respuesta sincera.

Yo me quedé tan estupefacta que apenas podía hablar. ¿Era esa la misma mujer que nunca admitía haber hecho nada malo en toda su vida? De acuerdo, dijo con toda claridad que sabía que el asunto del clóset no era de tanta importancia y que solo sentía curiosidad, pero al menos *admitió* que lo hizo.

Le tenía la suficiente lástima como para no decirle la verdad, pero todavía tenía bastantes cualidades carnales dentro de mí para hacer una observación cáustica:

—No, qué va, madre. Cada minuto que estaba allí lo pasaba encantada.

Mi sarcástico comentario pasó inadvertido por completo. Mi madre oyó lo que quería oír, y con una ligera sonrisa, me contestó:

—Yo creía que no te molestaba —dijo y entonces volvió a lo que hacía en la cocina.

En parte, me regocijé, porque al fin mi madre admitía que me encerraba en el clóset. En realidad, no me puedo imaginar lo que la llevó a mencionarlo después de tantos años. Tal vez los pecados no confesados nunca dejan descansar a la persona, cualesquiera que sean las circunstancias.

Tuvimos que estar dos horas y media en la carretera, mucho menos que las cuatro horas que nos solía tomar. Michael me dejó en la puerta del hospital y yo corrí rápidamente por la larga acera hasta el vestíbulo principal, mientras él estacionaba el auto. Pregunté el número de cuarto de mi madre, y cuando la recepcionista no lo pudo encontrar, el corazón me empezó a latir con fuerza. Temí que fuera ya demasiado tarde y que la hubieran sacado del cuarto.

«No, esta es. Se encuentra en el cuarto tres A, justo por este mismo pasillo».

El hospital era muy pequeño, y solo me llevó segundos correr hasta su cuarto y abrir la puerta. No había nadie en la habitación de dos camas, sino dos ancianas que se veían muy enfermas, en ninguna de las cuales reconocí a mi madre. La que estaba más lejos de la puerta estaba ya inconsciente y conectada a numerosos cables, tubos y un respirador. No tenía dientes. Mi madre sí los tenía. Nunca permitió que un dentista le pusiera la mano encima.

La otra mujer estaba muy delgada y frágil, sus ojos azul pálido miraban hacia un lado en una expresión de sufrimiento y desesperanza. *Debo haber encontrado a la mujer equivocada*, pensé, y me comencé a marchar. Sin embargo, cuando miré por segunda vez, solo por asegurarme, vi que esos ojos azul pálido eran los de mi madre. A duras penas pude reconocer su diminuta constitución.

«Mamá», le dije con suavidad. «Mamá, soy yo, Stormie».

No obtuve respuesta.

Me puse en una posición donde sus azules ojos me miraran directamente. Aun así, no me veían.

«Mamá», comencé a llorar. «Mamá, ya te fuiste, ¿no es cierto? Llegué demasiado tarde».

La toqué. Aún estaba tibia. Debe haber muerto solo unos segundos antes de mi llegada.

Tomé su mano, la sostuve en la mía y comencé a llorar. Puse la cabeza sobre su pecho y sollocé sobre la manta. No lloraba por la pérdida de mi madre, ni por nuestra relación. Nunca existió una relación. Lloraba por todas las cosas que nunca existieron. Por todo lo que nunca hubo entre nosotras dos. Por el gozo de vivir que ella nunca conoció. Lloraba por el dolor de una niña pequeña que golpeó el suelo con el pie y le contestó de mala manera a su madre embarazada, y después nunca la volvió a ver porque su madre fue al hospital esa misma noche y murió. Lloraba por una joven adolescente que se sentía responsable de todas las muertes que se producían en su familia. Lloraba por una mujer que vivió en temor, falta de perdón, amargura y rabia hacia Dios, y nunca conoció su amor, su sanidad y su liberación. Lloraba por una mujer que no pudo aceptar el perdón de su hija porque no era capaz de perdonarse a sí misma. Lloraba por una persona que nunca llegó a ser lo que Dios quería que fuera cuando la creó. Me afligí por todo eso, y supe que así debe ser lo que Dios siente con respecto a *nosotros* cuando forcejeamos, peleamos y nos metemos en situaciones horriblemente dolorosas cuando todo lo que necesitamos hacer es acudir a Él y someternos.

Levanté la vista hacia su cara de nuevo y le acaricié el cabello. Lloré por todos los años de mi vida en los que no pude tocarla con afecto alguno. Ella nunca me lo permitía.

Por raro que parezca, aunque tenía grandes deseos de ver a mi madre a solas por última vez, mientras oraba de camino hacia allí, sentí la presencia y la paz de Dios. Si Él quería que la viera viva, me hubiera llevado allí tres minutos antes. En cambio, tal vez ella hubiera reunido cuanta fortaleza le quedaba y me hubiera gritado unas palabras horribles y crueles, de manera que me hubiera quedado ese recuerdo final para el resto de mi vida. Confié en que Dios era el que mejor sabía lo que hacía.

Sin que aún hubiera ninguna otra persona consciente en la habitación, hice algo que tal vez pueda parecer irrespetuoso y extraño. Levanté las colchas para ver el cuerpo de mi madre. Tenía unas piernas hermosas: delgadas, con una piel muy blanca, pero formadas de forma exquisita. El estómago estaba dilatado. Le levanté la bata y puse la mano en la zona donde pensaba que estaría situado el hígado. Allí sentí una masa grande y dura. Entonces le toqué el pecho izquierdo y sentí un enorme bulto del tamaño de media toronja. Era justo lo que sospeché por la descripción que Suzy me dio por teléfono: un cáncer del seno que se extendió al hígado y al cerebro. Me maravillé ante lo mucho que mi madre debió sufrir todos esos años sin permitir jamás que nadie la ayudara. Fue una muerte terrible y horrorosa. Me enfermaba con solo pensar en los dolores de agonía por los que debe haber pasado.

Le arreglé de nuevo la bata, ordené las mantas que tenía encima y le volví a tomar la mano. Los dedos se estaban enfriando ya. Contemplé su rostro. Sus azules ojos se veían muy grandes, debido a su extrema pérdida de peso. Siempre pensaba que era una mujer grande y espantosa. Ahora la veía diminuta, frágil y bonita.

Mientras su cuerpo se enfriaba y endurecía, me golpeó el carácter definitivo de esto. De pronto, volví con la mente a la iglesita a la que asistimos cuando yo tenía catorce años. Recordé cómo hablaba acerca de Dios y de Jesús como si fueran reales para ella, y lo dedicada que se mantuvo durante esos pocos meses hasta que tiró fuera de la casa la gran Biblia familiar en un ataque de furia. Nunca volvió a hablar de Dios, más que para decir que conocía gente que la trataba de matar, pero que Él no la podía ayudar. Ahora sentía paz con respecto a ella, como si Dios me dijera: «Todo está bien, Stormie. Tu madre está conmigo. Ya no sufre. Ya no está loca. Yo la tengo conmigo».

En realidad, ese fue un momento extrañamente lleno de paz, a diferencia de lo que habría esperado. La muerte no parecía tan mala. Por supuesto, a mí me era fácil decirlo. No fui yo la que murió. Aun así, me pareció natural... como una parte natural de la vida.

Por fin, entraron dos enfermeras, y cuando se dieron cuenta de que mi madre estaba muerta, me pidieron que saliera del cuarto. En el mismo momento en que salí, llegaba mi esposo con los niños por el pasillo. «Está muerta, Michael», susurré.

Cuando nos permitieron a él y a mí regresar a la habitación donde estaba mi madre, vi que las enfermeras le habían cerrado los ojos, le habían doblado los brazos y habían estirado la sábana que tenía a lo largo de todo su cuerpo. Mientras estábamos allí en silencio, entró el médico. Era un hombre de aspecto bondadoso que tendría algo más de sesenta años.

—Siento mucho el fallecimiento de su madre —me dijo—. No pudimos hacer nada. Tenía cáncer en un pecho y en el hígado, y es posible que también tuviera un tumor en el cerebro. Su hígado era cinco veces mayor de lo normal.

Expresó su asombro ante lo mucho que avanzó el cáncer antes que permitiera que le dieran ayuda médica.

—Doctor, le estoy agradecida por todo lo que hizo por mi padre a lo largo de estos últimos cinco años, y también lo estoy porque pudo aliviar el sufrimiento de mi madre en las últimas horas de su vida —le aseguré.

—El cáncer era tan malo que incluso si tu padre me la hubiera traído hace un año, no creo que la hubiera podido salvar.

Se enteró que mi madre tenía una enfermedad mental porque mi papá confió en él y le pidió consejo, aunque nadie sabía que también estaba *físicamente* enferma.

—Los gastos médicos habrían sido inmensos para su papá, y de todas maneras, no se habría logrado nada. Ese cáncer estuvo creciendo en su cuerpo durante muchos años. En realidad, fue mejor así.

—Eso creo yo también. Y ahora, ¿qué pasará?

—Necesitamos llamar a tu papá —me dijo Michael, y salió para buscar un teléfono.

Papá no estaba preparado para la muerte de mi madre. No tenía idea alguna de que estuviera tan enferma, y la sacudida que le causó lo puso en cama. Michael y yo hicimos todos los arreglos.

Yo escogí el féretro más hermoso que pude encontrar, y pedí unos ramos de flores grandes y llenos de color, porque sabía que a ella le hubiera gustado que fueran hermosos. También escogí un lugar para sepultarla bajo un gran árbol de sombra, porque a ella siempre le encantaron los árboles. También le compré una nueva ropa interior bonita y, cuando le entregué el dinero a la cajera, las lágrimas que estuve conteniendo rodaron de repente por mis mejillas y comencé a sollozar. Me golpeó el recuerdo de todas las veces que quise comprarle cosas a mi madre, como las que compraba en ese momento, pero que ella nunca me quiso aceptar. Ahora lo hacía para su funeral. La cajera me dio el cambio, me entregó lo que compré y me miró preocupada. Sin embargo, no dijo nada, y me alegro de que no lo hiciera.

Mi hermana sufrió mucho con la muerte de mi madre. A mí me costaba trabajo comprender por qué, puesto que nunca me di cuenta de que hubiera una relación entre ambas. Cometí el error de dar por sentado que Suzy era igual a mí, que quería las mismas cosas y sentía lo mismo que yo. Sin embargo, lo cierto era lo opuesto; no había nada de parecido entre nosotras. Suzy le contestaba con fuerza a mi madre, mientras que yo me refugiaba en un rincón. Ella se enojaba y lo manifestaba, mientras que yo me sentía herida y me guardaba mi furia. Ella tenía una relación con mi madre, aunque ella no fuera una buena madre. Incluso, siendo aún niñas, nos criaron en dos mundos distintos por completo. Mi madre me maltrataba a mí sin descanso; en cambio, a Suzy la descuidaba. Es casi como si pensara que en realidad me disciplinó en exceso y no quisiera disciplinar a Suzy por ningún motivo. Sin embargo, mi madre nunca pensó de manera racional acerca de nada. Hasta entonces, no me di cuenta de nada de esto.

Me alegraba de no tener sentimientos negativos hacia mi madre: no había falta de perdón, ni ira, ni resentimiento, ni venganzas sin tomar. Dios lo purificó por completo. Todo se realizó antes de su muerte, y ya nunca tendría que volver a enfrentarme a ninguna de esas cosas.

La noticia de la muerte de mi madre se difundió con rapidez entre nuestros familiares y amigos. Recibimos muchas llamadas telefónicas, y me sentí asombrada cuando una señora me dijo lo mucho que mi madre se preocupó por mí.

—Tu madre siempre se sintió muy orgullosa de ti —me dijo Anita, una amiga de mucho tiempo de la familia que se mantuvo leal a nosotros, aunque a menudo mi madre la trató de manera grosera.

—¿Que mi madre se sentía orgullosa de mí? —le pregunté atónita, sin creer lo que escuchaba.

—Cuando actuaste en el drama de tu instituto, se sintió muy complacida. Y estaba orgullosa de todos tus programas en la televisión. Nunca asistió a ninguno porque pensaba que la gente que la trataba de matar te podría querer matar a ti también.

—Anita, no puedo creer lo que me dices. ¿Por qué nunca me dio siquiera el menor indicio de que se sentía así?

—Tú sabes cómo era tu madre, Stormie. Tenía unas ideas muy extrañas. Creía que si alguna vez te decía *cualquier* cosa buena acerca de ti, te echaría a perder. Lamento que nunca conocieras a tu madre cuando era más joven. Era una mujer encantadora, de veras que lo era. La enfermedad mental se apoderó de su vida y disfrazó todo lo reconocible en sus buenas cualidades.

—Gracias, Anita —le dije tratando sin éxito de no llorar—. Eso significa mucho para mí.

Después del funeral de mi madre, nos quedamos un buen número de días para ayudar a papá, y después seguimos yendo todos los fines de semana durante varios meses. Su casa estaba sucia, oscura y deprimente porque mi madre nunca permitió que entrara en ella nadie a limpiar ni a pintar. Su cuarto estaba repleto de gruesas telarañas que colgaban como si se tratara de una de esas viejas películas de terror. La cama estaba pegada al clóset, de tal manera que su cabecera cubría las puertas, impidiendo que se pudieran abrir. En el interior, el clóset estaba lleno hasta el techo de ropa vieja y sucia, y de todos los cheques cancelados, recibos, cartas y recortes de revistas que tuvo en toda su vida.

Papá me pidió que revisara sus cosas. No lo culpo. Pasó demasiadas cosas para tener que hacerlo él mismo. Esa revisión iba mucho más allá de lo que esperaba. Entre la casa y el cobertizo adyacente encontré casi todos los vestidos, abrigos, zapatos o bolsos que mi madre, mi hermana y yo tuviéramos jamás. Ver todo eso era como revivir mi pasado. Sabía que nunca tiraba nada a la basura, pero jamás me imaginé hasta qué punto fue acumulando cosas. Era otra señal de su enfermedad mental y sus temores.

Michael y yo decidimos que era crucial para la salud de papá que se le hicieran mejoras a la casa, y el trabajo era demasiado monumental para cualquiera de nosotros. Así que contratamos personas para que la pintaran por dentro y por fuera e instalaran alfombras, cortinas y cubrecamas nuevas. Con cada paso que se daba, sentía que mejoraba el espíritu de mi papá. Los recuerdos tristes se iban desvaneciendo y el lugar parecía nuevo. Así como papá.

En medio de la limpieza, encontré el viejo diario verde que escribí a los catorce años. Lo deseché, pero era obvio que mi madre lo encontró entre la basura y lo recogió. Dediqué unos cuantos días a leerlo de principio a fin. Mi vida en ese entonces era mucho peor de como la recordaba. Me sorprendió mi ignorancia; no sabía nada sobre la manera adecuada de vivir. Cuando terminé de leer el diario, le di gracias a Dios por el recuerdo de lo lejos que me trajo. El tiempo, y una gran cantidad de sanidad, atenuaron en mi memoria todo ese sufrimiento.

Miré al patio a través de la ventana. Allí estaba papá empujando a la pequeña Amanda en el columpio que construyó para ella y para su hermano en el gran sauce. Ella reía y le gritaba: «¡Más alto, abuelito, más alto!».

Durante las semanas anteriores en que limpiábamos y revisábamos, papá fue quien, en esencia, cuidó a Chris y Amanda. Iban con él a darles comida a las vacas, a recoger las naranjas y a montar el caballito que tenía. Su amor mutuo era evidente. Ahora que mi madre ya no estaba, teníamos la libertad de visitar a papá en cualquier momento y él se sentía libre para ser él mismo. Así como él floreció, también floreció nuestra relación. Él siempre fue una persona sociable, pero la sombra del temor a decir lo que no debía delante de mi madre y hacer que ella se descontrolara rodeó cada palabra que decía. Ahora, todo eso había desaparecido.

Durante años, tuvo problemas de audición. Después de la muerte de mi madre, noté de repente un día que oía de nuevo con normalidad. ¿Sería que para poder lidiar con ella dejó de oír? ¿Era ese un acto de supervivencia? Tal vez fuera por eso que no sospechaba que ella se estaba muriendo. Se había quejado durante tanto tiempo, que él se desconectaba en parte de ella. Yo me solía impacientar con la forma titubeante en que hablaba papá y con lo mal que oía. ¿Sería tal vez que durante todos esos años lo culpaba por cosas que solo formaban parte de su manera de lidiar con mi madre?

Así vi qué gran hombre era mi padre en realidad. Aunque mi madre fue despiadadamente cruel con él, la siguió cuidando bien hasta que murió. Cualquier otro hombre la habría dejado muchos años antes. En una ocasión, él desarrolló un doloroso caso de herpes, y estaba tan enfermo que no se podía levantar de la cama. Mi madre hizo una cena inmensa y se negó a darle nada de comer. A pesar de eso, él le llevó a ella todas las comidas a la cama durante las semanas anteriores a su muerte y no le guardó resentimiento alguno. Nunca dijo ni siquiera una sola palabra de crítica acerca de ella después que murió. Su ejemplo en cuanto al perdón fue mayor que ningún otro que haya visto.

«No se pueden guardar los resentimientos. Hay que perdonar y olvidar», repetía una y otra vez. La muerte de mi madre no fue para él motivo para lamentarse de haber hecho algo mal. Le dio mucho más de lo que era su deber.

18

El enfrentamiento con el pasado

Mientras revisaba las cosas de mi madre, encontré en un viejo baúl un cajón repleto de fotografías, papeles y cosas que fueron valiosas para ella. Descubrí mi viejo libro de bebé que le regaló alguien. Con el permiso de papá, me lo llevé a mi casa. Me hizo falta un tiempo para reunir el valor suficiente y poderlo mirar todo, porque estaba casi temerosa de lo que encontraría en él. No estaba tan mal como pensaba. Es más, encontré un escrito hecho a mano por mi propia madre, debajo de las primeras palabras que yo dije cuando era pequeña. En uno de los párrafos leí: «Lo que dice Stormie cuando la pongo en el clóset». Y una de las cosas que yo decía era: «Está muy oscuro aquí. No puedo ver nada». Eso fue, de una extraña manera, muy sanador para mí. Era como si, a su propia manera de persona enferma, pensaba que eso era normal. Y admitió que lo hizo como una práctica común.

Durante esa caminata temprano por la mañana a lo largo de la playa en Hawái, mientras hablaba con el Señor, Él me habló al corazón indicándome que estaba bien que comenzara a escribir el libro acerca de mi vida y de la forma que Él me salvó, liberó, restauró y transformó... de cómo Él nos libera a cada uno de nosotros hasta en las circunstancias más tenebrosas y desesperadas de nuestra vida. Había estado trabajando en el libro durante algún tiempo a través de mis diarios, pero no quería presentar un libro acerca de mi madre mientras ella vivía aún. Siempre tenía la esperanza de que sanara y llegara a conocer todo lo que Dios tenía para ella. Decir la verdad acerca de ella podría ser un impedimento para que llegara a conocerlo alguna vez a Él. No podía hacer nada que fuera un obstáculo para su encuentro con Él. Sin embargo, esa mañana sentí que Dios me liberaba para relatar la historia, a pesar de que ella estaba viva todavía. Como es obvio, Él sabía que a ella solo le quedaba un día más de vida.

Escribir era lo que más me agradaba hacer porque me parecía liberador. A través de la palabra escrita podía expresar mis pensamientos, ideas, esperanza y sueños más profundos y reprimidos. También sentía que escribir este libro sería para mí la conclusión de toda esta situación.

Ese verano asistí a la Convención de Libreros Cristianos, y un joven muy bondadoso llamado Bill se me acercó mientras iba pasando frente a la caseta de Harvest House Publishers de camino a la casa editorial de mi libro sobre la salud y mi vídeo de ejercicios que presentaba al mercado en esa temporada. Sabía quién era yo, y me preguntó si por casualidad tenía pensado otro libro que quisiera escribir, porque su compañía quería estudiarlo para su publicación.

«Sí, a decir verdad, tengo un libro que estoy escribiendo. Todavía no se lo he mostrado a nadie», le contesté. Le dije de qué se trataba, él me dio su tarjeta y me rogó de favor que permitiera que él y su compañía vieran alguna de sus partes en cuanto estuviera listo. Yo le prometí que lo haría.

Cuando le envié a Bill lo que terminé del libro, Harvest House Publishers me hizo llegar en avión hasta el estado de Oregón, donde está ubicada su compañía. Allí conocí a Bob Hawkins, sénior, fundador y presidente de la compañía, y a todo el personal. También Bill estaba allí. Además, conocí a Bob Hawkins, júnior, quien acababa de terminar sus primeros años de universidad y trabajaba en la compañía. Todos fueron maravillosamente atentos y me pareció estar en familia con ellos. Me ofrecieron un contrato.

Después de firmar el contrato, comencé a escribir *oficialmente* el libro, y entonces fue cuando el infierno mismo se comenzó a cebar en mi vida. Era mi primera experiencia importante en cuanto a comenzar un proyecto para el reino de luz de Dios y experimentar cómo el mundo de las tinieblas me atacaba de todas las maneras posibles.

A fin de escribir ese libro, tenía que retroceder y revivir con gran detalle todo lo sucedido. Tenía que experimentarlo todo de nuevo. Era un verdadero infierno tener que volver a vivir todo eso, hasta el detalle en que necesitaba hacerlo, con el fin de escribir con precisión. Tenía que enfrentar de nuevo todos los malos recuerdos. Tenía que enfrentar todos los angustiosos incidentes con toda su repulsión. No hubo ni un solo día dedicado a escribir en el que no terminara llorando con unos desgarradores sollozos que salían de lo más profundo de mi ser.

Sabía que no podía escribir con eficiencia acerca de mi pasado a menos que lo enfrentara sin rodeos. Lo tenía que poner todo ante Dios y perdonarme a mí misma, además de perdonar a mi madre, mi padre y las personas que sospecharon que pasaba algo malo, pero que nunca intentaron siquiera rescatarme de alguna forma. Tuve que volver a vivir los sentimientos de abandono, tristeza, desespero, inutilidad, ansiedad, temor y furia que regresaron en la plenitud de su fuerza. El resentimiento y la amargura que experimenté por tener que comenzar la vida tan detrás de todos los demás y trabajar el doble de duro para tratar de ponerme al día. Hasta la ira con Dios por permitir que eso siguiera durante tanto tiempo, aunque nadie hubiese orado para que las cosas fueran distintas; al menos, que yo supiera. Era horrible. La mayor parte de los días, era más de lo que podía soportar.

Un día estaba escribiendo acerca del rechazo por parte de los niños en el patio de recreo, que ya mencioné en otra parte de este libro. Lloré y lloré porque volver a vivir esas heridas tan profundas revelaba lo profunda que fue la herida de mi corazón sin afecto alguno que la sanara, y en ese punto, perdí la esperanza. Nunca volví a sentir esperanza, hasta que llegué a conocer al Señor. Ese día me sentí tan devastada, que cuando escribía acerca de esto, llamé a Diana y le pedí que orara conmigo por lo que estaba haciendo.

Diana y Andrew se habían mudado a otra ciudad que estaba a una hora de distancia de nosotros y tuvieron un varoncito. Todavía estábamos orando varias veces a la semana por teléfono, hasta que le encontraron a ella un tumor en un pecho durante una revisión médica de rutina; entonces, comenzamos a orar casi a diario. Le hicieron una tumorectomía y pronto se sabrían los resultados. «Es cáncer del seno», me dijo cuando oyó mi voz. Ambas lloramos. Yo nunca le volví a mencionar mis problemas. Durante los meses siguientes, orábamos casi a diario mientras ella tuvo que ir a que le extirparan ese seno y se lo reconstruyeran, con quimioterapia y radiación en medio de ambos procedimientos. Menos de un año después, todo se repitió cuando le encontraron cáncer en el otro seno. Sin embargo, esta vez, después de un año de tratamiento, perdió la batalla y se fue con el Señor. Yo estaba destrozada. Y necesitaba cuidar de su hijo de ocho años hasta que el padre lo pudiera cuidar. Echaba terriblemente de menos a Diana, y ver todos los días a su hijo me ayudaba al mismo tiempo que me hacía sufrir. Me la recordaba tanto que sentía muchísimo la pérdida, tanto la de él y de su padre, como la mía propia. Terminaron mudándose a otro estado donde la vida era más barata y fácil.

Después que terminé de escribir el libro, tenía que hacer que mi padre lo leyera y firmara un documento en el que decía que estaba de acuerdo con su publicación. Había muchos detalles íntimos acerca de su vida que quedarían revelados en el libro y tenía que dar su autorización.

Michael y yo fuimos en auto a su granja para cenar, y él comenzó a leer el libro después que nos fuimos a la cama esa noche. Yo me sentía nerviosa en extremo respecto a lo que pensaría cuando descubriera todas las cosas malas que hice. Temprano a la mañana siguiente, cuando me levanté, él seguía sentado en el mismo sillón reclinable con el libro abierto en su regazo y mirando por la ventana. Me dijo que estuvo despierto toda la noche y que lo acababa de leer. El corazón me latía con fuerza cuando le pregunté: «¿Qué pensaste acerca del libro?».

Guardó silencio por un segundo y me dijo: «Bueno, trataste muy bien a tu madre».

Los ojos se me llenaron de lágrimas. Sentí un gran alivio. Era cierto que no hablé de lo mala que fue mi madre en realidad, porque no pensaba que la gente pudiera soportar leer toda la verdad. Ella hizo algunas cosas repugnantes y, aunque me tuve que enfrentar de nuevo con ellas, no las pude incluir en el libro. El hecho de que reconociera lo mal que ella se comportó, hizo que me sintiera agradecida para siempre porque él me había comprendido. Y no mencionó ni una sola vez las cosas terribles que hice yo.

Después de publicado el libro, la respuesta fue abrumadora. En los tiempos en que lo escribía no tenía idea de la magnitud de lo que de veras significaba para otras personas mi testimonio de haber salido de las tinieblas a la luz. Fue mucho más de lo que habría esperado jamás. Recibí pilas y cajas enteras de cartas procedentes de personas de todos los Estados Unidos que pasaron por experiencias similares. No habían leído ningún libro que hablara de ellas desde el punto de vista de la restauración que Dios nos da y de todo lo que tiene para cada uno de nosotros cuando entramos a su liberadora presencia. Yo no tenía ni idea de la cantidad de daños emocionales y de cicatrices que un número incalculable de personas mantenía ocultos en su interior todos los días. Para mí, lo más maravilloso era que no estábamos solos. Muchas otras personas pasaban por las mismas situaciones, y la identificación mutua les era de mucha ayuda.

Traté de responder cada carta y así lo hice durante varios años, pero terminó siendo imposible. Todo lo que podía hacer era leer las cartas y los mensajes de correo electrónico, y orar por esas personas. Así fue, hasta que una persona en particular me hizo difícil responder desde ese momento en adelante.

19

La seguidora

L a joven me esperaba cuando fui a recoger a mis hijos en la escuela. Su hijo estaba en la misma aula que el mío, aunque nunca lo había conocido. Era una mujer bondadosa y dulce. Me dijo con respeto que se llamaba Sandy* y que leyó mi autobiografía, *Stormie*, y que se identificaba en lo personal con los maltratos que yo recibí en mi niñez. También pasó por algo muy similar con uno de sus padres, aunque me di cuenta de que no era su madre la que, según ella me informó, pagó para que su nieto asistiera a esa pequeña escuela primaria cristiana. Además, me di cuenta también de que el abuso fue de naturaleza sexual, lo cual siempre pensaba que lo iniciaba un varón y que le hacía mucho más daño al alma de un niño que cualquier otra forma de abuso. Ella me agradeció que le hubiera dado esperanzas de poderse recuperar un día de su pasado.

Me preguntó a qué iglesia asistíamos, y se lo dije.

Todos los días, después de las clases, cuando iba a recoger a mis hijos, me esperaba para hablar conmigo. Teníamos agradables conversaciones acerca de la recuperación de los traumas emocionales. Conocí a su hijo, a su esposo y a su madre, y todos me parecieron una buena familia.

El domingo por la mañana, fuimos a la iglesia y dejé a mis hijos en sus respectivas aulas, como de costumbre, pero al entrar al santuario de la iglesia, Sandy estaba allí, esperándome junto a la puerta. Me alegró ver que decidieron asistir a esa iglesia. Resultó ser que vivían en un apartamento cercano.

Su esposo tenía un negocio que ayudaba a los propietarios con el mantenimiento de sus casas, así que cuando me dijo que tenían poco trabajo en su negocio, los contraté para que hicieran unos trabajos en la casa de mi padre. Nosotros lo ayudamos a mudarse a una casa que estaba a una hora de distancia de nosotros. Cuando vi la calidad de su trabajo, les pedí que hicieran algunos trabajos de mantenimiento también en nuestra casa.

Sandy mencionó que necesitaba que le arreglaran el cabello porque era de un color muy oscuro y se lo trataron de teñir con un tono claro de rubio, pero se lo echó a perder. Me preguntó quién era mi peluquera y dónde estaba, y se lo dije. También averiguó a qué tiendas yo iba y a qué cultos asistía en la iglesia. Todo ese tiempo, creía que la estaba ayudando y no me daba cuenta de que me estaba metiendo en una trampa.

Poco a poco, en casi todos los lugares donde yo iba, Sandy me esperaba en la puerta del frente. Me di cuenta de la terrible necesidad que sentía y que pensaba que yo tenía todas las respuestas para ayudarla a levantarse de su tormento emocional. Yo trataba de guiarla al Señor de todas las maneras posibles, pero ella insistía en que sabía que yo era la única que la podía ayudar. Le decía que nadie puede hacer eso, sino solo el Señor y un buen consejero. Por su esposo supe que ella era dolorosamente consciente de su problema, pero que también tenía la esperanza de que yo la pudiera ayudar.

Cuando me fui dando cuenta a lo largo de los dos meses siguientes de lo que sucedía, traté de dirigirla hacia la búsqueda de ayuda profesional, pero estaba obsesionada con la idea de que yo fuera la que le arreglara todas las cosas a *ella*. Me decía que pensaba que yo me podía convertir en la madre que nunca tuvo.

Mientras más trataba de soltarme de sus tentáculos que, para mi terror, encontraba por todas partes ya en esos momentos, más trataba ella de apoderarse de mi vida. Pronto, comenzó a actuar de una manera extraña, llamando a mi casa treinta y cuarenta veces al día con voces que parecían demoníacas y que amenazaban con matar a mis hijos si no la ayudaba. Así me pude dar cuenta de que tenía varias personalidades y su esposo me lo confirmó. Nosotros no sabíamos de lo que era capaz cada una de ellas, porque ahora venía a nuestra casa a medianoche, saltaba la cerca de nuestro traspatio y miraba por las ventanas. En el contestador automático de nuestro teléfono dejaba dicho de manera detallada y exacta lo que vio en el patio, y eso confirmaba que era cierto que estuvo allí. Michael y yo orábamos y orábamos para que Dios nos quitara esa aterradora carga.

Llamamos a la policía, y nos dijeron que nos buscáramos un abogado. Mi esposo y yo fuimos a un abogado cristiano, amigo nuestro, en busca de ayuda, y él nos aconsejó que la lleváramos a los tribunales para pedir una orden de alejamiento en su contra. Aunque compareció ante el tribunal y el juez la advirtió con severidad que dejara de perseguirnos a mi familia y a mí, no dejó de hacerlo. Nos seguían llegando las llamadas telefónicas y las amenazas. Temiendo por nuestras vidas, llamamos a la policía un buen número de veces, pero siempre nos decían que no podían hacer nada, a menos que la persona entrara sin autorización a la casa y nos amenazara con matarnos desde dentro de la misma.

—Ya para entonces va a ser demasiado tarde —le decía tratando de razonar con un policía que llegó a nuestra casa—. Tiene que haber algo que se pueda hacer *antes* de eso.

—Lo siento, pero la ley nos limita —me dijo—. Nosotros no podemos hacer nada hasta que la persona que los persigue entre sin permiso a la casa.

—¡Eso es terrible! Entonces, ¿qué se supone que haga yo? ¿Qué hacen otras personas cuando están en una situación como esta? ¿Qué nos aconsejaría usted que hagamos?

—Pueden contratar guardaespaldas o mudarse a otro lugar.

—¿Dónde se consiguen los guardaespaldas? ¿Conoce alguna compañía que los proporcione?

Me dio el nombre de una compañía de guardas de seguridad que tenía una buena reputación en cuanto a proporcionar ese servicio y los llamamos en seguida. Contratamos dos guardaespaldas para que protegieran nuestras vidas por las noches durante diez horas, de manera que pudiéramos dormir. Y eran caros. Por un turno de diez horas, cada uno de los dos hombres recibía ciento veinticinco dólares. Nosotros necesitábamos tener dos hombres y un auto en nuestra casa todas las noches a más tardar a las ocho, y ellos vigilaban durante toda la noche hasta las seis de la mañana. Eran doscientos cincuenta dólares por noche. Todas las noches. Era intolerablemente costoso e insostenible por completo, pero sentíamos que en esos momentos no podíamos hacer ninguna otra cosa. La posibilidad de que Sandy cumpliera sus amenazas de matarnos a mis hijos y a mí era demasiado real. Se comportaba como una demente. Con estos acosadores, uno nunca sabe hasta qué punto de locura han llegado y de lo que son capaces de hacer.

Los guardaespaldas nos dijeron varias veces que la habían visto llegar a nuestra casa por la calle. A veces llegaba en auto y otras llegaba caminando en medio de la noche. Por lo menos una de esas veces, estuvo a punto de saltar la cerca, pero los vio a ellos y salió corriendo.

Ante sus numerosas llamadas diarias por teléfono, terribles y amenazadoras, me daba cuenta de que estaba empeorando. Nosotros habíamos llamado a su esposo para pedirle que hiciera algo que la detuviera antes que tuviéramos que conseguir la orden de alejamiento, pero nos dijo que él mismo ya estaba a punto de acabar con ella. Lo estaba asustando a él y a sus hijos, e incluso a su propia madre. Lo creí. La joven dulce y tímida se había convertido en alguien que actuaba como si estuviera poseída por demonios y viviera por entero en las tinieblas.

Sentía que estaba demasiado demente para actuar con raciocinio, y era demasiado costoso mantener la protección que recibíamos. Pronto se daría cuenta de que podía entrar a nuestro traspatio desde la casa del vecino, que estaba inmediatamente junto a nosotros por la parte de atrás, donde los guardaespaldas no la podrían ver. Ella no era tonta y estaba decidida a todo. Creía que yo era la única que la podía ayudar y nada se iba a atravesar en su camino. Si no la ayudaba, me castigaría.

No podíamos correr ese riesgo. Así que pusimos nuestra casa en venta y se vendió en seguida, con cinco ofertas y una guerra de proposiciones, porque estábamos en una zona muy popular y a la gente le encantaba la casa. Creo que fue el Señor el que nos ayudó a venderla con tanta rapidez. De inmediato nos mudamos en silencio y en secreto a otra ciudad, y no dejamos la nueva dirección. Encontramos pronto una casa, porque la vimos el año anterior y pensábamos que sería perfecta para lo que necesitábamos. De manera milagrosa, la volvieron a poner en venta.

Después que nos mudamos, seguía temiendo que Sandy descubriera a dónde nos fuimos. Les tuve que decir a mis hijos lo sucedido. No les había dicho nada de eso porque no quería que vivieran con el mismo temor que yo, pero ahora les indiqué que me lo dijeran de inmediato si la veían alguna vez. Cuando nos mudamos, dejé de ir a todos los lugares donde iba con anterioridad, y busqué otros lugares nuevos donde ir.

Esos fueron los tiempos más aterradores de mi vida como creyente, y sabía que en realidad no teníamos manera de salir de esa situación, a menos que Dios hiciera un milagro. Oramos para que Él actuara a favor nuestro y nos salvara del enemigo que estaba obrando por medio de ella para atormentarnos. Oramos con gran fervor para que la sacara de nuestras vidas y la guiara hacia algún lugar donde pudiera encontrar ayuda.

Precisamente cuando pensábamos que no podía empeorar más, su esposo y la madre de ella la ingresaron en un hospital psiquiátrico que se hallaba a unas pocas horas al sur de nosotros, en uno de los pueblos que están junto a las playas. Después de eso, entramos en un tiempo de una paz que habíamos necesitado mucho. Yo comencé nuevos grupos de oración en nuestro hogar, y pudimos sentir la paz de Dios, sus bendiciones y la razón de existir que Él había puesto en nosotros, gracias a ellos.

20

Me mudo a la Tierra Prometida

Michael se había comportado de una manera muy variable después de casarnos. Se hizo obvio que tenía un problema de ira, y esa ira siempre se manifestaba contra mí cuando menos lo esperaba. Al principio, me hacía sufrir porque sabía ser cruel y estridente con sus palabras, y cada vez que estallaba, sentía como si mi madre me abofeteara y me metiera en el clóset. Eso hizo que me alejara de él y me rodeara de una coraza para protegerme. Y esto a su vez lo enojaba mucho más.

Antes de casarnos, nunca lo vi con inclinación a la ira. Me resultaba evidente que luchaba con la depresión y la ansiedad, pero comprendía esas emociones. Las sufrí durante toda la vida, y pensaba que íbamos a poder ir resolviendo esas cosas los dos juntos. Sin embargo, expresar ira hacia alguien no era algo a lo que estuviera acostumbrada, aunque es probable que la considerara como una emoción negativa más ventajosa, porque al parecer se podía descargar la ira en otra persona, en lugar de enfocarse hacia dentro y hacer cosas destructivas con una misma, como las hacía yo.

Me enteré de que la madre de Michael fue tan dura con él porque esperaba que se convirtiera en médico, abogado o alguna clase de profesional que tuviera un trabajo seguro. Su familia era armenia, y

207

fue víctima de las barbáricas matanzas de armenios a manos de los turcos. Armenia era la primera nación cristiana y sus enemigos eran anticristianos. La abuela materna de Michael presenció el brutal asesinato de su esposo y vio cómo mataban a cada una de sus dos hijas pequeñas delante de ella. Se escapó al bosque y anduvo errante por los campos, comiendo hierba, hasta que alguien la encontró y la llevó a su casa. Se marchó de Armenia y viajó a través de Europa hasta que pudo subir a un barco que la trajo a los Estados Unidos. Al final, se casó de nuevo y tuvo tres hijos, entre ellos la madre de Michael.

La gente perseguida nunca puede olvidar el pasado y hace cuanto haga falta para asegurarse de que nunca se repita, lo cual explica el porqué la madre de Michael era tan estricta con él, exigiéndole unas normas que él no podía alcanzar. Esto se debía a que en esa época nadie sabía que él era disléxico, ni siquiera se sabía lo que era la dislexia, la cual era la razón de que le fuera tan mal en sus estudios. Sus padres pensaban que solo se trataba de que fuera un rebelde. Yo llegué a creer que esas dos situaciones eran las raíces de la ira de Michael.

Las personas disléxicas tienen un lado brillante. Tienen ciertas capacidades que no poseen la mayoría de las personas sin dislexia. Pueden triunfar en todas las cosas en las que triunfan los demás, pero no aprenden de la forma en que enseñan la mayoría de las escuelas. Tienen un enfoque diferente del aprendizaje. Cuando se les permite aprender de la forma en que lo hacen mejor, sobresalen y progresan. Michael tiene la capacidad de un genio para la música, y le vino de manera natural. Ni siquiera tuvo que estudiar música, solo componía. Sus padres le dieron lecciones de acordeón cuando tenía cuatro años, y a partir de entonces, siguió él solo. Estaba destinado para grandes cosas, pero tuvo que empezar por empujar todo un muro de resistencia por parte de sus padres y de frustración mutua.

Michael comenzó a viajar en avión entre Los Ángeles y Nashville para actuar de productor de Amy Grant y de un buen número de artistas más allí. Le encantaba Nashville y hacía un contraste entre esa ciudad y las preocupaciones que teníamos en cuanto a educar adolescentes en Los Ángeles en esos tiempos. Esa ciudad era peligrosa, y abundaban las ráfagas de disparos desde autos en marcha. Terminó decidiendo que nos debíamos mudar a Nashville, así que me fui con él en su siguiente viaje para conocer la ciudad, encontrarme con las personas que él conocía y ver algunas casas.

El problema estaba en que él actuaba como un dictador y no como alguien que había orado por esa mudada y había escuchado la dirección de Dios para nuestras vidas. Cada vez que veíamos una casa y a mí no me parecía que fuera la que necesitábamos, se comportaba desamorado y lleno de ira. En lugar de hablar las cosas de una manera civilizada, se volvía beligerante. Comprobé que no lo guiaba el Espíritu, sino la carne, y entonces decidí que no estaba dispuesta a renunciar a la seguridad de todo lo que amaba (mi familia, mi iglesia, mis pastores, mis consejeros, mis amistades íntimas y mis compañeras de oración), para mudarme tan lejos con alguien que tenía un espíritu tan mezquino como el suyo. Temía que le diera rienda suelta por completo a su ira. Eso parecía una pesadilla.

Un amigo ayudó a Michael a comprender que yo no reaccionaba de manera favorable ante las insistencias airadas, así que él dejó de lado los ataques y decidió orar para que si esa mudada era de veras algo que venía de Dios, yo oyera que el Señor me hablaba al respecto en el corazón.

Yo ayuné y oré por la mudada varias veces y le dije a Dios que estaba dispuesta a hacer lo que *Él* quisiera que hiciera. Solo que tenía que estar segura que venía de *Él*.

A Amy Grant y a su esposo los invitaron a Camp David para una reunión especial de altos funcionarios de Estados Unidos, entre ellos el presidente y la primera dama, el vicepresidente, el gabinete y muchos gobernadores. Nos pidió a Michael y a mí que los acompañáramos, porque quería que él le tocara el piano. En Camp David nos llevaron a nuestras cabañas separadas y después a reunirnos con el presidente y la primera dama en el lugar donde se alojaban. Cenamos con ellos en la noche en que llegamos y, a la mañana siguiente, en el culto del domingo en la capilla, Amy y su esposo cantaron mientras Michael los acompañaba al piano.

Después tuvimos un maravilloso almuerzo con todos los funcionarios del gobierno, y en ese momento me sentaron a la derecha del presidente. Tanto él como la primera dama fueron las personas más gentiles que haya conocido jamás.

Una vez que estábamos en el avión de vuelta a la casa de Amy, donde Michael y yo íbamos a pasar la noche antes de volar de vuelta a Los Ángeles, pensé en nuestra vertiginosa visita. *Nunca me he sentido tan segura en toda mi vida como en el poco tiempo que estuvimos en Camp David. Allí no había amenaza alguna de las tinieblas. Y era maravilloso no tener que pensar en todas las cosas a las que les tengo temor en Los Ángeles, donde los peligros son muy reales, presentes, claros y se encuentran por todas partes.*

En esa época, en Los Ángeles no había un solo lugar que fuera seguro. No importaba cuál fuera el vecindario en el que viviera uno. El contraste era marcado.

Mientras estábamos en el avión, sufrí de unos fuertes mareos. Siempre he tenido esa tendencia, pero esa vez no traía conmigo ninguna medicina para contrarrestarlos, como suelo hacer. Gracias a Dios, no vomité, como he hecho en el pasado. Sin embargo, cuando íbamos desde el aeropuerto hasta la casa de Amy en el auto de ella, le tuve que pedir al esposo de Amy que parara junto al camino con ese propósito. Me sentí muy avergonzada por eso, pero le di gracias a Dios de que no sucediera nada en el auto.

Una vez de vuelta en la casa de Amy, me excusé y subí al segundo piso para acostarme en la cama del cuarto de visitas con la intención de recuperarme antes de la cena. Mientras estaba allí acostada, oí al Señor de la manera más clara en que le he oído hablar en toda mi vida. Estas fueron las palabras que puso en mi corazón: «Te debes mudar para este lugar. Busca tu casa y múdate tan pronto como te sea posible, aunque aún no se haya vendido tu casa en Los Ángeles. Mis planes para ti y para Michael son para aquí».

Eso no era en absoluto lo que esperaba. Y no estaba en medio de una oración al respecto en ese momento. Salió de la nada... para mí. Sin embargo, no fue así ante los ojos de Dios. Al día siguiente, volamos de vuelta y pusimos nuestra casa en venta tan pronto como pudimos. Michael tuvo que seguir volando hasta Nashville para trabajar más en las grabaciones de Amy, y en ese tiempo, encontró una casa para nosotros. Yo no tenía tiempo siquiera para volver allá y ver la casa, porque cuando orábamos juntos respecto a la mudada, entendíamos cada vez más lo urgente que era que nos mudáramos de inmediato. No se me quitaba la sensación de que se iba a producir un gran desastre, como un terremoto, y era necesario que nos marcháramos antes que se produjera. Todo fue sucediendo con rapidez mientras hacíamos los planes para mudarnos. Habíamos estado cuatro años en la casa de Northridge, y en ese tiempo habíamos tenido paz, pero nunca me pude sacar del espíritu la sensación de que nos rodeaba un espíritu tenebroso y malvado. Oraba con regularidad para que Dios lo echara fuera y nos protegiera.

Menos de tres semanas antes de la fecha en que nos íbamos a mudar, alguien que conocía a Sandy, mi asediadora, así como a su esposo y su madre, y sabía lo que me sucedió por su causa, me llamó para decirme que en esa semana el hospital psiquiátrico le daría de alta a Sandy. Un escalofrío de temor me recorrió la espina dorsal. En mi imaginación vi que nos mudábamos lejos, a una casa en Nashville, y después la veía a ella espiándonos a través de una ventana a mis niños y a mí. Me aterrorizaba pensar que nunca nos fuéramos a liberar de ella.

Sabía que solo Dios nos podía proteger, así que oré de nuevo para que Él mantuviera a Sandy alejada de nuestras vidas. Oré para que se pusiera bien y se dedicara a su familia, y para que nosotros nos pudiéramos mudar hasta el otro extremo del país antes que ella pudiera llegar a nosotros. Oré para que perdiera el deseo de encontrarnos. Intercedí por su sanidad total, como siempre había hecho, pero aún no tenía seguridad de que se hubiera producido. Se me informó que su esposo se había divorciado de ella y no quería tener nada que ver con ella. No iba a volver a vivir con él, dondequiera que él y su hijo estuvieran en esos momentos. Yo no quería saber demasiado acerca del lugar donde estarían, así que nunca lo pregunté.

Pensamos que lo mejor era que la menor cantidad posible de personas supiera que nos íbamos a mudar. Me hacía sentir incómoda el pensamiento de que incluso esta persona con la que hablaba supiera la historia, pero parecía estar de nuestra parte y querer alertarnos. Yo no le había dicho a nadie el lugar exacto hacia donde nos mudaríamos, con excepción de los miembros más cercanos de la familia. A nuestros amigos les dije que se los informaría una vez que llegáramos a nuestra nueva casa. Quería que pudieran decir que no conocían mi dirección, en caso de que alguien se las preguntara.

No podía creer que Sandy fuera a salir del hospital psiquiátrico solo unos días antes del momento en que nos íbamos a mudar. No tenía la paz de saber que ya estaba bien, en especial cuando había oído que a su familia no le parecía que estuviera lo bastante mejor como para darle de alta. Quería mudarme *antes* que ella saliera. Sin embargo, el día después de su salida, oí decir que se había quedado cerca de la institución mental porque se había hecho novia de un hombre. Me sentí mal por él, porque dudaba que tuviera la más mínima idea sobre aquello en lo que se estaba metiendo.

El día antes que los camiones de mudanza llegaran para recoger nuestros muebles, la misma persona llamó para contarme del asesinato de Sandy. Encontraron su cuerpo en la playa, cerca del hospital psiquiátrico. Al parecer, la mataron y después la tiraron por el acantilado que se encuentra justo encima de la playa donde se halló su cuerpo. Según me dijeron, su novio era el principal acusado, pero no sé qué salió de todo eso. No quería estar cerca de esa situación en ningún sentido, así que nunca pregunté.

Cuando oí que la asesinaron, tuve sentimientos encontrados. Lloré por su familia y en especial por su hijo. En cambio, también sentí un alivio innegable porque nunca me tendría que preocupar de que nos volviera a asediar, ni a mí ni a mi familia. No creo que su muerte fuera la respuesta de Dios a mi oración. Creo que se volvió loca con alguien que no se pudo enfrentar a su locura.

Me entristeció marcharme de Los Ángeles porque había orado mucho por la gente de allí, y sentía el amor que tenía Dios en el corazón por ella, y su anhelo de que lo llegara a conocer a Él y encontrar sus caminos. Me entristeció mucho más dejar nuestra iglesia, nuestro pastor y nuestros amigos. Fue allí donde hallé por fin una esperanza para mi vida y para mi futuro. Fue allí donde salí de las tinieblas para encontrarme con la Única Luz Verdadera. Fue allí donde me liberé de las emociones negativas que me atormentaban para hallar un gozo y una paz maravillosos. Fue allí donde experimenté la poderosa presencia y el amor de Dios que habían transformado mi vida. Fue allí donde comencé a escuchar la voz del Espíritu Santo que me guiaba día tras día. No obstante, el Espíritu de Dios era el que nos guiaba

a marcharnos de esa amada casa tan pronto como fuera posible y no
esperar siquiera a que se vendiera, lo cual iba en contra de los consejos
que nos daba todo el mundo.

Los Ángeles era también el lugar donde vivían mi papá y mi
hermana, su esposo y sus hijos. ¿Cómo los podría dejar atrás?
Oraba continuamente por esto, y hablaba con Michael acerca de mi
preocupación con respecto a ellos. Decidimos pedirles que vinieran
con nosotros. Mi papá había estado viviendo con nosotros durante
los últimos cuatro años en su propia ala personal de nuestra casa. Se
mudó para ella cuando nos mudamos nosotros, porque teníamos un
espacio muy amplio para que él tuviera su vida privada y, al mismo
tiempo, se podía unir con facilidad al resto de la familia. Eso fue un
arreglo excelente para nosotros. Así que le pedimos que se mudara con
nosotros y aceptó de inmediato.

Después se lo pedimos a mi hermana, que durante el año anterior
estuvo trabajando para nosotros a tiempo parcial mientras se recuperaba de una lesión que tuvo en el lugar donde estuvo trabajando con
anterioridad. Había estado viajando una hora de ida y otra de vuelta
en medio del tránsito de las horas punta para hacer un trabajo que no
le agradaba. Ahora le ofrecíamos un trabajo a tiempo completo a fin
de que dirigiera nuestra oficina si se mudaban ella y su familia con
nosotros. Había realizado un trabajo tan excelente a tiempo parcial
para nosotros que queríamos que se hiciera cargo por completo de ese
trabajo en Tennessee. Podía vivir a solo unos kilómetros de nosotros,
con mejor salario y sin tránsito. Me dijo que le interesaba, pero que
necesitaba hablarlo con su esposo Lou, a fin de ver lo que pensaba al
respecto.

Poco después nos llamaron y nos dijeron: «Sí, nos vamos a ir con
ustedes».

La casa de mi hermana se vendió en seguida, así que volamos
con ella hasta Nashville, hallamos una casa y ella la compró sin
que su esposo la viera siquiera. Nuestras casas estaban en la misma
urbanización. Era primavera y todo estaba en pleno florecimiento,
de manera que estuvimos de acuerdo en que nunca habíamos visto
ningún lugar más hermoso. Ese resultó ser el fin de Semana Santa,
y Amy Grant y su familia nos invitaron a almorzar el Domingo de
Resurrección con ellos en la casa de los padres de ella. Nos hicieron

sentir totalmente bienvenidos, y su gentileza nos conmovió de manera profunda. Nunca hemos olvidado esa bondad de la que estábamos tan necesitados.

Esas mudanzas nos alteraban la vida a todos, en especial a nuestros hijos, y lo sabíamos. En cambio, todos estábamos listos para dejar atrás las tensiones de Los Ángeles. Nos parecería que escapábamos de Egipto y entrábamos en la Tierra Prometida.

Al menos, eso pensaba yo.

21
Termino en el desierto

L a mudada resultó ser mucho más difícil de lo que esperábamos. En primer lugar, todo nos parecía extraño en Tennessee. Allí, hasta hablaban otro idioma... o al menos, eso nos pareció al principio. Decidimos que solo le podríamos pedir a una persona que nos repitiera algo tres veces, porque más que eso habría parecido de poca educación.

Aunque nuestra vida en California no era perfecta, al menos sabíamos cómo vivir allí. Los Ángeles está en una especie de cuadrícula de calles bastante plana, con la excepción de unas pocas colinas. En Nashville no hay terreno llano. Todo son colinas. Y en una ocasión en que le pregunté a un extraño si debía tomar rumbo norte por un camino concreto para llegar a donde iba, se rio y me dijo: «En Nashville no hay norte, ni sur, ni este ni oeste. En realidad, algunas de estas cuatro calles pueden ir en las cuatro direcciones».

Descubrí que tenía razón. Muchas calles no solo cambian de dirección, sino que también cambian de nombre cada pocos kilómetros. Y cuando preguntas cómo llegar a un lugar, la gente no usa palabras como «norte», «sur», números concretos o incluso nombres de calles, porque no siempre hay señales en las calles para indicarlos. Te dicen algo como esto: «Tome este camino de aquí y gire a la derecha después de pasar un campo donde hay vacas. Cuando vea un camión rojo estacionado a la izquierda, tome la siguiente derecha, y cuando pase donde solía estar el Hill Market, haga una izquierda». ¿Vacas? ¿Qué pasa si en ese día están en otro campo? ¿Un camión rojo? ¿Y si alguien lo está conduciendo y no está allí estacionado? ¿Dónde *solía estar* este mercado?

Sé que esto parece algo poco importante, pero como siempre he tenido un buen sentido de orientación, para mí era algo grande estar perdida durante la mayor parte de mi primer año en ese nuevo lugar. En esa época, no teníamos GPS [Sistemas de Posicionamiento Global]. Teníamos mapas y planos, y a muchos les faltaban varias calles.

En Los Ángeles se sabe hacia dónde está el norte porque siempre se sabe dónde está el mar. Si el mar te queda a la izquierda, vas con rumbo norte. Y esa era otra de las cosas. No había mar a dónde ir cada vez que quisiera. En Los Ángeles, siempre podíamos llegar a la playa en una media hora, si no era una de las horas punta del día... y en un par de horas si lo era. No importaba que el único momento del día en que no era hora punta fuera entre las once de la noche y las cuatro de la mañana. Y no importaba que de todas maneras estuviéramos casi siempre tan ocupados que no pudiéramos ir a la playa. Era consolador saber que allí estaba si nos interesaba. Yo había vivido la mayor parte de mi vida cerca de la playa, y sentía la ansiedad de la separación cuando nos mudamos a un lugar donde la playa más cercana queda por lo menos a ocho horas de camino, y exige una gran cantidad de tiempo y una fuerte inversión de dinero. Digan lo que digan, los lagos no son lo mismo.

Cuando llegamos a Nashville, éramos muy cautelosos y demasiado desconfiados. Cuando salíamos del auto en la tienda de víveres en Nashville, me daba cuenta de que miraba con desconfianza alrededor del estacionamiento en busca de alguien con un arma de fuego. Como descubrimos más tarde, es probable que todos los que estuvieran en el estacionamiento, y también en la misma tienda, tuviera una. Sin embargo, las adquirieron legalmente, tenían permiso para portar armas, y las tenían para protegerse y no para dispararles a personas inocentes a fin de poderse meter en una pandilla. Y esa era una diferencia importante.

En los meses anteriores a nuestra salida de Los Ángeles, le dispararon a una mujer y la mataron cuando estaba a punto de entrar en la tienda de víveres cercana a nuestra casa, la misma a la que íbamos con frecuencia. Y eran las diez de la mañana. Les disparaban a las personas y las mataban mientras iban conduciendo por la autopista, así que yo temía por la vida de mis hijos cuando mi hijo llevaba a mi hija a la reunión del grupo de jóvenes los miércoles por la noche. A un buen amigo nuestro le dispararon frente a su casa a plena luz del día cuando iba a recoger la correspondencia en su buzón de correos que estaba junto a la acera. Todas estas situaciones solían ser actos de violencia motivados por las iniciaciones en las pandillas. Para convertirse en miembro de una pandilla, el aspirante tenía que matar a alguien.

En Franklin, Tennessee, al final de la tarde cuando ya estaba anocheciendo, yo iba en el auto rumbo a casa en un camino de dos carriles y se me pinchó un neumático. Me aparté de la carretera para llamar al Auto Club de modo que fueran a socorrerme, pero no tenía idea de cómo llamarlos desde donde estaba. ¿Era un lugar cerca de la autopista 100, cerca de un campo lleno de vacas, después de pasar un camión rojo y justo antes de donde solía estar el Hill Market? En realidad, ahora que lo recuerdo, me parece que habrían sabido con exactitud dónde estaba yo, pero no tuve que hacer esa llamada porque dos hombres que iban en una camioneta se detuvieron detrás de mí, salieron de su vehículo y caminaron hasta la ventanilla del conductor de mi auto.

Moriré aquí, pensé. *No puedo creer que dejara la violencia de las pandillas de Los Ángeles para que me maten a tiros a un lado de una autopista de Nashville y escondan mi cuerpo en el espeso bosque que hay a ambos lados de la carretera.*

Bajé la ventanilla para suplicarles que no me mataran, y uno de los hombres me dijo:

—Buenas tardes, señora. Nosotros le vamos a cambiar el neumático.

—¿De veras? —exclamé incrédula.

—Claro. Abra el maletero —me dijo, y se pusieron a levantar el auto para cambiar el neumático.

Yo salí para observarlos, mientras se hacían cargo de todo con rapidez. Me sentía más que agradecida. Saqué dinero del bolso para

ofrecérselo, con toda la intención de pagarles bien por sus servicios,
pero no lo recibieron y parecieron sorprenderse de que yo pensara
siquiera en que iban a aceptar pago alguno. Me di cuenta de que su actitud indicaba cómo era la gente de
allí. Siempre bondadosa y dispuesta a ayudar a todo el que estuviera
pasando una necesidad. Y su bondad era real. Yo había oído decir que
Tennessee era el Estado de los Voluntarios, pero no sabía hasta qué
punto lo era en realidad. ¿Cómo es posible que haya todo un Estado
de gente que se ofrezca voluntaria? Lo hacen de persona en persona,
de situación en situación y de día en día. En su manera de ser está el
no hacer menos que eso. Me sentía maravillada.

∾

Cuando llegamos a Nashville, era pleno verano, con un calor y
una humedad terribles. Nos dijeron que se trataba de la peor ola de
calor en cien años. Y nuestro aire acondicionado no funcionaba. A
las ocho de la mañana, cuando abrimos las puertas para los camiones
de la mudanza, estábamos empapados en sudor. Era evidente que los
empleados de la mudanza también detestaban el hecho de que nuestro
aire acondicionado no funcionara. También en Los Ángeles teníamos
calor, pero era un calor seco. Muy diferente. Y nosotros hicimos en
seguida la comparación.

No solo eso, sino que el gran dormitorio y el baño privado que
mandamos a construir para mi papá les faltaba la pared exterior. Solo
había una gruesa plancha de plástico clavada al marco de madera. Tal
vez fuera un detalle sin importancia para la gente de Tennessee, que no
vive en medio del temor, pero era un gran problema para cualquiera
que llegara de Los Ángeles. Llamamos a la casa de mi tía Jean, donde
se estaba quedando mi papá hasta que nosotros nos acabáramos de
mudar, y le dijimos que iba a tener que esperar un par de semanas
más hasta que lográramos que terminaran esa pared. Él tenía ya casi
ochenta años, y no estaba listo para soportar aquel terrible calor.

Por fin terminó el calor del verano y llegó el otoño. Las hojas secas
del otoño eran tan hermosas que nos dejaban maravillados. Y también
las tormentas de lluvia del otoño nos sacudían hasta los huesos.
Nunca habíamos oído truenos tan fuertes ni abrumadores como esos.

Después, sin embargo, el verdor del césped y de los árboles nos dejaba boquiabiertos. En la mañana de la víspera de Todos los Santos se nos presentó la primera tormenta de nieve. Pronto la siguió una tormenta de hielo que según nos dijeron, era «la peor en décadas». Nosotros ni siquiera sabíamos lo que era una tormenta de hielo.

La tormenta de hielo fue tan poderosa que, a la mañana siguiente cuando nos levantamos, en nuestro mundo exterior todo estaba cubierto por un hielo resplandeciente. Todas las ramas de los árboles, por pequeñas que fueran, y todas las hojas, estaban cubiertas por completo, al igual que todos los arbustos, los postes de las cercas, el camino y el escalón de entrada a la casa. No había nada más que hielo blanco y resplandeciente. Eso era deslumbrantemente hermoso, como un país de hadas. La ciudad estaba aislada por el hielo, y lo mismo estábamos tanto nosotros como todos nuestros vecinos. Los árboles caídos eran incontables. Se derrumbaron sobre los caminos de manera que, aunque hubiéramos podido salir del estacionamiento de nuestra casa, no habríamos podido ir a ninguna parte. Cayeron también sobre los cables eléctricos, dejando a casi todo el mundo sin electricidad.

Nosotros no teníamos un generador. Cuando nos quedamos sin electricidad, también nos quedamos sin calefacción. Todo lo que teníamos para calentarnos era una chimenea en la cocina, pero había tanto frío que nos teníamos que mantener a menos de un metro de ella para sentir al menos un poco de calor. No teníamos edredones de plumón ni pijamas de lana. Teníamos mantas y ropas ligeras, adecuadas para California, que abrigaban demasiado en Los Ángeles. Todos nos estábamos congelando y teníamos que cocinar sobre el fuego de la chimenea. No estábamos preparados en absoluto.

Una vez que pudimos salir, Amy Grant nos pidió que fuéramos a parar a su casa hasta que en la nuestra volviéramos a tener electricidad. Los hoteles tampoco tenían electricidad. Y los que la tenían, estaban repletos de huéspedes. Aceptamos de buen grado el ofrecimiento de Amy. Cuando llegamos a su casa, todos los cuartos de la casa estaban llenos de personas que se estaban quedando allí por la misma razón.

Una vez que pudimos regresar a nuestra casa, Michael y yo estábamos acostados una mañana temprano conversando acerca de todo lo que se necesitaba hacer o reparar en la casa, y le dije: «Al menos, ya pasó lo peor. Es decir, ¿qué más podría pasar?».

Te aconsejo que nunca digas esas palabras. Parecen demasiado confiadas. Se parecen mucho a una pregunta en busca de respuesta. Porque un segundo después que dije eso, oímos una inmensa explosión encima de nuestra sala, seguida por un gigantesco chasquido. Y entonces, casi de inmediato, comenzó a llover algo rosado por todo el interior de la casa. Nosotros saltamos de la cama y subimos corriendo para averiguar lo sucedido. El techo del dormitorio de mi hija se vino abajo hasta el suelo. Gracias a Dios, ella estaba con mi hermana y no durmió allí esa noche.

Pasó mucho tiempo antes que regresara la electricidad. Entonces, cuando por fin salimos para ir a la tienda, esto parecía una zona de guerra.

Todo el mundo colaboraba y ayudaba a todo el mundo. Incluso años más tarde, cuando hubo un verdadero diluvio que destruyó un número incalculable de edificios y de hogares en la zona de Nashville, nadie envió a la Guardia Nacional para ayudar porque la gente de Tennessee estaba ayudando a todo el que lo necesitara. Franklin Graham llegó con la Bolsa Samaritana, su enorme organización, una de las organizaciones de voluntarios más grandes de todos los tiempos, y organizó equipos en la ciudad para ayudar a echar abajo las propiedades dañadas, despejar los lugares, rociar para evitar el moho y después reconstruir. Mi hijo ayudó en todo eso. Yo me preguntaba cuándo vería alguien de Tennessee que no fuera bondadoso y servicial, pero nunca lo he llegado a ver. Siempre son así.

A pesar de eso, cada uno de nosotros se tuvo que enfrentar a lo diferente que era todo en Tennessee y adaptarse. Yo sentí que había salido de Egipto rumbo a la Tierra Prometida, pero por alguna razón terminé en el desierto. Esto no es en ningún sentido un juicio peyorativo con respecto a la buena gente de Los Ángeles o de Tennessee. Es mi experiencia personal.

A mi esposo y a mis hijos también se les hizo difícil la adaptación. Todos nos sentíamos fuera de lugar, como si no fuéramos de allí. Nos preguntábamos: *¿Habremos cometido un error? ¿Habremos escuchado de veras a Dios? ¿Será que Él nos sacó al prado a comer? ¿Hay realmente un futuro en este lugar? ¿Nos llegaremos a sentir en casa de tal modo que lleguemos a considerar este lugar como nuestro?* Sin embargo, sabía sin lugar a dudas que Dios era quien nos llamó y quien lo hizo todo posible.

Aun cuando Nashville quizá tenga más iglesias que la inmensa mayoría de los demás lugares del país, y nosotros asistimos a unas cuantas, no había ningún lugar como nuestra iglesia de Los Ángeles y la echábamos de menos. Y ese era el problema. En este deambular por el desierto todos teníamos que soltar las cosas de Los Ángeles por las que seguíamos sintiendo ansiedad y aprender a tener ansias solamente de la presencia de Dios con nosotros donde estábamos. Aprendimos que Él quería captar por completo nuestra atención porque el desierto es el lugar donde nos prepara para el futuro que tiene para nosotros. Y tuvimos que aprender también que no podemos recibir todo lo que Él tiene para nosotros si no caminamos muy cerca de Él. Esto se debe a que nos quiere llevar a lugares donde no podremos ir a menos que Él nos capacite para hacerlo.

La experiencia del desierto no tiene que ver tanto con un lugar determinado como con el estado de nuestro corazón.

Dios nos lleva a una situación de desierto cuando quiere sacar a Egipto de nuestro corazón.

Yo tenía mucho de Egipto en el corazón. Ansiaba cosas y experiencias de Los Ángeles y Dios quería que desaparecieran todas. Para ilustrar la condición de mi corazón, desarrollé un resentimiento hacia mi esposo y hacia Dios por llevarme a un lugar en el que estaba despojada de todo. Tal vez hubiera podido manejar mejor la situación de haber tenido treinta y tantos o cuarenta y tantos años, pero había cumplido los cincuenta antes de mudarnos, y a esa edad se nos hace difícil dejar todo lo conocido. Cada vez sentía más que mi vida se había terminado. En cambio, lo cierto era que apenas comenzaba un nuevo y maravilloso período de mi vida. Solo que en esos momentos no lo podía ver.

Sabía que mis hijos estaban mucho más seguros en Tennessee, aunque la transición tuvo lugar en el peor momento de sus vidas. Mi hijo comenzó su último año del instituto en Nashville. Ese es un tiempo donde los estudiantes ya han hecho sus amistades y no están dispuestos a entablar una nueva amistad con un extraño procedente de una tierra extranjera como Los Ángeles. Y mi hija comenzaba la secundaria, en la cual se encierran más en sí mismos los grupitos de amigas de mucho tiempo. Yo le daba gracias a Dios porque la hija de mi hermana tenía la misma edad que mi hija, y aunque no asistieron a la misma escuela durante más de un año, se pasaban juntas casi todos los fines de semana. Aun así, la transición fue difícil para todos los miembros de nuestras dos familias.

Michael y yo nos preguntábamos qué sucedería en el futuro. Lo descubriríamos en solo un par de cortos meses.

22
La sacudida gigante

Nos mudamos a Tennessee a finales de junio de 1993. Justo dos meses más tarde, en septiembre de ese año, a unas dos cuadras de la que fuera nuestra casa en Northridge, la hermosa joven que se encargó de nuestra contabilidad en la oficina de negocios que tuvimos en Los Ángeles, y a quien conocimos bien por varios años, estaba en su auto con su hijo de nueve años recogiendo a su hija adolescente que estaba en un estudio bíblico en la casa de uno de nuestros antiguos vecinos. Dos hombres se estacionaron detrás de su auto y uno de ellos se acercó hasta la ventanilla del conductor, apuntándola con un revólver. Le exigió que le entregara el bolso y el maletín, y ella se los dio en seguida sin discutir. Aun así, de todas maneras, le disparó frente a su aterrado hijo y ella murió al instante. Su hija salió corriendo de la casa y encontró que habían matado a su madre. Esto destrozó a sus hijos y a su esposo. Nos afligió a todos nosotros, y estremeció con violencia a todas las personas que vivían en la zona.

No me podía imaginar siquiera lo profundo que hubiera sido nuestro terror de haber estado viviendo allí en esos momentos. Era algo que siempre había temido, porque esta clase de asesinatos se había ido moviendo cada vez más cerca de nuestra ciudad, antes tan amigable y tranquila.

Después de eso, se descubrió que una red de pornografía infantil operaba cerca debajo de las narices de todo el mundo en un lugar que nadie sospecharía siquiera. Yo siempre sentí que había algo malvado rondando, pero no lo podía señalar con precisión. Nunca dejaba que mis hijos jugaran en el patio del frente que tenía una cerca de seguridad con puertas eléctricas. Si salían de la casa, tenían que estar en el traspatio, que estaba rodeado por completo por una cerca de ladrillo de tres metros de alto. Sin una escalera alta, nadie podía ver por encima de ella. Esa sensación de que había algo malévolo fue creciendo en mí a medida que pasaba el tiempo. Ahora sé que Dios me estaba alertando.

A la vuelta del calendario en 1994, ya habíamos soportado la ola de calor, la tormenta de hielo y ahora empezábamos a hallar una paz estable. Sin embargo, el 17 de enero de 1994, cuando encendimos la televisión por la mañana, vimos que un terremoto de magnitud 6,7 sacudió a Los Ángeles a las cuatro y media de la mañana. Vimos escenas que nos eran muy conocidas y descubrimos que el epicentro estaba en Northridge, el lugar donde vivimos antes de mudarnos a Tennessee.

Caltech dijo que era «la sacudida de tierra más fuerte jamás registrada con instrumentos en una zona urbana de América del Norte»[1] hasta ese momento. El terremoto causó un impacto en unos 6 500 km² y 50 ciudades. Había 57 muertos, 12 000 lesionados, 114 000 personas que se quedaron sin hogar, 100 alarmas importantes de incendio y 449 000 hogares y apartamentos destruidos. Era el desastre natural más costoso que se había producido en los Estados Unidos. Siete puentes principales de autopistas se desplomaron y 212 quedaron tan dañados que no se pudo viajar por ellos durante algún tiempo. Supimos que a nuestra casa de Northridge le pusieron la etiqueta roja, lo cual significaba que estaba tan dañada que incluso era demasiado peligroso entrar, de manera que la ciudad declaró ilegal hacerlo.

De seguro que ese terremoto fue más fuerte que cualquiera que yo hubiera sentido, y le di gracias a Dios porque no estábamos allí cuando se produjo. En cambio, me preocupaban todos nuestros amigos y vecinos.

Al instante recordé que Dios me indicó en el corazón que nos teníamos que marchar de Northridge cuanto antes, tanto si se vendía nuestra casa o no, y eso era arriesgado en lo financiero. Después de mudarnos, estuvimos esperando un mes tras otro a que se vendiera. Era insostenible pagar las hipotecas, los servicios públicos y el mantenimiento de dos casas. Eso había dañado nuestras finanzas hasta el punto de que no sabíamos cuánto tiempo más podríamos seguir así. Entonces, cuando vi la devastación producida en Northridge, le di gracias a Dios porque le hicimos caso. Vimos en la televisión un edificio de apartamentos de dos pisos, que no estaba a más de diez cuadras de nuestra casa y que solía ser un edificio de tres pisos, hasta que el segundo piso se desplomó sobre el primero, matando a casi todos los que estaban en ese piso. Pensé en seguida en mi terror cuando vivía en el apartamento del primer piso en el edificio de tres pisos de Studio City, y pensaba que el edificio se podía desplomar encima de mí. Eso fue más de dos décadas antes. Las noticias de la televisión se centraron en ese edificio de apartamentos en particular, porque la gente que vivía en ese primer piso murió, pero todavía había algunos que no se habían encontrado. Me escalofriaba pensar en lo que debe haber sentido la gente.

Una vez que se detuvieron las réplicas, mis hijos y yo volamos de vuelta para ver los daños causados en nuestra antigua casa y averiguar si había algo que se pudiera salvar. Sin embargo, estaba tan dañada desde los mismos cimientos que parecía imposible que la volvieran a reparar jamás. Terminamos mirándola y pensando en cómo hubieran sido las cosas si hubiéramos estado allí. Era posible que mis hijos sobrevivieran de haberse quedado en sus camas, pero no estoy segura de que sobreviviéramos mi esposo y yo. Los daños eran devastadores.

Firmamos los papeles necesarios para venderles la propiedad a unos magnates que consideraban que algún día podría volver a ser valiosa. Pagábamos una fuerte cantidad al seguro contra terremotos, pero al parecer no leímos la letra pequeña donde se decía que la póliza solo pagaría por lo que valía la casa en el momento del terremoto. La casa misma no valía ni con mucho lo que pagamos por ella, y nadie sabía si alguna vez se podría reconstruir porque los cimientos quedaron torcidos, levantándose casi cuarenta centímetros en muchos lugares. ¿Cómo se podría reparar algún día y quién la iba a comprar? Así que la compañía de seguros nos dio el cincuenta por ciento de lo que pagamos por ella. Esas dos cosas, la venta de la tierra y la mitad de lo que pagamos por la casa, fueron las que nos salvaron de la ruina. Al menos, nos liberamos de la carga económica que significaban los pagos por una casa donde ya no era posible vivir. Nos sentíamos agradecidos porque no estábamos allí cuando sucedió eso, pues lo habríamos perdido todo *en* la casa y es posible que la vida también. Y eso explicaba por qué no se pudo vender. Dios no quería que hubiera nadie en la casa cuando se produjera el desastre.

Después de eso, ninguno de nosotros se volvió a quejar por haberse marchado de Los Ángeles, ni de que le costara trabajo adaptarse a Tennessee. No le volvimos a preguntar a Dios si ese era en realidad su plan para nosotros. Tener un problema tras otro no significaba que estuviéramos fuera de la voluntad de Dios.

Todos los que conocíamos que pasaron por el terremoto, incluyendo nuestros pastores, nos decían que fue el terremoto más violento y aterrador que experimentaran en toda su vida. No era como esa clase de terremoto en que la tierra se mece de un lado a otro, por los que todos pasamos con anterioridad. Era un violento movimiento vertical hacia arriba y hacia abajo que hacía imposible moverse hasta un lugar seguro. Yo notaba con claridad el terror que había en sus rostros cuando me lo describían en persona. Y podía escuchar en sus voces lo traumático que fue cuando me lo describían con vívidos detalles por teléfono.

Algunas personas que conocíamos, tenían su casa tan dañada como la nuestra, pero también perdieron casi todo lo que tenían dentro. Empacaron lo que pudieron y se mudaron lejos. Algunos se vinieron hasta Tennessee, donde estábamos nosotros. Muchos se limitaron a dejar atrás sus casas con todo lo que hubiera dentro que no se podía salvar. Era algo desgarrador. Sin embargo, no conocíamos a nadie que muriera en el terremoto, o quedara lesionado, y todos le dimos gracias a Dios por ese milagro.

Aunque no pasamos por la sacudida física, ese terremoto gigantesco nos estremeció la mente, el alma y el espíritu. Era evidente que Dios nos rescató de una situación que hubiera sido catastrófica de haber estado allí durmiendo en nuestras camas esa noche. Si hubiéramos intentado salir de la casa corriendo, aunque nos hubiera sido posible salir, nos habríamos encontrado con el inmenso techo cayendo sobre el portal del frente y las tres altas chimeneas de ladrillo derrumbándose de inmediato fuera de la puerta de vidrio de la sala, haciendo un cráter en el patio de cemento y ladrillo. Y la caída de la pared de vidrio de dos pisos en la pared exterior de nuestro dormitorio, en el lugar donde estaba la puerta que daba al exterior, así como el desplome de la chimenea de ladrillo que había en el dormitorio, que cayeron ambas donde habría estado la cama de haber estado nosotros allí, habrían sido desastrosos. Todos le estábamos agradecidos a Dios porque Él nos sacó de esa casa. Él nos salvaba y yo me estuve quejando por la forma en que lo hacía.

Ahora, todos sentíamos curiosidad por ver lo que Dios tenía para cada uno de nosotros en Tennessee. Yo estaba convencida más que nunca de que no podíamos sobrevivir sin una oración constante, permanente, ferviente y continua. Aunque ya sabía esto, ahora Dios me lo demostraba más allá de toda duda. Nunca más me pregunté si me podía pasar un solo día sin orar.

Sabía que no podría.

23
La media vuelta poderosa

Con cada día que pasaba después de nuestra mudanza, en especial después de esos desastres, yo me pasaba más tiempo que nunca en oración. Oraba con fervor por mi esposo y mis hijos. Podía ver que cada uno de ellos batallaba a su manera para adaptarse a su nueva vida. Habíamos dejado todo lo que nos era conocido para ir, sin esperarlo, donde nada nos parecía conocido. No que esto fuera algo malo, sino que era muy diferente. Extrañábamos a nuestros amigos de tanto tiempo y, aunque nuestros nuevos conocidos en nuestra nueva tierra eran maravillosamente gentiles y bondadosos, se nos hacía más difícil llegar a conocer bien a la gente.

Los Ángeles es un crisol en el que se encuentran toda clase de culturas, razas y colores diferentes. No se notaba cuando alguien era diferente porque todo el mundo lo era. Y es probable que eso mismo fuera lo que menos atraía a las buenas personas de nuestra nueva tierra. Y lo comprendía.

Poco a poco, a lo largo del año siguiente, muchos viejos amigos de Los Ángeles se mudaron cerca de nosotros en Tennessee. Algunos perdieron sus casas en el terremoto. Aun así, entre nosotros no había ningún grupo que se reuniera antes de mudarse para decidir:

«Vamos a mudarnos todos juntos». Dios puso esto por separado en cada uno de nuestros corazones.

Mi amiga íntima, Roz, era la única, con excepción de nuestra familia, con la que mi esposo y yo hablamos acerca de mudarnos para Tennessee. Y esto se debía a que nosotras fuimos compañeras de oración durante mucho tiempo y oramos juntas por este asunto. Estábamos muy sorprendidas al ver que Dios lo puso en cada uno de nuestros corazones al mismo tiempo. Buscamos el consejo de nuestro pastor en cuanto a la mudada, y el pastor Jack, que nunca trataba de mantener a la gente en su iglesia aconsejándole que no se podía ir, estuvo de acuerdo en que el Señor era quien nos dirigía. Siempre preparaba gente para enviarla por toda la nación y por todo el mundo, dondequiera que Dios la dirigiera. Así que él y los demás pastores oraron por nosotras en uno de los cultos de los domingos por la mañana para que fuéramos enviadas con la bendición de Dios.

Una vez que dejamos Los Ángeles, le eché muchísimo de menos a mi grupo de oración. Eran fuertes guerreras de oración, formaban una gran parte de mi vida y me servían como un poderoso apoyo. Todas íbamos a la misma iglesia, y la gente no podía asistir con regularidad a esa iglesia sin aprender a orar. Sentía en lo profundo haberlas perdido, y sabía que necesitaba formar pronto de nuevo un grupo de oración en nuestro hogar.

Invité a las damas que estuvieron antes en mi grupo, y que también se mudaron a Nashville, junto con otras mujeres trasplantadas de nuestra nueva iglesia. Sabíamos que Dios nos trajo aquí; por tanto, debía tener un propósito en mente para nosotros y para los miembros de nuestra familia y no nos queríamos perder lo que fuera ese propósito. El grupo de damas se reunía en mi hogar cada martes por la mañana, como antes.

Un día recibí una llamada de la policía de otro Estado para decirme que el esposo de Diana falleció en un accidente automovilístico, y que yo tenía la custodia de su hijo. Fue algo devastador. Andrew y su hijo se pasaron todas las Navidades con nosotros desde que falleció Diana. Yo me fui en seguida en avión de vuelta al oeste para ayudar a su hijo a través de la terrible transición. Todos decidimos que, como se graduaría del instituto ese año, se debía quedar allí con unos buenos amigos. Después de la graduación, se fue con nosotros a Tennessee hasta que escogió la universidad a la que quería asistir. Aunque le ofrecieron la beca presidencial en *Vanderbilt*, quiso ir donde irían sus mejores amigos, en la *Pacific Northwest*. Yo también pensé que esa era la mejor decisión que podía tomar.

Mis compañeras de oración nos apoyaron en oración durante toda esta tragedia y esta gran transición.

Ese mismo año, mi compañía editorial se comunicó conmigo y me preguntó si tenía en el corazón algún tema sobre el cual quisiera escribir.

«Sí, quiero escribir un libro llamado *El poder de los padres que oran*», les dije. «He estado pensando acerca de él y escribiendo notas sobre este tema durante años. He llevado a los grupos de oración que se han reunido en mi casa a orar por nuestros hijos durante cerca de una década. He aprendido mucho sobre cómo orar, y he visto un número incalculable de respuestas a la oración cuando las mamás o los papás oran sin cesar por cada uno de sus hijos. Es asombroso lo que sucede cuando *siguen* orando sin darse por vencidos. Todas hemos visto a Dios moverse con poder en la vida de cada uno de los hijos por los que hemos orado».

La casa editorial aceptó la idea y me dio luz verde para que escribiera el libro.

Después que terminé ese libro y salió a la venta, creía tanto en su mensaje, debido a que sentía en lo profundo la urgencia de que todos los padres oren por sus hijos, que me ofrecí para hablarles en diferentes escuelas a las mamás que querían comenzar un grupo de oración así en su escuela o en su hogar. Y todas estuvieron dispuestas ante mi sugerencia. Nunca hubo una sola escuela ni un solo grupo de mamás que me cerrara las puertas. La asistencia era grande en cada una de las reuniones, y las mamás que oraban, captaban de inmediato la visión. Usaban mi libro como recurso para guiarse y recibir inspiración. Poco a poco se fue corriendo la voz por toda la nación. Mi casa editorial me decía con frecuencia que era el único libro que había visto que cada año vendía más ejemplares durante varios años. Yo le di gracias a Dios por lo bien que lo habían recibido, tal como se lo habíamos pedido de manera específica en mi grupo de oración.

Las cosas empeoraron entre mi esposo y yo después que nos mudamos a Tennessee, tal como me había temido. Todo comenzó en Los Ángeles, donde él se volvió cada vez más irritable conmigo y con nuestros hijos. Todos andábamos con pies de plomo cuando estábamos cerca de él, con la esperanza de evitar que nos dirigiera a nosotros su enojo, y eso se volvió demasiado tenso para ser saludable. En Tennessee se convirtió en insoportable, y llegó el momento en que no lo pude soportar más.

Un sábado, cuando Michael estaba fuera haciendo un viaje de golf con sus amigos, y mis hijos también se fueron a pasar el día con sus amigos, me senté en mi cama abrazada a mi Biblia y derramé ante Dios lo que tenía en el corazón con respecto a mi matrimonio.

Durante años, había estado diciendo mi oración favorita de dos palabras por mi esposo, que era: «¡Cámbialo, Señor!». *¿Por qué Dios o bien no escucha mi oración o se niega a responderla?* Confieso que hasta llegué a enojarme con Dios por darme un esposo que algunas veces era abusivo de palabras, tal como lo fue mi madre. *¿Acaso no he sufrido ya bastante con esa manera de tratarme? ¿Por qué permitió Dios que me casara con él sin mostrarme cómo se iba a comportar?*

«Señor, sé que tú no violas nuestra voluntad», le dije. «Entonces, si Michael no quiere cambiar porque se siente bien con su manera de ser, ¿qué podemos hacer el resto de nosotros? Sé lo que dijiste acerca del divorcio, de cómo lo detestas y yo detesto lo que detestas tú... pero en este matrimonio me siento como si me estuviera muriendo. Ayúdame, Señor. No puedo vivir más tiempo de esta manera y no sé lo que debo hacer».

Gracias a las ventas tan excelentes del libro *El poder de los padres que oran*, acababa de recibir un cheque por concepto de regalías que era mayor de los que había recibido antes. Luché mucho con la tentación de recoger a mis hijos, tomar el cheque e irme. Podía comprar un pequeño condominio y nunca más en mi vida me tendría que dejar golpear emocionalmente con abusos verbales. Por supuesto, sabía que pasaría por todo un infierno si lo hacía. Sobre mí caería la ira de la comunidad cristiana, de manera que nunca más podría volver a escribir para una casa editorial cristiana. ¿Y cómo nos mantendríamos mis hijos y yo? ¿Y quiénes seguirían siendo amigos nuestros? La imagen de nuestro futuro se volvió tan horriblemente trágica que no sentía paz con respecto a hacer algo así. Y sabía que esa no era la respuesta porque no era la voluntad de Dios. Yo no podía violarla.

Lloré ante el Señor, confesándole todo lo que tenía en el corazón en ese momento, y le pedí que me perdonara. «Háblame, Señor. Ayúdame. Voy a ayunar y orar hoy, hasta que me hables».

Me senté allí esperando en el Señor y no dejé el lugar hasta que oí que la voz divina me penetraba en el corazón con una claridad superior a las otras veces anteriores en que lo escuché.

Me dijo: «Si abandonas tu deseo de irte y haces lo que te pido que hagas, te voy a bendecir. En primer lugar, necesitas dejar de hacer tu oración favorita de dos palabras: "Cámbialo, Señor", y hacer la que es mi oración favorita de dos palabras: "Cámbiame, Señor"».

Esas palabras provocaron toda una conmoción en mi sistema.

«Sin embargo, Señor, aquí no soy yo la que debe cambiar. Es *él*», le dije con tanto respeto como pude.

Dios me invitó a razonar con Él al respecto. «*Todos* necesitan cambiar», me explicó, «porque ninguno está a la altura de lo que quiero que sea».

Dios quiere que todos nos volvamos más semejantes a Él, comprendí al fin.

«Si tú estás dispuesta a cambiar», me siguió diciendo, «yo te puedo usar como instrumento de liberación para tu esposo. Si estás dispuesta a abandonar tu deseo de marcharte y te sometes a mi voluntad con respecto a tu vida, te voy a enseñar a orar de la forma que quiero que ores por tu esposo».

En realidad, me dolió abandonar todas las injusticias que había ido recogiendo del pasado en nuestro matrimonio, y comenzar de nuevo como si esas cosas ofensivas nunca hubieran sucedido, pero le dije que sí a Dios. No había garantía alguna, pero tampoco había ninguna otra opción.

Además, Dios me indicó que para tener rectitud en mi corazón hacia mi esposo, tenía que confesar todo pensamiento de falta de perdón o de amargura que tenía *antes* de orar cada día por él. Dios no estaba dispuesto a escuchar mis oraciones si no hacía eso. La Biblia dice: «Si observo iniquidad en mi corazón, el Señor no me escuchará»[1]. Mi propia falta de perdón, mi amargura, mis dudas y mis pensamientos negativos eran inicuos, eran pecados, ante los ojos de Dios, y Él quería que hubiera rectitud en mi corazón *antes* de responder mis oraciones.

Al día siguiente, cuando mi esposo llegó a casa, le dije lo que el Señor me puso en el corazón. «Michael, Dios me mostró que no he estado orando por ti de la forma en que Él quiere que ore, así que voy a orar por ti todos los días y quiero que me digas de manera específica cómo quieres que ore».

Él aceptó hacerlo.

Cada mañana le preguntaba a Michael cómo quería que orara por él, y sucedió algo muy asombroso. Se tomaba el tiempo que fuera necesario para hablarme de todo lo que le perturbaba... y había muchas cosas que yo no sabía siquiera.

Cada vez que se encendía su ira, en lugar de reaccionar ante ella, oraba para que Dios me mostrara lo que la estaba causando y me ayudara a responder de la forma en que debía hacerlo. Le pedía a Dios que se llevara la ira de mi esposo y le diera paz. Cada vez que hacía esto, veía que su ira se disipaba, en lugar de volverse más intensa. No podía creer lo que veía. Mientras más oraba por él de la manera en que Dios quería que lo hiciera, veía más cambios produciéndose en él. ¡Y *en mí*!

Los cambios que se producían en mí aparecían porque antes de orar por mi esposo me aseguraba de no tener malos sentimientos, pensamientos o actitudes en el corazón hacia él, ni hacia ninguna otra persona tampoco. Pronto llegué a ver cómo la «iniquidad en mi corazón» había impedido que Dios respondiera mis oraciones. Les hablé de todo esto a mi grupo de oración, y ellas oraron por nosotros a cada paso que dábamos en el camino. La atmósfera de nuestro hogar se fue transformando de manera gradual a medida que Dios me mostraba de qué manera orar por Michael cada día.

Cuando mi casa editorial me preguntó de nuevo al año siguiente si había algo sobre lo que quería escribir, les dije: «Sí. Quiero escribir *El poder de la esposa que ora*». Les conté lo sucedido y todo lo que me había enseñado Dios, pero el comité editorial se preocupó por cómo se vendería, pues en esa época los libros sobre la educación de los hijos se vendían mucho mejor que los libros acerca del matrimonio. Estaban dispuestos a publicarlo, pero tenía que hacerlo colateral con el libro *El poder de los padres que oran*. Esto quería decir que si *El poder de la esposa que ora* no se vendía, tomarían parte de los derechos de autor del otro libro para compensarse por las pérdidas.

Estaba segura que era voluntad de Dios que escribiera este libro, y sabía que el corazón de casi todas las mujeres no solo estaba en tener matrimonios que funcionaran, sino también que prosperaran y se convirtieran en todo lo que Dios quería que fueran. Puesto que mi grupo de oración oró conmigo a lo largo de todos los libros que escribí, sabía que no podía escribir este libro sin el apoyo de su oración. Estaba segura de que sería más difícil que los demás. Y así fue.

Tenía un grupo de oración dedicado y ferviente de siete mujeres que eran mujeres de la Palabra; que tenían un corazón fiel, humilde y puro ante Dios; y que querían que la voluntad de Él se hiciera en sus vidas y en las vidas de sus hijos y esposos.

Un lunes, estaba orando como preparación antes de la reunión de nuestro grupo de oración del martes por la mañana al día siguiente, y sentí que el Señor me dirigía con poder a orar de una forma determinada con respecto al libro *El poder de la esposa que ora* que era diferente a la forma en que antes estuve orando siempre por todos los demás libros. No quería llevar una petición de oración como esa a mi grupo de oración como un simple capricho, pero sabía que a mí no se me habría podido ocurrir esto por mi cuenta. Y Dios me aseguró mediante su paz que de seguro era su voluntad.

Cuando llegó el momento en el que le presentara mis peticiones al grupo de oración esa mañana, dije: «Tengo una petición de oración poco usual, y creo que es de Dios porque no lo habría pensado por mi propia cuenta. Así que quiero que oren conmigo por esto y me digan si su espíritu les da testimonio a su favor o no.

»Esta es mi petición de oración», seguí. «Quiero que oren para que este libro que estoy escribiendo, *El poder de la esposa que ora,* sea un verdadero éxito y se lleve al mundo entero, a todas las naciones donde Dios lo quiera llevar, y se traduzca en cada idioma que Dios quiera que se traduzca. Sé que esto les podría parecer como una visión de grandeza o una simple manifestación de arrogancia, pero vengo en humildad ante ustedes con esta petición».

Sin hacer pausa alguna, todas las damas del grupo dijeron que su espíritu se identificaba con mi petición. Creyeron que era algo que de veras venía de Dios y que debíamos orar cada semana por el libro de esa forma, incluso después de su publicación. Y eso fue lo que hicimos.

Cuando el libro salió a la venta, fue tan bien recibido que pasó al primer lugar en la lista de libros mejor vendidos de la Asociación de Libreros Cristianos. Yo llamé en seguida al presidente de mi casa editorial para darles las gracias.

—Hola, Bob. Te quiero dar las gracias por todo lo que hizo tu compañía para hacer que este libro ocupara el primer lugar en lista de éxitos. Les estoy muy agradecida.

—Bueno, nosotros no tuvimos nada que ver con eso —me contestó con humildad.

—¿De veras? —le dije sorprendida.

—No, solo Dios puede hacer algo así —me dijo con firmeza.

Entonces, me contó cómo las ventas del libro habían ido aumentando cada mes desde que se puso a la venta, incluso más allá del récord de ventas de *El poder de los padres que oran*.

—Nunca había visto nada igual.

Mis compañeras de oración y yo reconocimos que el Señor estaba respondiendo las oraciones que Él mismo nos indicó que hiciéramos. Así aprendimos que cuando Dios quiere que oremos más allá de lo que hemos pensado, le debemos escuchar y hacer lo que nos diga. Dios quiere hacer por medio de nosotros unas cosas poderosas que no pueden suceder sin Él.

Es más, esto nos abrió los ojos a muchos de nosotros debido a lo sucedido con ese libro. Mientras que de *El poder de los padres que oran* se vendieron más de tres millones y medio de ejemplares, del libro *El poder de la esposa que ora* se vendieron más del doble de esa cantidad. Ambos se tradujeron a más de treinta y cinco idiomas diferentes y se enviaron a todos los países en los que la población hablaba esos idiomas. Dios respondió nuestras oraciones en las que le pedíamos que el libro se llevara al mundo entero, incluso más allá de nuestros sueños.

Como sucedía con *El poder de los padres que oran, El poder de la esposa que ora* se vendía cada año más que el año anterior. Esto se debía a que las mujeres comenzaban grupos de oración con él y se lo recomendaban entre sí. Celebro a las mujeres que estuvieron tan dispuestas a realizar la difícil tarea de orar; en especial la oración «Cámbiame». Es un reto para todo el mundo, pero es mucho lo que logra. Sabía que estaba haciendo milagros a favor nuestro, pero no sabía cuántas serían las mujeres que harían el trabajo arduo. Según salieron las cosas, se trata de millones. Y yo comencé a recibir un número incalculable de cartas y correos electrónicos con testimonios personales de esposas acerca de los milagros que Dios estaba obrando en sus matrimonios. Por supuesto, no todas obtuvieron una respuesta tan buena de parte de su esposo, porque es necesario que el hombre tenga un corazón que esté dispuesto a que Dios lo transforme. Y no todas las personas lo tienen.

El libro permaneció en primer lugar durante veintisiete meses consecutivos, y solo pasó al segundo lugar cuando lo siguió *El poder del esposo que ora* dos años más tarde, y lo sustituyó en el primer lugar durante un mes, y entonces, *El poder de la esposa que ora* regresó al primer lugar durante otros doce meses. Permaneció entre los cincuenta más vendidos durante treinta y dos meses consecutivos, y ha aparecido con frecuencia entre los cincuenta más vendidos durante más de quince años.

Solo Dios puede hacer todo esto.

Después de ese libro, escribí *El poder de la mujer que ora* para ayudar a las mujeres a orar por sí mismas de una manera que las acerque más a Dios en un caminar cada vez más profundo con Él. De este libro también se vendieron millones de ejemplares que fueron al mundo entero y se tradujo a muchos idiomas.

Cuando mi casa editorial me habló sobre escribir *El poder del esposo que ora*, me preocupaba la forma en que un hombre recibiría un libro escrito por una mujer para decirle cómo debía orar por su esposa. Sin embargo, oré mucho por esto y me sentí guiada a escribirlo desde *la perspectiva de una mujer*. Esto exigió encuestas entre las mujeres dondequiera que iba, acerca de cómo le gustaría a cada una que su esposo orara por ella. Quería que este libro ayudara al esposo a comprender mejor a su esposa y sus necesidades, y a saber cómo debía orar.

En cada uno de los capítulos de ese libro, incluí una contribución escrita o bien de mi esposo o de algún otro hombre de Dios que orara con regularidad por su esposa. Los hombres lo recibieron bien, y muchos organizaron grupos de oración para esposos, usando el libro como guía a fin de orar por sus esposas. Hasta recibí una fotografía de unos soldados en Irak que estaban orando por sus esposas que estaban aquí. Cada uno tenía en su mano un ejemplar de *El poder del esposo que ora* que les envié yo. Me sentí muy conmovida por esos hombres que se acordaban de orar por sus esposas que estaban lejos de ellos, incluso en esos momentos en los que ponían en peligro su vida por nuestra nación. Esa fotografía es una de mis posesiones más preciadas.

Después de esto escribí un libro tras otro acerca de la oración en cada edad, desde los tres años en adelante. Adapté cada uno de manera específica a las necesidades de quienes Dios me ponía en el corazón.

Durante todo esto, la gente me preguntaba con frecuencia: «¿Cómo se puede comenzar a escribir?». «¿Cómo se organizan los pensamientos, las notas y el tiempo?». Ya para entonces, tenía claras siete etapas específicas para lo que escribía. Eran más humorísticas que científicas. No tengo idea de que vayan a darle resultado a alguna otra persona, pero en un momento de mi vida, antes de escribir mi segundo libro décadas atrás, leí todos los libros que pude encontrar sobre cómo escribir. Todos y cada uno me fueron de inmensa ayuda. También hice en la universidad un curso sobre escritura creativa que fue excelente, y aprendí más de esa joven profesora que de ninguna otra persona. Nunca olvidé todo lo que me enseñó. Sin embargo, no fue ella la que me enseñó mis siete etapas para redactar un libro. No le quiero echar la culpa por este sistema que utilizo. Tampoco lo aprendí de nadie más. Aun así, esta es la manera en que las cosas siempre me dan resultado. Como son muchas las personas que me lo han pedido, lo incluí en este lugar.

Las siete etapas de la escritura de Stormie Omartian

Al principio, Dios me da la visión de escribir un libro, y yo oro por esto hasta estar segura de que es su voluntad y que Él lo aprueba. En ese punto, comprendo de qué va a tratar el libro, aunque no sepa todos los detalles específicos. Por lo general, es algo que Dios me enseña a través de su Palabra o algo que experimenté... casi siempre ambas cosas a la vez. Le pido a Dios que me revele todo lo que necesito saber mientras lo busco a Él a diario. En cada una de estas etapas, recorro por completo el libro, desde lo que creo que es el principio, hasta lo que creo que es el fin, aunque eso podría cambiar en cualquier momento.

Primera etapa. «El revoltijo del desorden»

Esta etapa consiste en reunir toda la investigación que he estado recogiendo durante meses, o incluso años, antes de sentarme a escribir formalmente. Esta etapa incluye todo lo que Dios me ha puesto en el corazón acerca del libro: mis pensamientos, mi comprensión del tema, mis ideas, notas, experiencias personales, historias, ejemplos, ilustraciones, o cualquier cosa que Él me revelara con respecto al libro. También reúno el contenido bíblico hasta creer que tengo un fundamento bíblico sólido sobre el cual basar el libro. Si no tengo un fundamento bíblico para él, prefiero no escribirlo.

Segunda etapa. «Establecer el orden en medio del caos»

Esta etapa toma «el revoltijo del desorden» de las notas y la investigación acumuladas y lo pongo en orden. Eso significa estructurar la página del contenido e ir archivándolo todo bajo una de esas categorías. No sigo adelante hasta que haga esta hoja de ruta que me llevará a donde necesito ir. Aun si solo es un borrador y quizá lo cambie después, todo lo reunido debe ir en algún lugar en los capítulos que anoté. Hago una página para el título de cada capítulo y todas las notas de investigación van en uno de esos capítulos. El establecimiento de la página del contenido se lleva una gran cantidad de tiempo y oración.

Tercera etapa. «¿Qué fue lo que pensé cuando firmé ese contrato?»

Todo parecía muy claro al principio, pero ahora que comienzo a escribir, es abrumador. Tengo dudas acerca de mi capacidad para juntarlo todo. Y he descubierto que esto es algo bueno. Eso se debe a que me debo dar cuenta plenamente de que no puedo hacer esto sin Dios. Es más, nunca se me permite pensar ni por un instante que voy a poder sacar este trabajo sin Él. Y créeme, no puedo.

Cuarta etapa. «Dios mío, necesito un milagro»

Esto es cuando reconozco por completo que la única manera de que esto se haga bien es si lo hace Dios. Solo porque yo tenga al principio la visión para el libro, que de todas maneras me viene de Él, eso no significa que pueda hacer el trabajo con mis propias fuerzas. Me doy cuenta de lo mucho que dependo de Dios. En realidad, estoy segura de que no solo necesito su ayuda, sino que lo que necesito de Él es un milagro. Esta etapa incluye postrarme ante Dios y en ferviente oración a través de cada cosa que escriba.

Quinta etapa. «Esto podría resultar»

Comienza a vislumbrarse un poco de esperanza a medida que Dios contesta mis oraciones, y voy viendo con mayor claridad la razón de ser y la promesa que significa este libro. Creo que Él lo va a usar para tocar los corazones de sus lectores en todas partes, así que voy recorriendo cada capítulo hasta que veo la esperanza, la visión y la razón de ser que debe comunicar cada capítulo.

Sexta etapa. «¿Por qué alguien desearía leer este libro?»

Cuando reviso el libro por sexta vez, tengo que decidir lo que contiene para el lector en cada capítulo. ¿Por qué desearía usar su tiempo en la lectura de este libro? ¿De qué manera toca al lector y marca una diferencia en su vida? ¿Cuáles son las historias personales y el palpitar del libro? ¿Cómo puede fluir de una manera más suave? Busco todos los posibles defectos que se necesiten cambiar. Eso es difícil de hacer y es la razón por la que los autores necesitan correctores de estilo. Yo estoy demasiado cerca para verlo todo. Sé qué palabra debe estar en cada lugar y mi mente la puede poner allí con facilidad mientras leo, ya sea que esté o no allí en realidad.

Séptima etapa. «No sé si el libro está completo, pero *yo* ya terminé»

Cuando reviso el libro por séptima vez, veo si hay algo que falte o que necesite cambiar. Cuando ya no puedo seguir más, cuando tengo el cerebro agotado y no lo puedo volver a leer, es hora de dejarlo tranquilo. Siempre puedo encontrar algo que cambiar, pero es posible que eso no sea bueno. Cuando los cambios que hago a medianoche tratando de perfeccionar el texto no se ven tan buenos por la mañana, es señal de que llegó el momento de parar.

Entonces es cuando no sé si el libro está completo, pero yo *ya* terminé.

Ahora, más de cincuenta libros después, con más de treinta y cuatro millones de ejemplares vendidos en el mundo entero, sé con certeza que nada de esto habría podido suceder jamás sin Dios. Y dependo más de Él ahora que nunca antes. Mi esposo y yo llevamos cuarenta y dos años de casados, y mis compañeras de oración siguen con fuerza su empeño. Todo ha servido para bien.

¡Solo Dios puede hacer algo así!

24
Una experiencia cercana
a la muerte

D espués de la publicación de los libros *El poder de la esposa que ora* y *El poder de la mujer que ora,* y mientras estaba en medio de la escritura de *El poder del esposo que ora*, casi muero. Es más, el cirujano que me operó me dijo: «Usted estuvo a punto de morir. Una hora más y no la habría podido salvar».

Yo llevaba algún tiempo sintiéndome mal en la zona abdominal. Con demasiada frecuencia, tenía tanto dolor y tantas náuseas después de una comida que no me podía mover. Cada vez que esto se volvía insoportable, mi esposo me tenía que llevar a la sala de urgencias para que me hicieran pruebas y me pusieran un tratamiento. Terminé yendo a diferentes médicos, especialistas, gastroenterólogos y a diversos hospitales, siempre orando para que alguien pudiera encontrar algo en algún lado. Probaron numerosos exámenes y procedimientos conmigo, por si algo resultaba, pero no lograron nada.

Un domingo por la noche sentí fuertes dolores y náuseas, pero debido a que tenía una cita con un gastroenterólogo al día siguiente a primera hora de la mañana, decidí que me quedaría en casa mientras los pudiera soportar, y así estaría en mi propia cama en lugar de pasar toda la noche en la sala de urgencias esperando a que me atendieran para que después me dijeran una vez más que no me podían encontrar nada malo. No comprendía cómo era posible que tuviera unos dolores tan fuertes y, con todo y eso, los médicos y los técnicos nunca encontraban cuál era el problema.

Michael se fue al cuarto de huéspedes a dormir para que al menos uno de los dos se sintiera descansado a la mañana siguiente. Alrededor de la medianoche, el dolor empeoró en gran medida. Yo estaba acostada de lado, abrazándome el estómago, cuando sentí que algo se me rompía en la zona del bajo vientre. Ese dolor era más insoportable que todo cuanto había sentido antes, incluyendo los partos. Sabía que podía morir a causa de esto y tenía que llegar de inmediato al hospital, pero el dolor me paralizaba. Ni siquiera podía extender el brazo el medio metro que lo separaba del teléfono para llamar a mi esposo. Esperé unos segundos para ver si el dolor se me pasaba lo suficiente para poderme mover, pero era implacable. Así que me dejé caer sobre la mesa de noche donde estaba el teléfono, apreté el botón del intercomunicador y grité: «¡Michael, ayúdame! ¡Tengo que llegar a la sala de urgencias ahora mismo!».

Él vino corriendo escaleras abajo, y le dije que había sentido que algo me estallaba en el cuerpo. Me preguntó si debía llamar una ambulancia y yo, doblada en dos y apenas capaz de hablar, dije una de las cosas más tontas que he dicho jamás en mi vida. «No, no tengo tiempo para esperar una ambulancia. Tengo que llegar allí ahora mismo».

Lamentaría esa decisión, y la pagaría durante años... Tal vez por el resto de mi vida.

Michael me cargó hasta el auto, mientras yo iba doblada y llorando por el dolor que sentía. Todo lo que podía decir en mi oración era: «Jesús, ayúdame».

En el hospital, todo se movía en cámara lenta. La sala de urgencias estaba repleta. Yo les dije que pensaba que se me reventó el apéndice porque sentí que estallaba algo en esa zona de mi cuerpo. Veían que sentía un dolor atroz, pero no me podían dar nada para calmarlo porque no sabían lo que me pasaba. Me hicieron varias pruebas dolorosas, y ninguna les revelaba nada.

Sentía que la vida se me iba del cuerpo, y sabía que no sobreviviría si alguien no hacía algo pronto. Llevaba un par de horas en la sala de urgencias cuando Suzy y Roz llegaron para orar conmigo. Por supuesto, Michael y yo habíamos estado orando también, pero el refuerzo de sus oraciones fue muy consolador. Llamaron a personas de todos los rincones de la nación que me conocían, a fin de que oraran pidiendo un milagro.

Le preguntaba al Señor: *¿Es este mi tiempo para morir? ¿Me voy ya a casa para estar contigo?* Sin embargo, Él me aseguraba que este no era mi tiempo.

A todos los miembros del personal médico que llegaban al lugar donde yo estaba, les suplicaba que me ayudaran, pero no hacían caso de mis ruegos. Entonces decidieron que como no podían encontrar nada malo en mí, me iban a enviar a casa y que solo fuera a mi cita para ver al gastroenterólogo a las nueve de la mañana. Michael y yo sabíamos que a mí no se me podía mover a ningún otro lugar que no fuera el quirófano. Es más, mi esposo y mi hermana veían que me estaba debilitando, de manera que insistieron con firmeza para que el personal entrara al cuarto y viera que la piel se me había puesto amarillenta, de manera que tenían que hacer algo de inmediato. Ya en esos momentos, habían pasado unas ocho horas desde que se produjo aquella ruptura en mi cuerpo.

Un cirujano joven entró a examinarme, y le dije que pensaba que era el apéndice que se había reventado. Él fue el primero que me creyó. Palpó la zona desde la cual salía el dolor, y faltó poco para que yo atravesara el techo con el salto que di. Se quedó horrorizado de que me hubieran tenido allí acostada durante ocho horas sin ayudarme de ninguna forma. Entonces, ordenó que me prepararan de inmediato para una operación de urgencia.

«Creo que usted tiene razón en cuanto a que le reventó el apéndice», me dijo, «pero si no se trata de eso, voy a hacer una operación exploratoria para encontrar *qué* anda mal».

Pasé muchas horas en la operación, y después que salí de la anestesia, el cirujano entró al cuarto donde me recuperaba y me dijo: «Sin duda alguna, el apéndice se le reventó. Otra hora más, y no la hubiera podido salvar. La infección estaba esparcida por todas partes, y le tuve que abrir la pared abdominal y los intestinos para aspirarla y sacarla. Por eso su operación se tardó tanto. Le dejé una abertura en el abdomen conectada con esa gran máquina que ve allí, a fin de que succione la infección. No puede comer ni beber nada durante los próximos diez a catorce días, hasta que esas incisiones estén lo bastante sanas como para que pueda hacerlo. Todavía existe la posibilidad de que muera a causa de esto, así que va a tener que estar conectada a esa máquina todo el tiempo que esté aquí».

Pude ver que el tubo salía de mi abdomen lleno de vendajes y entraba en una máquina que bombeaba continuamente. *El agujero que tengo debe tener por lo menos algo más de dos centímetros de diámetro, el tamaño de ese tubo*, pensé. Me daba miedo pensar que tenía una abertura tan grande como esa en mi cuerpo.

Le expresé profusamente al cirujano mi gratitud y le dije que era la mayor respuesta a mis oraciones que había recibido en toda la vida, y que sabía que Dios lo envió. Nunca le pregunté si era creyente, aunque sentí que lo era, porque tenía un espíritu bondadoso y compasivo en especial.

Mis dos hijos me venían a ver en diferentes momentos del día, y varias de mis amigas más íntimas organizaron un horario para que cada una viniera a ayudarme todas las mañanas y las tardes.

Christopher acababa de empezar su último año en su universidad, y Mandy apenas comenzaba el nuevo semestre en su colegio universitario. Ambos se quedaron en la ciudad para ir a sus centros educativos, así que estaban cerca. Mandy dijo que quería venir a pasar todas las noches conmigo, desde las siete de la noche hasta las siete de la mañana, aunque yo traté de convencerla de que no lo hiciera. A través del suero intravenoso me inyectaban líquidos, de manera que me veía forzada a levantarme cada dos horas para ir hasta el baño, y después caminar de manera muy lenta y dolorosa alrededor de los pasillos que rodeaban la gran estación de las enfermeras durante treinta minutos para mantener activa mi circulación, a fin de que no surgiera una infección. Eso significaba que me tenían que desconectar de la máquina que iba conectada al tubo que me salía del abdomen. Aun así, me tenía que llevar conmigo todo lo demás a lo que estaba conectada: la bomba para la morfina, el antibiótico que iba goteando en el suero y la bolsa de la inyección intravenosa también con su poste.

Traté de impedir que mi hija se tuviera que pasar la noche conmigo, porque era demasiado para ella dormir en un sofá incómodo que se convertía en una camita estrecha y dura, y levantarse cada dos horas durante media hora para caminar conmigo hasta el baño y después alrededor de los pasillos, y más tarde, volver al centro de estudios para las clases de la mañana.

«Mamá», me dijo categóricamente, «yo no puedo estar en ningún otro lugar sabiendo que tú estás sufriendo sola aquí. *Tengo* que estar aquí».

Me conmovió mucho que estuviera haciendo un sacrifico tan grande. Llegaba todas las noches a las siete y me ayudaba a caminar. Después se ponía a hacer sus tareas. Me ayudaba a caminar otra vez a las nueve y después se acostaba. Me ayudaba a levantarme a las once, a la una, a las tres y a las cinco, y después se duchaba y se marchaba para asistir a las clases una vez que me ayudaba a caminar de nuevo a las siete de la mañana. De veras, no sé cómo podía hacer eso durante todo el tiempo que yo estuve en el hospital, pero me seguía diciendo siempre: «Mamá, yo no puedo estar en ningún otro lugar». Le quedé agradecida para siempre.

El cirujano llegaba temprano todas las mañanas para controlar mi situación y advertirme sobre lo que iba a suceder ese día. En la primera mañana después de la operación, vino alrededor de las seis para decirme que un médico y unas enfermeras llegarían todas las mañanas para cambiarme los vendajes. Mi amiga Michelle llegó a las nueve para ayudarme a levantarme y dar la caminata. Justo después que me ayudó con todo cuidado a volver a la cama y me conectó de nuevo a la máquina, lo cual fue muy doloroso debido a que la succión comenzó a sacarlo todo de nuevo, un grupo de unos diez médicos, enfermeras y aprendices entraron para hacerme el primer cambio de vendajes.

Michelle permaneció de pie cerca de mí, junto a mi hombro derecho, y observamos lo que nunca nos imaginamos que veríamos. El médico me quitó los vendajes, los cuales cubrían toda la zona abdominal, y vimos la incisión que no era la de dos centímetros que yo pensaba que era. Tenía casi medio metro de largo. Sentía que tenía el cuerpo abierto por completo, pues no habían cosido la herida. Todo el mundo pudo ver la pared de mi cavidad abdominal y todos los puntos solubles en la parte interna donde me cosieron. Me explicaron que había tantas personas en la habitación para que vieran eso porque era poco usual tener una operación tan amplia, con una «herida abierta», como la llamaron, tan gigantesca.

Michelle y yo no estábamos preparadas para ver mis entrañas en su totalidad con toda su sangrienta crudeza. Eso fue tan doloroso y tan sorprendente que cuando se abrió ante nuestros ojos esa gran cavidad, sabía que me habría desmayado si no hubiera estado acostada ya. Una de las enfermeras se dio cuenta de que Michelle comenzaba a desmayarse y la ayudó a salir del cuarto.

El proceso diario de arrancar los vendajes, y de veras se trataba de arrancarlos, para después limpiar la gigantesca herida abierta, era muy doloroso. Me habían puesto un dispositivo con morfina en el que podía apretar un botón y recibiría más medicamento en la vena, pero había un límite en cuanto a la cantidad que podía recibir, de manera que la mantenía en reserva para los momentos de cambios de vendajes. En esos momentos también me daban otro analgésico, pero siempre eran insoportablemente dolorosos.

—Son demasiadas las personas que la visitan durante el día, y se podría exponer a contagiarse con alguna infección bacterial —me dijo el cirujano después de diez días—. Usted todavía no ha salido del peligro de la operación. Todavía se podría morir. Le van a cambiar los vendajes y a succionarlo todo. No permita que la visiten otras personas, con la excepción de su familia inmediata. Su sistema inmune está muy debilitado, y esto puede afectar todos los órganos de su cuerpo. Usted no puede arriesgarse así.

—¿No me va a coser antes de irme para mi casa? —le pregunté horrorizada.

—A causa del peligro de que contraiga una infección grave, no se puede coser. Se va a tener que sanar desde dentro hacia fuera.

—¿Cuánto tiempo llevará eso?

—Entre cinco y seis meses —me contestó.

Tuve visiones en las que siempre me sentía igualmente terrible e incapacitada. Con todo, me sentía bien porque me iría a casa, ya que podía dormir muy poco en el hospital.

Sin embargo, la mejor de las buenas noticias era que no me tendría que llevar conmigo la máquina de tortura. Se pensó en eso como una posibilidad. En lugar de llevármela, las enfermeras que me iban a visitar me limpiarían a mano la gran herida con esponjas y almohadillas, lo cual no resultó tan divertido como parecía.

—Va a tener problemas con esas cicatrices —me explicó además el cirujano.

—Está bien. No me importa el aspecto que tengan. Sé que usted me salvó la vida, y eso es lo que importa.

—No me estoy refiriendo a esta cicatriz externa —me explicó—. Le estoy hablando de las cicatrices internas. Tuve que hacer cortes en tantos lugares para succionar con la máquina toda la infección que de seguro esas cicatrices internas le van a dar problemas en los próximos años.

Pensé: *¿Hasta qué punto puede ser malo eso? Nada se compara con lo que ya me ha estado pasando.*

Qué equivocada estaba. No tenía idea de lo que me depararía el futuro con respecto a ese problema. Pasaron cinco meses antes que se acabara de cerrar la herida abierta. Desde entonces, ya han pasado quince años y todavía batallo con las consecuencias de lo que sucedió y con esas cicatrices.

Dios me salvó la vida trayéndome a ese joven médico, valiente y maravilloso, para que me rescatara. Las tres enfermeras que me ayudaban cada día en mi casa eran bondadosas y compasivas. Todas eran creyentes. Y no se limitaban a arrancarme los vendajes cada día, como sucedía en el hospital. Se dieron cuenta de que yo era alérgica a los vendajes que habían estado utilizando, lo cual me causaba unas llagas sangrantes, así que me consiguieron vendajes para personas alérgicas, lo cual cambió mucho la situación. Hicieron más de lo que tenían que hacer por obligación para ayudarme. Y yo oraba con ellas con frecuencia respecto a los problemas que atravesaban en su vida y les daba algunos de mis libros. Fueron como ángeles que Dios me envió para ayudarme, y me siento eternamente agradecida a cada una de ellas.

Después que llevaba unas dos o tres semanas de haber salido del hospital para estar en mi casa, de repente sentí una vez más el mismo ataque de dolor, la sensación que solía tener antes que se me reventara el apéndice. No podía creer que después de todo lo que había pasado, estuviera de vuelta donde estuve antes y tuviera que acudir de nuevo a la sala de urgencias. Sin embargo, esta vez estaba de turno mi gastroenterólogo cuando llegué. Él llamó a los mejores que había allí y les dijo con firmeza que quería respuestas. «No vengan después a decirme que no pueden encontrar nada malo», les dijo.

Los técnicos hicieron lo que les dijo, y encontraron que yo tenía alrededor de un centenar de piedras pequeñas en la vesícula biliar y que creían que eso fue lo que inició todos mis problemas desde el principio. Nadie las había encontrado antes, porque eran demasiado pequeñas para que las revelara una prueba normal. Había que extirparme la vesícula, pero esto se hizo a través de una operación laparoscópica y no fue ni con mucho la pesadilla de la otra operación. Con todo, estaba muy lejos aún de haberme sanado de la primera operación, de manera que fue difícil la segunda.

Si alguien hubiera sido capaz de identificar como era debido mi problema, no habría sucedido nada de eso. Yo me preguntaba por qué nunca se había revelado después de tanto orar por mi situación, pero he aprendido a no dudar de Dios en cuanto a cosas como esas. Él sabe por qué permite ciertas situaciones. Es probable que fuera para hacernos humildes e incapaces de pensar que podemos vivir sin Él, aunque sea por un instante. A decir verdad, aprendí que mientras más permite Dios que seamos bendecidos, más dependientes de sí nos hace Él.

Cuando conocemos a Dios y recibimos revelación de Él, el enemigo y el mundo de las tinieblas tratan de sabotear todo lo que el Señor quiere hacer *en* nosotros y *por medio* de nosotros. Si no dependemos de Dios por completo, no podremos escucharlo cuando Él nos quiera guiar. Cuando yo pasé por esta experiencia tan cercana a la muerte, sabía que mi vida estaba por entero en las manos de Dios. Si seguía viviendo, sería al ciento por ciento porque lo hacía Él.

La recuperación fue muy larga... al menos cinco años apagando fuegos. La infección le hizo tanto daño a mis órganos internos y mis sistemas que hubo muchos problemas que se tuvieron que ir resolviendo uno a uno.

También fue el inicio de problemas y disfunciones físicas que no tuve nunca antes. Mi nivel de colesterol, que siempre fue normal, subió mucho. Mis huesos siempre fueron saludables, pero ahora tenía osteoporosis. Mi equilibrio hormonal ya no existía. Mi sistema inmune se dañó tanto que me contagiaba de cuanta enfermedad aparecía por los alrededores. Solo las migrañas eran tan fuertes que necesitaba veinticuatro horas completas para recuperarme de una, y las tenía varias veces a la semana. Y entonces, al final, las tuve casi a diario. Las alergias que tenían empeoraron mucho, y los problemas digestivos me incapacitaban también. En todos los casos, la medicina que me recetaban los médicos para cada problema interfería seriamente con mi problemático sistema digestivo y, en algunos casos, según creíamos, contribuían a la dolorosa obstrucción intestinal que causaban las cicatrices sobre las que me advirtió el médico.

A partir de entonces, estaba atrasada en todos mis proyectos con los libros porque tenía un problema físico tras otro.

Mi amiga Sally me habló acerca del *Hotze Health and Wellness Center* en Houston, y ellos me ayudaron a recuperar mi vida. Sally estuvo allí a causa de una serie de problemas de salud, y cuando la vi dos horas después de su regreso, no podía creer la diferencia entre lo que era y lo que lograron ellos. Se veía y se notaba como una nueva persona.

Aunque los doctores de Hotze eran médicos graduados, reconocían que yo no podía lidiar con los efectos secundarios de ciertos medicamentos, así que decidieron usar otra vía para los que no podemos tomarlas, por la razón que sea, a fin de recibir beneficios en nuestra salud. Me ayudaron a equilibrar mis hormonas, a salir por completo de la osteoporosis y volver a tener unos huesos sanos, a librarme de las migrañas y las alergias, y a bajar mi nivel de colesterol sin medicinas ni efectos secundarios. Todo esto no sucedió de la noche a la mañana, pero en cuanto empezaron los tratamientos, comencé a ver buenos resultados.

Todavía tengo restricciones en mi dieta que tendré para toda la vida, y hay muchas comidas que me encantan, pero que nunca seré capaz de comer de nuevo. Y siempre soy consciente de que todo cuanto coma, o cuanta medicina use, podría echar a andar la obstrucción. Nunca me puedo permitir que me sienta llena en realidad, ni comer juntas demasiadas clases de cosas. La operación quirúrgica a la que me tuve que someter a causa de la ruptura del apéndice alteró mi vida desde ese momento en adelante.

En una ocasión en que se produjo esa obstrucción y estaba de nuevo en la sala de urgencias, el médico me advirtió que necesitaba llegar más pronto a la sala de urgencias, porque la obstrucción podía causar una ruptura y con toda seguridad me pondría en peligro de muerte. Siempre he tenido en mente sus palabras.

El médico me dijo también que otra operación para corregir la obstrucción significaría que perdería parte del intestino delgado, lo cual me causaría problemas digestivos para el resto de mi vida. De seguro que quiero evitar que me suceda algo así, de manera que tengo sumo cuidado. He terminado en el hospital muchas veces con esa obstrucción, y me han bombeado el estómago durante tres días, o me han dado alguna medicina que ha funcionado. La última vez que estaba sintiendo de nuevo un intenso dolor a causa de la obstrucción, llamamos una ambulancia. No iba a cometer el mismo error de nuevo y terminar en una operación quirúrgica de emergencia, o morirme por haber esperado demasiado tiempo.

Dios me ha ayudado a recuperarme día tras día y año tras año, pero cuando veo esa larga cicatriz, me recuerda que Él fue quien me libró de la muerte, y que mi existencia depende de Él día tras día también. Esta experiencia me alteró la vida y jamás he vuelto a ser la misma de antes. Dependo ahora más de Dios que nunca.

Michael me ayudó todo el tiempo, aun cuando a veces le fuera desalentador.

Entonces, le tocó a él.

25
En la enfermedad y en la salud

Mi esposo y yo hicimos votos en nuestra ceremonia de bodas de amarnos el uno al otro en la enfermedad y en la salud. La parte de la enfermedad pone a prueba nuestro verdadero carácter. No me refiero a una gripe ocasional, ni un hueso roto, un tobillo dislocado, un dolor de espalda ni una jaqueca. Me refiero a una enfermedad que incapacita o un accidente... la enfermedad o dolencia que altera la vida, donde hace falta todo lo que se tenga dentro para salir adelante de manera mental, física, emocional, espiritual y económica. Me refiero a una enfermedad, una dolencia o un accidente que podría llevar a la discapacidad o a la muerte, y cuyas consecuencias finales no se saben en el momento.

Cuando tu cónyuge y tú se ven forzados a depender por completo de Dios en cuanto al resultado de *cualquier* situación y se mantienen a la altura de ese reto, ambos cambian para el resto de sus vidas. Los que la sobreviven como pareja fortalecen sus lazos mutuos y se fortalecen ellos también de forma individual. Los que encuentran en el Señor su refugio, se enriquecen en Él y van más profundo. Los que no experimentan todo eso, pueden terminar separándose.

Como dije antes, depender de Dios es algo bueno. Esto se debe a que Dios nos permite llegar a un punto en que dependamos tanto de

Él que pueda hacer grandes cosas en nosotros y por medio de nosotros que nunca serían posibles si fuéramos *nosotros* los que tomáramos las decisiones. En realidad, es peligroso *no* depender de Dios.

Cuando tienes que depender de *Dios* en cuanto a la fortaleza necesaria para enfrentarte a una situación, cualquier cosa es posible para ti. Si dices con fe: «Todo lo puedo en Cristo que me fortalece»[1], puedes llegar al siguiente día porque será su fortaleza la que te lleve a *Él*. Y Él es quien hará posible lo que no parece posible en ese momento. Puedes sobrevivir a lo que tienes delante porque tienes la Luz del mundo y su Espíritu vive *en* ti. Eso significa que por oscura que parezca ser la situación en la que estás, cuando caminas con Él, nunca puedes estar realmente en tinieblas. En los momentos más tenebrosos de nuestra vida, siempre podremos encontrar su luz. Damos un paso detrás de otro, vivimos un día tras otro, y Él nos da la luz que necesitamos para el paso que estamos dando. Yo escribí un libro acerca de este tema, llamado *Suficiente luz para el próximo paso*, y lo que aprendí se puso por entero a prueba en la experiencia que sigue.

Una mañana, mientras Michael se afeitaba en el lavabo, le vi algo en la piel de la corva que me pareció diferente. Le llamé la atención al respecto, pero le dije que tal vez fuera un brote de psoriasis de los que tiene con frecuencia. No me lo parecía, pero me dijo que se pondría un medicamento allí.

A lo largo del mes siguiente, cada vez que veía eso, me parecía que iba tomando un aspecto peor.

—¿Ya fuiste al médico para que te vea eso? —le preguntaba una y otra vez—. ¿Te estás poniendo algún medicamento allí?

—Al médico no he ido —me contestaba siempre—, pero me pongo allí el medicamento que me recetó.

—Lo que estás haciendo, sea lo que sea, no está dando resultado —le contestaba—. Por favor, ve al médico.

Me estaba molestando cada vez más porque se veía extraño y no se parecía a nada que hubiera visto antes.

Una mañana entré al baño, donde él estaba de nuevo afeitándose frente al lavabo, y no pude menos que mirarle a la corva de la pierna. Esa gran erupción había crecido hasta tener en circunferencia el tamaño de una toronja pequeña. En ese gran círculo irregular aparecían unas cosas que se veían como un gran número de ampollas de sangre de diversas formas y tamaños, y de diferentes tonos de rojo, rosado y púrpura. Parecían estar en carne viva y supurando, aunque no sabía si lo hacían o no en realidad. No lo toqué.

«¡Michael! ¿Te has mirado de verdad esa cosa que tienes en la corva? ¡Tiene un aspecto horrible! Llama al dermatólogo. Hoy mismo lo vas a ir a ver. ¡En seguida! Y te lo digo en serio. Cancela lo que estés haciendo, sea lo que sea. Esa cosa no se parece a nada que haya visto jamás», le dije con energía. Por lo alarmada que estaba, él se dio cuenta de que era serio, así que llamó al médico y fue ese mismo día, lo cual en sí ya era un milagro.

El dermatólogo lo vio y le dijo: «Necesitamos hacer una biopsia de inmediato». Llamó al cabo de uno o dos días y dijo que la biopsia indicaba que se encontraron células cancerosas. «Lo voy a enviar a un oncólogo especializado en linfomas».

A los pocos días, Michael logró ver a una oncóloga especializada en linfomas en el hospital Vanderbilt. «Sin duda, esto tiene todo el aspecto de un linfoma», le confirmó, y ordenó que le hicieran varias pruebas, entre ellas una de la médula ósea y una imagen por resonancia magnética. Pasó una semana antes que llegaran los resultados de las pruebas. Ella nos llamó a su oficina y le dijo a mi esposo: «Michael, usted tiene un linfoma no Hodgkin».

Yo sabía con exactitud lo que era eso porque conocía de muchas personas que murieron a causa de esto, entre ellas Jackie Kennedy. Sabía que era mortal.

Ese día supimos que en esa época solo había dos lugares en los Estados Unidos que tenían un tratamiento avanzado y específico para el linfoma no Hodgkin. Uno estaba en Houston, Texas, en el MD Anderson, y el otro estaba en el Hospital Vanderbilt, a veinte minutos de donde vivíamos nosotros. El Vanderbilt tenía un ala especial en cuya entrada había un gran letrero que solo decía: LINFOMAS. La primera enfermera que vio allí dijo: «Si usted tiene que tener un cáncer, ese es el que debe tener aquí».

El especialista en linfomas nos explicó que iban a tomar muestras de su ADN para diseñar un tratamiento de quimioterapia que fuera el mejor y más eficaz para su cuerpo.

Cuando llegó el momento de ir para su primer tratamiento de quimioterapia, tres semanas más tarde, nuestros compañeros de oración y otra gente de toda la nación ya habían orado por ese día. Aunque estábamos nerviosos en extremo, sentíamos la presencia y la paz del Señor. Cuando llegamos al Centro de Linfomas del Hospital Vanderbilt, había un número sorprendente de personas esperando a que las llamaran a uno de los numerosos cuartos de infusión. En el momento en que llamaron a Michael al pequeño cuarto de infusión que le asignaron, sentimos que la presencia de Dios fue delante de nosotros, tal como le pedimos en oración.

Yo observaba mientras lo conectaban con varios monitores y de manera intravenosa a una fuente principal de gota a gota. Entonces, le añadieron una serie de bolsas diferentes de líquido, cada una con un propósito diferente que prepararía su cuerpo para lo que estaba a punto de recibir. Le dijeron que estaban esperando a que llegara la quimioterapia diseñada en específico para él, lo cual debía ser en cualquier momento. Oramos de nuevo después que quedamos solos porque era imposible no hacerlo.

Cuando llegó la quimioterapia preparada en especial para él, la persona que la conectaría entró vestido con un traje preparado para materiales peligrosos, que la cubría de pies a cabeza. Nosotros no pudimos ver ninguna parte de esa persona en absoluto.

Pensé: *Señor amado, si la persona que le está conectando esta bolsa de líquido de quimioterapia en el dispositivo de gota a gota a mi marido no puede arriesgarse a que le caiga una gota en su cuerpo, y aun así esto va a entrar en sus venas, ¿cuál es el riesgo que corre él?*

Michael pensaba lo mismo.

El olor de la quimioterapia nos resultó muy desagradable. La olimos al entrar en esa ala del hospital. En los cuartos, uno tras otro, había personas a quienes se les administraba la quimioterapia para diversos tipos de linfoma. Algunas personas tenían un buen aspecto, pero otras se veían delgadas y frágiles. Estaban acostadas en una cama, sin la fortaleza necesaria para sentarse en un sofá reclinable, tal como estaba Michael. Una vez que empezó a entrar la quimioterapia en su cuerpo, el olor era mucho más fuerte.

Una vez terminada la quimioterapia, le dieron otra bolsa con algo que iba entrando a gotas en sus venas para ayudarlo a soportar la quimioterapia que le acababan de administrar.

Estuvimos allí en ese cuarto de infusión un total de ocho horas. Cuando lo llevé en el auto de vuelta a casa, casi todo de lo que hablamos fue de la persona que llevaba el traje para materiales peligrosos y que lo conectó al dispositivo de la quimioterapia que ahora estaba en su sangre. No sabíamos qué esperar. Oré para pedir que eso no lo matara durante la noche. Dormimos en cuartos separados, a fin de no molestarnos el uno a otro durante toda la noche, pero yo me despertaba a cada rato para ir a ver cómo él estaba, y siempre lo encontraba durmiendo, aunque tenía una respiración extrañamente pesada. Podía ver que su cuerpo se enfrentaba con algo muy serio.

A la mañana siguiente, lo llevé de nuevo al hospital para que le inyectaran un fuerte esteroide que lo estuvo afectando durante días. Hizo que su personalidad se volviera muy volátil, y que estallara con violencia por cualquier cosa. Esa montaña rusa continuó bajando y subiendo hasta que, al principio de la tercera semana, se empezó a calmar. Justo cuando se empezaba a sentir mejor, tuvo que ir para la segunda tanda de quimioterapia.

Después de la última infusión de quimioterapia, comenzó a recibir radiación en la pierna día tras día. De nuevo sentimos la presencia de Dios con nosotros. Después del primer tratamiento de radiación, comenzó a conducir el auto él mismo. Seguimos orando mucho todos los días, y Dios venía en nuestro auxilio en cada paso que dábamos.

Teníamos dos pequeños chihuahuas de pelo largo. Uno siempre dormía cerca de mí en su camita. El otro siempre dormía al lado mismo de Michael. Cuando Michael comenzó el tratamiento, el olor de la quimioterapia molestaba tanto al perrito que ya no quería dormir junto a Michael. El día en que se acabaron los tratamientos de quimioterapia fue bueno porque aquel pequeño y fiel amigo peludo pudo dormir de nuevo junto a él.

Han pasado tres años desde que terminaron los tratamientos, y el cáncer no ha regresado. La oncóloga nos dijo que esto era una señal muy buena, porque este cáncer mortal regresa en un año si el tratamiento no da resultado. Nos dijo que lo común es que si la persona logra mantenerse libre del linfoma no Hodgkin durante tres años, no va a regresar, y *si regresara*, tendrían que volverle a dar el tratamiento. Le damos gracias a Dios porque no ha regresado, y seguimos orando para que no regrese *nunca*.

Durante todo esto, Michael decía que le consolaba en especial saber que todas las enfermeras que había en el centro de linfomas leyeron mis libros. «Siento que estoy en buenas manos cuando oigo eso», decía. «Si leen tus libros, deben ser gente de oración».

Esos dos gigantescos problemas médicos de vida o muerte por los que pasamos mi esposo y yo nos dieron a ambos una oportunidad para demostrar hasta qué punto estábamos dedicados el uno al otro. Para un esposo o una esposa es muy importante saber que su cónyuge va a estar allí presente al ciento por ciento para ayudarle a pasar los tiempos difíciles. Eso fortalece su relación. Y es lo que hizo con nosotros.

El hecho de atravesar los oscuros momentos de nuestras enfermedades mortales nos cambió a los dos. Ahora éramos capaces de pasar por alto los problemas insignificantes al no aferrarnos a cosas que no importaban. Un día que ya no significa una situación de vida o muerte es un buen día. *No obstante, aunque significara eso*, sigue siendo un buen día gracias al Señor que está en nosotros.

Las cosas malas suceden, y no siempre sabemos por qué. En cambio, Dios obra el bien en todas las situaciones si seguimos caminando muy cerca de Él y orando intensamente a través de las mismas. Creo esto con todo el corazón, aunque no sea fácil atravesar los momentos difíciles cuando se presentan, en especial si las cosas no nos salen de la manera que queremos que salgan. Aunque pasemos por tiempos de oscuridad, Dios nos va a proporcionar la luz que necesitemos para el momento en que nos encontramos.

Yo me mantuve junto a Michael en la enfermedad y en la salud, tal como hice el voto de que sería, aunque dije que si él alguna vez tenía que recibir una inyección con un esteroide tan fuerte como ese de nuevo, me mudaría a un hotel hasta que se le pasara el efecto.

26

Un lugar de seguridad

U na vez que comencé de nuevo a dar conferencias por toda la nación, muchas personas supieron lo sucedido y me decían que oraron por mí cuando se enteraron de mi experiencia cercana a la muerte. Yo estaba aún en ese serio período de cinco años de recuperación, y saber que me apoyaban significaba más para mí de lo que podría expresar con mis palabras.

Durante esos años, hubo tres damas, cada una en un diferente Estado o país y en un año diferente, que me dijeron algo muy interesante que el Señor les mostró acerca de mi pasado. Las tres usaron con exactitud las mismas palabras.

La primera me sorprendió al contarme esta percepción.

«Le agradezco que me dijera esto», le contesté. «Nunca lo había pensado de esa manera».

Guardé en la mente lo que me dijo, pero no la conocía en absoluto y no tenía idea de qué hacer con algo que en esos momentos me era tan extraño. Parecía muy sincera y tenía el espíritu humilde y gentil que suelen tener quienes escuchan a Dios, pero nunca había pensado en nada como eso y no sabía qué hacer con lo que me dijo.

Sabía que la Biblia decía que «por boca de dos o de tres testigos se decidirá todo asunto»[1]. Así que oré: «Señor, si hay algo de cierto en esto, permite que se confirme por dos testigos más». No volví a escuchar nada semejante a eso por al menos un año o dos.

Entonces una tarde, después de hablar en una conferencia de mujeres en el Canadá, otra dama se me acercó y me dijo lo mismo que me dijo la primera, usando incluso algunas de sus mismas palabras. Aun así, seguía pensando que parecía extraño, y no lo comprendía en absoluto. Le di las gracias por decirme eso y le conté cómo otra persona me dijo las mismas palabras al menos un año antes.

«Voy a orar y veré lo que le dice el Señor a mi corazón acerca de esto», le prometí.

Pensé que era una interesante coincidencia que dos damas de distintos países me dieran el mismo mensaje. De nuevo le pedí a Dios que me mostrara la verdad con respecto a lo que decían. Sentí que esas palabras desestimaban el daño que me hicieron en el pasado. Era totalmente incapaz de ver a qué se referían.

Unos dos años más tarde, regresé a Los Ángeles para hablar en una gran conferencia en la iglesia donde recibí al Señor. Allí crecí en las cosas de Dios durante veintitrés años antes que Él nos indicara a Michael y a mí que nos mudáramos a Tennessee. Ya en esos momentos la iglesia había crecido hasta tener una asistencia de miles de personas y era muy conocida en el mundo entero. Para esta conferencia en particular, vinieron personas de todo el mundo. El santuario, que era muy grande, estaba repleto.

Hablé de nuevo acerca de mi pasado y del daño que me hicieron por estar encerrada en un clóset durante gran parte de mi primera infancia. Y cómo todo lo que hice para tratar de parar el sufrimiento emocional que pasaba a diario solo me llevaba más cerca de la muerte. Entonces, Dios me rescató al aceptar a Jesús como mi Salvador, y Él transformó mi vida.

En esa conferencia, me sentí encantada al ver de nuevo a tantas de mis antiguas amigas. Una mujer en particular fue Rebecca, la hija del pastor Jack y también una de mis amadas compañeras de oración durante varios años. No pude llegar a hablar mucho con ella por causa del número de personas que iban a saludarme, aunque sí pudimos tener un almuerzo rápido, junto con mi hija, quien viajó conmigo.

«Tengo que decirte algo que me mostró el Señor. Lo escribiré en una carta y te la enviaré», me dijo Rebecca.

Poco después que Mandy y yo regresamos a casa, recibí la carta prometida. En esa carta estaban las mismas palabras del Señor que me dijeron las otras dos damas. La única diferencia era que la carta de Rebecca era más detallada, y estaba escrita para que yo la pudiera leer una y otra vez. Además, debido a que conocía bien a Rebecca y por tanto tiempo, la consideraba una persona muy sólida en la Palabra. Sabía que escuchaba a Dios de una manera profunda, y tenía una confianza total en su caminar con Él. Después que leí lo que escribió, me di cuenta de que Dios me había preparado para que escuchara este mensaje a través de ella al enviar a las otras dos damas que ya me habían hablado acerca de ese mismo mensaje con palabras similares.

Esto es lo que escribió:

Querida Stormie:
    Quiero contarte lo que sentí que el Señor me dijo cuando hablaste acerca de los clósets de tu niñez. Me dijo: «Mi mano ordenó esos clósets a fin de salvarle la vida a Stormie. Lo que Satanás quería para mal, yo lo cambié para bien. Aunque le daba miedo, el clóset se convirtió en un lugar de seguridad donde se protegía y preservaba su vida». Me conmoví mucho por las palabras del Señor a mi corazón, porque ambas sabemos cómo Él lo redime *absolutamente todo.*

Cuando leí las palabras de Rebecca, me llegaron hasta lo más profundo del corazón, de la mente y del espíritu. Tal mensaje por boca de tres testigos no se podía pasar por alto. Me abrió los ojos como nunca antes. Las dos primeras veces que me lo sugirieron, no pude ver por qué Dios iba a usar algo tan dañino para protegerme. No podía conectar esos dos puntos de ninguna manera. En cambio, las palabras de Rebecca en cuanto a que *Dios lo redime absolutamente todo* me lo aclararon. No solo me liberó de mi pasado, sino que lo redimió todo a tal grado que todas las cosas dolorosas y dañinas que me sucedieron Él las usaba para bien.

Al analizar esto en profundidad, me preguntaba: *¿Cuántas otras bendiciones en mi vida no he visto, o quizá hasta resistido, que Dios diseñó para que fueran un lugar de seguridad para mí?*

Pensé en la mudada hasta Tennessee. De seguro que ese lugar se convirtió en un lugar de seguridad para mí y para mi familia del terremoto. Y el hospital especializado precisamente en el tratamiento del tipo de cáncer que amenazaba la vida de mi esposo estaba allí en Nashville. Y había muchas cosas más. Considero a Nashville como un lugar de seguridad para nosotros con respecto a muchas cosas.

No me refiero a que todas las cosas malas que nos sucedan son cosas buenas. En cambio, Dios toma lo que el enemigo quiere para mal y lo vuelve al revés para sacar bien de esto.

Toda mi vida temprana la gobernó el temor. Le temía a mi madre, les temía a los demás niños, le temía a la gente, les temía a las alturas, le temía a la oscuridad, le temía a la muerte, les temía a los accidentes de automóvil, le temía ir al hospital, le temía no llegar al hospital a tiempo, les temía a todas las cosas que me pudieran suceder. Tenía un número incalculable de temores que hasta un espíritu de temor controlaba mi vida.

Leí en la Biblia donde Dios dice: «Por la desolación del afligido, por los gemidos del menesteroso, me levantaré ahora, dice el Señor; lo pondré en *la seguridad que anhela*»[2].

Dios nos puso a mi familia y a mí en un lugar de seguridad que anhelé... durante muchísimos años.

Cuando la acosadora me seguía, me sentí más vulnerable y en mayor peligro en toda mi vida. Sin embargo, Dios nos guardó seguros a mi familia y a mí. Él me guardó segura en todos los lugares hacia los que me dirigí. *La voluntad de Dios es que tengamos un lugar de seguridad.* Eso no significa que no nos vaya a pasar nada malo, pero incluso cuando llega a pasar algo malo, siento la mano de Dios que llega a mí con su protección y su paz.

La paz y la seguridad que da Dios no son algo que quiera dar por sentado jamás. El apóstol Pablo escribió acerca del día del Señor que vendrá. Dijo: «Porque vosotros sabéis perfectamente que el día del Señor vendrá así como ladrón en la noche; que cuando digan: Paz y seguridad, entonces vendrá sobre ellos destrucción repentina, como los dolores a la mujer encinta, y no escaparán. Mas vosotros, hermanos, no estáis en tinieblas, para que aquel día os sorprenda como ladrón»[3].

Después dice que los que somos hijos de la luz debemos estar alertas y ser sobrios. Dice que debemos llevar siempre puesta «*la coraza de la fe y del amor, y por yelmo la esperanza de la salvación*»[4]. El «día del Señor» es el regreso de Cristo, el cual vendrá de forma inesperada, al igual que un ladrón en la noche. Sin embargo, la buena noticia para nosotros los que creemos en Dios y recibimos a su Hijo es que no viviremos en tinieblas con respecto a esto. No nos tomará por sorpresa. Eso se debe a que *somos hijos e hijas de la luz*. Ya no vivimos en las tinieblas. Puesto que tenemos a Jesús, poseemos la luz de su Espíritu Santo en nosotros. Nunca estaremos de veras en tinieblas a menos que *decidamos* alejarnos de Él y vivir separados por nuestra falta de arrepentimiento.

Estar alertas significa orar sin cesar. No nos debemos embriagar con nuestros propios deseos, sino estar atentos a todo lo que esté haciendo Dios, y lo que quiere hacer *en* nosotros y *por medio* de nosotros. Estemos preparados para lo que se avecina. Falta muy poco tiempo para que no lo estemos.

Hace años ya, cuando recibí al Señor, leí mucho en la Biblia y en una gran cantidad de libros cristianos acerca del final de los tiempos. En esa época, no podía ver cómo era posible que sucedieran algunas de esas cosas. Por ejemplo, ¿cómo es posible que *todas las personas* presencien al mismo tiempo la Segunda Venida del Señor? Ahora es fácil verlo: con la tecnología en el punto en que se encuentra y la rapidez con que progresa, de seguro que esto es posible.

Observamos que ciertos países del mundo que se están alineando juntos contra otros países, tal como se predice en la Biblia. Todo lo que se profetizó podría suceder en cualquier momento, y se nos dice que estemos preparados para eso. No tenemos que vivir en temor porque somos hijos de la luz de Dios. Nos escogieron para ser salvos por Jesús, y viviremos en el lugar de suprema seguridad.

Cuando caminamos con Dios, no tenemos que vivir con ansiedad acerca del futuro. Él siempre nos llevará a un lugar de seguridad. Incluso, Dios puede transformar el lugar donde estemos en un lugar de seguridad cuando acudimos a Él. O nos puede sacar de él, o que lo *atravesemos* hasta el lugar de seguridad que tiene para nosotros. Podemos encontrar el lugar divino de seguridad suprema si confiamos en Él y permanecemos en su luz y en su voluntad.

Eso es lo que planeo hacer yo. Y ayudar a otros a que hagan lo mismo.

27

Permanece en la luz

U na de las cosas que aprendí mientras trabajaba en la televisión, las sesiones de fotografía, los musicales, las presentaciones personales y los programas en vivo es que siempre nos aseguremos de estar en la luz. La luz lo es todo, y una luz pobre puede matarte.

Lo mismo sucede en el mundo espiritual.

Cuando recibes a Jesús, la luz de su Espíritu está en ti, de manera que siempre tendrás su luz a menos que la rechaces. Entonces, si quieres disfrutar de todos sus beneficios, conocidos también como bendiciones, debes *permanecer* a propósito en su luz. Tomar la decisión de caminar fuera de la senda que Dios ilumina para ti, también puede costarte la vida.

No vivir a la manera de Dios te aparta de esa senda bien iluminada.

Lo cierto es que Dios ve *todos* los pecados. Él dice: «Mis ojos están puestos sobre todos sus caminos, que no se me ocultan, ni su iniquidad está encubierta a mis ojos»[1].

Cuando recibimos a Jesús, Él perdona todos nuestros pecados del pasado. Esto se debe a que Él ya pagó el precio por ellos, el cual es la muerte. Entonces, lo que Dios ve en nuestro corazón es la perfección, la justicia y la ausencia de pecado de Jesús. Es un intercambio asombroso. No obstante, a partir de ese momento, nuestro corazón es una tabla en la que se escribe la verdad acerca de nosotros. Nuestros pecados se tatúan de manera permanente en nuestro corazón, y Dios lo ve todo. A menos que nos arrepintamos de ellos, en cuyo caso el perdón de Dios los borra por completo, se convierten en un recuerdo continuo de que no tenemos un corazón arrepentido.

Cuando yo me comencé a liberar de mi pasado, todavía no podía ver mucho futuro para mí misma. Sabía que tenía una vida nueva, pero también veía cuánto daño me hice al tratar de vivir la vida a mi manera, tratando de satisfacer mis necesidades como bien me parecía. Hasta cierto punto, todos desconocemos la forma en que Dios quiere que vivamos. No sabemos ver lo que Él tiene para nosotros.

Yo no quería ser ingrata en cuanto a todo lo que Dios había hecho por mí, pero una noche lloré ante Él diciéndole: «Señor, tú me has dado esperanza y paz, y también vida eterna, y te estoy agradecida para siempre. Aun así, en lo que respecta a que mi vida algún día sirva para algo, ¿cómo puede llegar a suceder eso? Mi vida es un desastre formado por pedazos rotos esparcidos por todos lados, y algunos de esos pedazos ya no están. ¿Cómo es posible volverlos a reunir de nuevo? ¿Es demasiado tarde para mí?».

Dios fue a mi encuentro donde me hallaba esa noche y dijo: «Yo soy un Redentor. Yo redimo todas las cosas. Yo hago nuevas todas las cosas. Restauraré todo lo que perdiste. No importa lo que hiciste. No importa lo que te sucediera. Yo me puedo llevar todo tu dolor, tu sufrimiento y tus cicatrices. No solo los puedo sanar, sino que puedo hacer que sirvan para algo bueno».

Mis lágrimas fluían como si fueran interminables. *¿Cómo es posible que Dios realice alguna vez todo esto?*, me pregunté. Sin embargo, creía que con Dios todas las cosas son posibles, y lo había visto hacer milagros en mi vida. Sus palabras me dieron esperanza.

Esa clase de redención no se produjo de la noche a la mañana. Se produjo paso a paso mientras aprendía a caminar en la luz del Señor, sometida por completo a Él y sus caminos, y le permitía que me llevara a lugares donde yo sola nunca habría podido llegar.

Es maravilloso saber que cuando vemos las piezas que componen nuestra vida y decimos: «Destruí este matrimonio», «Eché a perder esta relación», «Le hice daño a este hijo mío», «Eché a perder mi salud»,

«Desperdicié muchísimos años», «Escogí lo malo y tomé decisiones terribles», «Preferí mi propio camino en lugar de los caminos de Dios», «Eso me lo robaron», «Eso lo perdí», «Mi vida es un desorden de pedazos regados», el Señor viene a nuestro encuentro donde nos encontramos y nos dice: «Yo tengo todos los pedazos de tu vida justo aquí en mi mano. Si me buscas y me sigues, yo las reuniré de nuevo. Y no solo eso, sino que haré que sirvan para algo bueno».

Eso es lo que Él hizo en mi vida, y sé que puede hacerlo en la tuya.

Esta es la visión que Dios me dio con respecto a esto, tanto para mí como para ti. Es posible que en estos momentos veas tu vida como un montón incalculable de pedazos separados, como un montón de vidrios rotos en el frente de una tienda de licores. Sin embargo, cuando le rindes por completo tu vida al Señor, Él va a tomar todos esos pedazos de tu vida para crear la ventana de vidrio más exquisita a través de la cual puede resplandecer la luz. Su luz en ti puede brillar a través de esos pedazos de tu vida para convertirse en un hermoso faro de luz para otras personas.

Dios dice acerca de quienes le aman: «Porque yo sé muy bien los planes que tengo para ustedes —afirma el SEÑOR—, planes de *bienestar* y no de calamidad, a fin de darles un *futuro* y una *esperanza*»[2].

La Biblia dice: «Cosas que ojo no vio, ni oído oyó, ni han entrado al corazón del hombre, son las cosas que Dios ha preparado para los que le aman»[3].

Dios quiere que lo *conozcamos a Él* y *confiemos en Él* y *vivamos en su camino*, a fin de podernos liberar para que seamos todo para lo que nos creó. Quiere que vivamos con éxito en Él cada día, de manera que nos podamos mover hacia todo lo que Él tiene para nosotros. Cuando rendimos nuestra voluntad a la suya, encontramos su libertad. De una manera total. Absoluta. Completa.

Todo lo que tengo viene de Dios. Le debo mi vida. Sin embargo, no salí un día de las tinieblas por accidente. Creo que estamos en ellas, aunque no lo pensemos así, hasta que tomamos la decisión de recibir a la Única Luz Verdadera.

En cambio, las cosas no terminan aquí. Las tinieblas van a seguir tratando de infiltrarse en nuestra vida para penetrar en ella mientras estemos en esta tierra. Y no solo eso, lo que permitimos que entre en nuestra vida no solo nos afecta a nosotros, sino a nuestros hijos, nietos y biznietos también.

La Biblia dice que los pecados de los padres se visitarán en sus hijos hasta la tercera y cuarta generación. Dice que cuando las personas se preguntan por qué les pasan tantos desastres, Él les responde que se debe a que «vuestros padres me dejaron, dice Jehová, y anduvieron en pos de dioses ajenos, y los sirvieron, y ante ellos se postraron, y me dejaron a mí y no guardaron mi ley»[4].

Los pecados de los padres se convierten en maldiciones generacionales que necesitamos romper. Y solo las podremos romper cuando mantenemos un corazón que sea agradable ante Dios; un corazón que esté lleno de la luz y la vida del Señor.

En el Antiguo Testamento, una y otra vez Dios le indica a su pueblo que obedezca sus mandamientos porque eso trae bendiciones. No vivir según sus caminos trae maldiciones[5]. Sé que no tengo en mí lo que se necesita para dirigir mis pasos ni para conocer el camino por el que debo ir, pero *Él* sí lo tiene[6].

Ni siquiera nos podemos levantar por encima de nuestro propio orgullo, que es la causa de nuestra ceguera espiritual. Las personas que permiten que el orgullo reine en su corazón, no ven las tinieblas donde están. Hacen cosas que son una afrenta contra Dios y creen que no sufrirán las consecuencias. Jesús dijo: «El que anda en tinieblas, no sabe a dónde va»[7]. Yo anduve en tinieblas durante veintiocho años y *pensaba* que más o menos sabía hacia dónde iba, pero solo sabía dónde *quería* ir. No tenía idea de los planes que Dios tenía para mí.

El problema es el siguiente, como he aprendido con claridad, que aun cuando recibimos al Señor, todavía podemos tomar la decisión de seguir a nuestro corazón, hacer lo que *deseemos* y dejarlo de escuchar a Él. Cuántas tragedias se habrían podido evitar si la persona involucrada le hubiera preguntado a Dios: «¿Es esta tu voluntad para mi vida?». «¿Debería estar haciendo esto?».

Dios nos permite que vayamos donde estamos decididos a ir, incluso que vivamos fuera de su favor, pero allí no estaremos protegidos y no nos puede llevar a un lugar de seguridad. Dios les quita su paz y sus bendiciones a quienes lo rechazan, se rebelan y no se arrepienten ante Él. El mal cae sobre los que abandonan a Dios y sus leyes para adorar y servir a otros dioses[8].

No podemos confiar siquiera en nuestro corazón si queremos permanecer en la luz. La Biblia dice que «engañoso es el corazón»[9]. No podemos confiar en él. ¿Cuántos hemos caído en las tinieblas por seguir a nuestro corazón y no a nuestro Señor? Dios sabe la verdad acerca de nosotros. Él es quien escudriña nuestro corazón a fin de podernos bendecir o no, según sean nuestros caminos[10].

Podemos permanecer en su luz al permanecer en su Palabra. Gracias, Señor, porque «la exposición de tus palabras imparte luz; da entendimiento a los sencillos»[11]. «Lámpara es a mis pies tu palabra, y luz para mi camino»[12]. Gracias porque... «tú encenderás mi lámpara» y «alumbrarás mis tinieblas»[13]. Tú, Señor, eres «mi luz y mi salvación; ¿de quién temeré?»[14].

Nos mantenemos fuera de las tinieblas al caminar con Dios. «El que anda en tinieblas y carece de luz, confíe en el nombre de Jehová, y apóyese en su Dios»[15].

He aprendido que el enemigo de nuestras almas siempre va a tratar de echarnos abajo, o destruirnos, o tentarnos con sus mentiras para que volvamos a su mundo de tinieblas. Así que incluso en los tiempos oscuros de nuestras vidas, podemos decir: «No te alegres de mí, enemiga mía. Aunque caiga, me levantaré, aunque more en tinieblas, el SEÑOR es mi luz»[16].

Debemos recordar que «*no tenemos lucha contra sangre y carne*», sino que batallamos «contra los gobernadores de las tinieblas de este siglo»[17]. Sin embargo, Jesús «nos ha librado de la potestad de las tinieblas»[18]. Tenemos que identificar las falsificaciones, recordando que nuestro enemigo se puede disfrazar de «ángel de luz»[19]. Debemos dejar de darles lugar a las obras de las tinieblas y, en cambio, sacarlas a la luz[20].

Jesús dijo: «Yo soy la luz del mundo; el que me sigue, no andará en tinieblas, sino que tendrá la luz de la vida»[21]. Esta promesa es para ti y para mí. Entonces, ¿vamos a desechar la oportunidad de seguirle porque no queremos renunciar a las tinieblas? (¿Del perdón? ¿De las dudas? ¿De nuestros ídolos? ¿De nuestros propios apetitos egoístas?).

No podemos andar dando tumbos por nuestra vida como si fuéramos muertos. *Tenemos que despertar y ver lo que sucede.* «Despiértate, tú que duermes, y levántate de los muertos, y te alumbrará Cristo»[22]. Debemos hacer una clara distinción entre las tinieblas del mundo del enemigo de Dios y nuestra propia alma, y la Única Luz Verdadera de Dios, su Hijo y su Espíritu: la luz en nosotros que nunca se apaga.

Yo viví en las tinieblas y no me gustaron. Alabo a Dios por el don de su luz en mí. Le pido a Dios cada día que me ayude a mantenerme en la luz de su amor, verdad y vida.

Esa es mi meta para el resto de mi vida.

28
Díganlo los redimidos

E l milagro es que yo vivía.

Siempre sentía que tenía que haber algo mejor para mí, pero después de buscar durante años «una vida mejor», no podía encontrarla. Es más, cada día todo eso me parecía más falto de esperanza que el día anterior. Por supuesto, nunca soñé siquiera que hubiera una razón para mi existencia y que Dios tuviera un plan para mí.

Sé que no habría podido existir mucho más tiempo de la forma en que iban las cosas. Nunca había pensado que viviría más allá de mis treinta y tantos años, y mucho menos que tendría un matrimonio que duraría... ¡con hijos y nietos! Creía que esa clase de bendiciones nunca aparecería para mí en las cartas. Me había demostrado a mí misma sin lugar a dudas que mi vida tenía un lado tenebroso insondable, y creía que nunca lo podría superar, sin importar de cuántas formas tratara de lograrlo.

Uno de los mayores dones es llegar a un punto donde sabes que no estarás viva sin un milagro de Dios. La dependencia total es estar segura que sin Él no puedes hacer nada que perdure ni que sea bueno, incluyendo seguir viva, puede ser liberadora.

Buscaba la luz en todos los lugares equivocados. No identificaba ni recibía la luz que nunca se extingue por toda la eternidad, así que cargaba conmigo las consecuencias de todo lo que hacía que fuera contrario a los caminos de Dios.

Jesús dijo que Él no vino a juzgarnos, sino a salvarnos[1]. Sin embargo, Él no solo nos quiere salvar *de* algo. Nos quiere salvar *para* algo. Nos quiere salvar *de* nosotros mismos y de nuestra manera errada de vivir. Aunque también nos quiere salvar *para* los propósitos y los planes que tiene de hacer grandes cosas por medio de nosotros. *Su grandeza viva en* nosotros es la que nos capacita de manera que hagamos grandes cosas para Él. Cuando nos sometemos a Él, nos prepara de manera que su luz pueda resplandecer a través de nosotros sobre las tinieblas de este mundo.

A medida que se acrecientan las tinieblas del mundo, debemos llegar a ser instrumentos a través de los cuales brille la luz del Señor continuamente con más fulgor. Él dice: «¡Levántate y resplandece, que tu luz ha llegado! ¡La gloria del Señor brilla sobre ti!»[2].

Su Palabra dice: «Si dieres tu pan al hambriento, y saciares al alma afligida, en las tinieblas nacerá tu luz, y tu oscuridad será como el mediodía»[3].

Jesús nos instruye a que les permitamos a otros ver su luz en nosotros. «Ustedes son la luz del mundo. Una ciudad en lo alto de una colina no puede esconderse. Ni se enciende una lámpara para cubrirla con un cajón. Por el contrario, se pone en la repisa para que alumbre a todos los que están en la casa»[4].

Jesús se le apareció a Pablo para decirle que lo enviaba al pueblo «para que abras sus ojos, para que *se conviertan de las tinieblas a la luz, y de la potestad de Satanás a Dios*»[5]. Pablo les dijo a los cristianos de Roma: «*Desechemos, pues, las obras de las tinieblas, y vistámonos las armas de la luz*»[6]. Esto es algo que tenemos que decidir cada día.

La luz de Dios en nosotros y a nuestro alrededor es parte de la protección divina sobre nosotros.

Estamos para consolar y fortalecer a los temerosos y a los débiles. Estamos para «seguir siempre lo bueno» para todos. Debemos «*estar siempre gozosos, orar sin cesar, dar gracias en todo, porque esta es la voluntad de Dios*». No debemos «*apagar al Espíritu*». Y no debemos tampoco «*menospreciar las profecías*». Lo que debemos hacer es «*examinarlo todo y retener lo bueno*», además de «*abstenernos de toda especie de mal*»[7].

Jesús dijo: «Yo soy la luz que ha venido al mundo, para que todo el que crea en mí no viva en tinieblas»[8]. Dios quiere que *nosotros* seamos su luz para los que ahora mismo se encuentran en tinieblas. Si la gente no hubiera hecho eso por mí, hoy estaría todavía en tinieblas. Es más, estoy segura que no estaría viva hoy. Él quiere que los que le conocemos seamos «guías de los ciegos, luz de los que están en tinieblas»[9].

La Biblia dice: «Ustedes son linaje escogido [...] pueblo que pertenece a Dios, *para que proclamen las obras maravillosas de aquel que los llamó de las tinieblas a su luz admirable*»[10]. A todos nos llamaron de las tinieblas para entrar a su luz con el fin de que proclamemos las obras de Dios a los demás.

Debemos *amar a los demás como Él nos ama a nosotros*. Jesús dijo: «El que dice que está en la luz, y aborrece a su hermano, está todavía en tinieblas. El que ama a su hermano, permanece en la luz, y en él no hay tropiezo»[11]. Tenemos que vivir en la luz de su amor a fin de permitir que resplandezca a través de nosotros ante los demás.

Esto no lo podemos hacer por nuestra propia cuenta. Nuestro amor humano no tiene lo que hace falta, sino que lo tiene el amor de Dios en nosotros. Debemos recibir el amor de Dios en toda su plenitud, debemos manifestar nuestro amor a Dios en nuestra adoración hacia Él, de manera que Él nos pueda llenar con más de su amor, y nos capacite para amar a los demás de una forma que le agrade a Él.

Esta es la forma en que yo he orado por mí misma y por los demás con respecto a todo lo anterior. Hazla una oración por ti también.

Señor, te doy gracias porque trajiste la luz hasta nuestros lugares más oscuros. «Tú, Señor, eres mi lámpara», y tú «iluminas mis tinieblas»[12]. Yo no tengo por qué vivir en el temor de «la pestilencia que anda en tinieblas, ni la destrucción que hace estragos en medio del día»[13]. Estoy agradecida por eso, pues la gente que te amamos siempre podemos encontrar tu luz en nuestros tiempos oscuros. Tu Palabra dice que la «luz resplandece en las tinieblas para el que es recto; Él es clemente, compasivo y justo»[14]. Así que, aun cuando atravieso unos tiempos de tinieblas y siento que el enemigo me trata de llevar

de nuevo a las tinieblas, sé que tu luz siempre está presente, resplandeciendo dentro de mí. El rey David dijo: «El enemigo ha perseguido mi alma, ha aplastado mi vida contra la tierra; me ha hecho morar en lugares tenebrosos, como los que hace tiempo están muertos»[15]. Yo también he sentido eso, Señor. En cambio, ahora sé que gracias a que camino contigo, mi futuro está seguro, sin importar cómo me sienta en ese momento.

Tú dices de los que te aman y te sirven que «las tinieblas cubren la tierra, y una densa oscuridad se cierne sobre los pueblos», pero tu aurora brillará en nosotros y se manifestará tu gloria sobre nosotros[16]. Tu Palabra dice: « ¡Ay de los que llaman a lo malo bueno y a lo bueno malo, que tienen las tinieblas por luz y la luz por tinieblas, que tienen lo amargo por dulce y lo dulce por amargo!»[17]. Ayúdame a hacer una clara distinción entre lo que es malo y lo que es bueno ante tus ojos.

He caminado en tinieblas, y he visto una gran luz. He vivido en la tierra de sombra de muerte, hasta que una luz resplandeció sobre mí[18]. Jesús, tú viniste «para dar luz a los que habitan en tinieblas y en sombra de muerte, para guiar nuestros pies en el camino de paz»[19]. Gracias a ti, nuestro «Padre de las luces, en el cual no hay mudanza, ni sombra de variación»[20], que siempre estás en el cenit del camino del sol en el cielo, y en ti no hay sombras, solo luz. Gracias, Señor porque mi camino hacia el futuro es «como la luz de la aurora, que va en aumento hasta que el día es perfecto»[21].

Te lo ruego en el nombre de Jesús.

La Biblia dice: «Díganlo los redimidos de Jehová, los que ha redimido del poder del enemigo»[22]. Yo fui redimida de la mano del enemigo y transformada en todo sentido. Tengo la esperanza de ser cada vez más semejante al Señor, y por eso camino a diario por esa senda, la cual no terminará hasta que vaya a estar con Él por la eternidad.

Debido a quien soy, me llamaron a proclamar quién *es Él*, y lo que *Él ha hecho* por mí.

Y eso es lo que he hecho.

Notas

Capítulo 9
1. Juan 12:46
2. Juan 1:4
3. Juan 1:5
4. Romanos 8:9

Capítulo 11
1. Isaías 47:13, NVI*
2. Deuteronomio 18:10-12
3. Isaías 40:2
4. Mateo 4:16

Capítulo 12
1. 2 Timoteo 1:7
2. Salmo 63:1
3. Salmo 51:10
4. Lee el Salmo 90:8
5. Juan 14:23

Capítulo 13
1. 2 Timoteo 2:5, NVI*
2. Deuteronomio 7:26, NVI*
3. 1 Juan 4:18, NVI*
4. 1 Juan 2:5, NVI*

Capítulo 14
1. 2 Corintios 3:18; Salmo 84:7
2. Salmo 3:8, NVI*
   (énfasis añadido)
3. 2 Corintios 3:17
4. Salmo 72:12

Capítulo 22
1. http://www.caltech-era.org/
   northridge.htm

Capítulo 23
1. Salmo 66:18, LBLA

Capítulo 25
1. Filipenses 4:13

Capítulo 26
1. 2 Corintios 13:1
2. Salmo 12:5, LBLA
   (énfasis añadido)
3. 1 Tesalonicenses 5:2-4
4. 1 Tesalonicenses 5:8, LBLA
   (énfasis añadido)

Capítulo 27
1. Jeremías 16:17, LBLA
2. Jeremías 29:11, NVI*
   (énfasis añadido)
3. 1 Corintios 2:9, LBLA
4. Jeremías 16:11
5. Lee Deuteronomio 28:1-68;
6. Jeremías 11:3-5
7. Lee Jeremías 10:23
8. Juan 12:35
9. Lee Jeremías 16:13 y 17:4
10. Jeremías 17:9
11. Jeremías 17:10

12. Salmo 119:130
13. Salmo 119:105, LBLA
14. Salmo 18:28
15. Salmo 27:1
16. Isaías 50:10
17. Miqueas 7:8, LBLA
18. Efesios 6:12
    (énfasis añadido)
19. Colosenses 1:13
20. 2 Corintios 11:14
21. Lee Efesios 5:11
22. Juan 8:12
23. Efesios 5:14

20. Santiago 1:17
21. Proverbios 4:18
22. Salmo 107:2

Capítulo 28

1. Juan 12:47
2. Isaías 60:1, NVI*
3. Isaías 58:10
4. Mateo 5:14-15, NVI*
5. Hechos 26:18
   (énfasis añadido)
6. Romanos 13:12
   (énfasis añadido)
7. 1 Tesalonicenses 5:14-22
   (énfasis añadido)
8. Juan 12:46, NVI*
9. Romanos 2:19
10. 1 Pedro 2:9, NVI*
    (énfasis añadido)
11. 1 Juan 2:9-10
12. 2 Samuel 22:29, NVI*
13. Salmo 91:6, LBLA
14. Salmo 112:4, LBLA
15. Salmo 143:3, LBLA
16. Isaías 60:2, NVI*
17. Isaías 5:20, NVI*
18. Lee Isaías 9:2
19. Lucas 1:79, LBLA

Una guía de salud emocional para mujeres

ERES LA NIÑA DE SUS OJOS

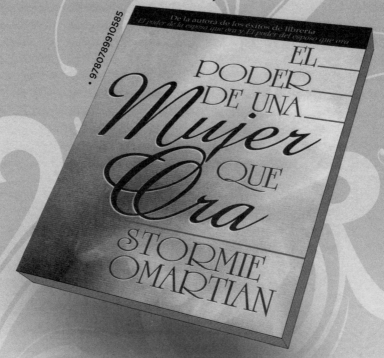

El poder de una mujer que ora

Quizá parezca fácil orar por tu esposo, tus hijos, tus amigos y tu familia extendida, pero Dios también quiere escuchar las peticiones por tu vida. Le encanta cuando vienes a Él por las cosas que necesitas y le pides que te ayude a convertirte en la mujer que simpre has deseado ser. Confía en Él en cada momento con las preocupaciones de tu corazón y descubre el asombroso poder que la oración liberará en tú vida.

Disponibles en su librería cristiana favorita.

www.editorialunilit.com

SPANISH HOUSE MINISTRIES

Medley, Florida 33166

Conéctate:

https://www.facebook.com/editorialunilit
https://twitter.com/editorialunilit
https://instagram.com/editorial_unilit/